40的夫
20的妻

晚情 著

重庆出版集团 重庆出版社

图书在版编目（CIP）数据

40 的夫，20 的妻 / 晚情著 . —重庆：重庆出版社，2013.9

ISBN 978-7-229-06647-5

Ⅰ . ① 4… Ⅱ . ① 晚… Ⅲ . ① 都市小说—中国—当代

Ⅳ . ① I247.5

中国版本图书馆 CIP 数据核字 (2013) 第 124729 号

40 的夫，20 的妻

40 DE FU，20 DE QI

晚　情　著

出 版 人：罗小卫

策划编辑：欧阳秀娟

责任编辑：陶志宏　汪晨霜

装帧设计：彰品设计

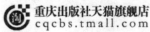 重庆出版集团
重庆出版社 出版

重庆长江二路 205 号　邮政编码：400016 http://www.cqph.com

北京兴湘印务有限公司印刷

重庆出版集团图书发行有限公司发行

E-MAIL:fxchu@cqph.com　邮购电话 :023-68809452

重庆出版社天猫旗舰店
cqcbs.tmall.com

全国新华书店经销

开本：880mm×1230mm　1/32　印张：12　字数：260 千字

2013 年 9 月第 1 版　2013 年 9 月第 1 版第 1 次印刷

ISBN 978-7-229-06647-5

定价：32.00 元

如有印装质量问题，请向本集团图书发行有限公司调换：023-68706683

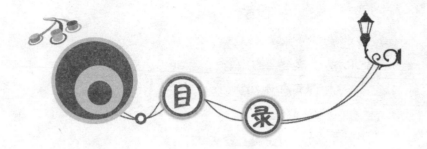

一　丑媳妇总得见公婆

　　早春三月，春寒料峭，西湖边的荷叶在风中摇曳着。星期六的早晨，除了出来遛鸟的退休老人和晨练的人，很少看见车辆，使这个城市显得格外静谧。果然应了那句老话：上有天堂，下有苏杭。

　　荷塘边一对男女正在拉拉扯扯，显得分外不和谐。

　　陆宁钉在地上不肯移动半分，可怜兮兮地看着男友丁浩："我还没有准备好，我们下个星期再去好不好？"

　　陆宁一想起要去拜见未来的公公婆婆，心里就发虚，万一两位老人不喜欢她，那就太受打击了。

　　丁浩看着身边来来往往的人走过，还好奇地回头打量自己和陆宁，就耐着性子哄她："宝贝，我们不是说好了吗？这周一定要去见我父母，上周你就临阵退缩了，我只好骗我妈说你病了，要是这周再不去，我实在找不到借口了。"

　　陆宁苦着脸说："可是我担心嘛，万一叔叔阿姨要是不喜欢我呢？"

　　丁浩觉得她的担心很多余，在他眼里，陆宁浙大毕业，在学校的时候品学兼优，年年都拿奖学金。长着一张人见人

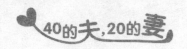

爱的娃娃脸，一笑还有两个梨涡，是最受异性欢迎、最讨老人喜欢的类型，简直可以说宜家宜室，他实在搞不懂她有什么好担心的。自己三十六岁还没结婚，家里父母早就着急上火，一见到陆宁，还不定开心成什么样呢！他甚至可以想象父母对她的喜欢劲儿。

当陆宁告诉他最近的电视剧里演的都是婆婆媳妇如何斗智斗勇，家里鸡飞狗跳的时候，丁浩忍不住叹了口气，现在的电视剧真是害人不浅，把家庭矛盾无限放大，所有事情都集中在一个家庭里发生，事实上，哪有那么巧的事？其实他本来对这些电视剧也没什么意见，因为他根本不看，可是陆宁会看，她身边的人也看，看完还一起讨论，搞得她对婆媳关系深深恐惧，上周本来已经答应一起见自己父母的，最后却死活不肯了，原来都是电视剧惹的祸，这次他可不想历史重演了。

"宝贝，生活和电视怎么会一样嘛，你想我们的父母过了大半辈子了，有什么事发生？我建议你以后少看这些电视剧。像你以前弹弹琴听听歌多好，干吗要看这些无聊的电视剧？"

陆宁委屈地瞪了他一眼，男人真是盲目乐观，俗话说不怕一万，就怕万一，万一丁浩的父母就是不喜欢自己呢？

丁浩看见晨练的老人都已纷纷离开，知道不能再耽搁下去，无论如何要把陆宁哄回家，跟自己的父母见个面，让父母喜欢她，这才是最重要的事情。

"我们宝贝什么时候变得这么不自信了？我发誓你这么聪明可爱，我父母一定会像我一样喜欢你。"

陆宁在丁浩的再三保证下，已经决定去见他父母，事实上她也知道，上次她突然说不去就不去了，把问题丢给丁浩是很任性的行为，这次要是还这样就太说不过去了。

"那你说的哦，万一他们要是不喜欢我，我就唯你是问。对了，要是他们真的不喜欢我，你怎么办？会不会就不要我？"

丁浩觉得女人的担心和问题真是无穷无尽，好在恋爱这一年里，自己已经有了相当了解，立刻回答道："不可能，我那么喜欢你，我父母和我的血液是一样的，眼光当然也差不多，他们怎么可能不喜欢你呢？根本就没有这种万一。"

陆宁却不打算放过这个问题，执著地问："我是说假如，你假想一下嘛！"

"如果真出现这种万一，那我就想尽办法让他们喜欢你，更不会让你受委屈。"

陆宁得到满意的答案，终于放过这些问题了，开始思考这次见面的细节："第一次上你家，我觉得这样空手不太好，叔叔阿姨喜欢什么啊？你给我点意见。"

丁浩指指远处停着的车，告诉她所有东西已经准备好了。

陆宁不管旁边人来人往，开心地抱住丁浩在他脸上亲了一口，娇滴滴地说："你真好！"

丁浩怜爱地拍拍她的脸，无限疼爱，对于这个小了自己十四岁的女朋友，丁浩打心眼里愿意宠她，只要她开心，叫自己做什么都行。

经过一番折腾，快十点的时候，丁浩终于带着陆宁出现在自己父母面前。丁浩的父母早就接到消息，一直在客厅严阵以待，余秀珍仔细打量着怯怯偎在儿子身旁的陆宁，开始在心里进行评分。

陆宁被打量得浑身不自在，小声叫了声叔叔阿姨。

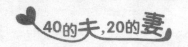

丁起松拉了拉一直盯着陆宁看的老伴，赶紧说："好好，快进来。"

余秀珍意犹未尽地又看了看儿子的女朋友，才跟着大家进了客厅。想了想又招呼儿子跟自己去厨房端水果。

丁起松下意识地要去帮余秀珍，被她一个眼色阻止了。

丁浩握了握陆宁的手，起身去帮余秀珍端水果，他知道余秀珍肯定是想问他什么。

果然，在厨房里，余秀珍压低声音说："她几岁了？"

"二十二。"

余秀珍露出一个不了然的表情："难怪看着这么年轻，你可比她足足大了十四岁啊！怎么找这么小的？"

丁浩不以为然地说："妈，年轻有什么不好？我要是找个四十岁的回来，我估计你反应更大。"

余秀珍没好气地白了儿子一眼："干吗你不是找二十的就得找四十的，你就不能折中一点吗？"

丁浩没料到自己的妈对年纪这么介意，他本以为自己找了一个年轻漂亮的女朋友，老妈会无限欢喜呢！

"妈，感情的事情说来就来了，又不是我先给自己设定很多条条框框，这是恋爱，又不是买卖。你可不能因为宁宁年轻就对她有成见，这对她太不公平了。"

余秀珍听儿子口口声声都向着陆宁，心里就有种莫名的不舒服，她只不过是随口问问，儿子用得着紧张成这样？脸色忍不住沉了下去。

丁浩觉得很冤枉，自己不过是说了句公道话，但是他也不想跟老妈辩解，免得老妈心里更不舒服，画蛇添足地说：

"妈，我不是护着她，我是觉得年纪这个东西不是自己能决定的啊，如果可以决定，我多希望现在才二十六岁，向来都是嫌老的，您怎么还嫌年轻呢！"

余秀珍撇了撇嘴道："我不是嫌她的年纪，我是说你们两个年纪差得太大。"

丁浩很郁闷，其实这个年纪也曾经是他心里的结，他就怕陆宁觉得自己老，嫌弃自己。想不到陆宁还没开始嫌弃，自己的妈就嫌弃上了，这怎么能不让他觉得挫败呢！为了避免余秀珍继续发问，丁浩赶紧催她把水果端出去。

余秀珍立刻揭穿儿子："你是怕陆宁觉得我们在议论她，她会觉得不舒服吧！"

丁浩赶紧求饶："不是的，妈，你们两个都是我很重视的人，我求您，先试着了解她，不要因为一些既定的原因对她有成见。"

余秀珍有些不是滋味地说："说来说去，你就是担心她受了什么委屈。"

丁浩意识到自己说什么都是错的，赶紧闭嘴才是正道，安慰性地拍拍老妈的肩膀，端着水果出来了。

客厅里，丁起松和陆宁倒是聊得挺欢，丁浩立刻生出一种安慰的感觉："在聊什么这么开心啊？"

丁起松笑着说："宁宁说你跟她吹牛很会做菜，可是到现在都没赐她一根青菜过。"

丁浩替自己澄清道："那不是忙嘛，也没场地发挥啊，等我们结婚后，我给你做一桌满汉全席。"

余秀珍一听婚后儿子可能做很多家务，忍不住就存了偏

一 丑媳妇总得见公婆

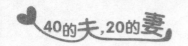

心:"男人应该以事业为重,老待在厨房里有什么出息啊?"

陆宁一愣,直觉余秀珍的话似乎冲着自己来的,但是想到自己也不喜欢男人下厨房,其实哪是丁浩不肯下厨啊,而是她并不愿意他下厨。这么一想,觉得自己太多心了,笑着说:"我也赞同阿姨的意见,男人就该顶天立地,天天围着厨房和家务的男人还有时间打拼事业吗?"

余秀珍这才多云转晴,丁起松本来担心老伴说话这么直接陆宁会不高兴,想不到这丫头挺识大体的,当下对陆宁的喜欢又多了一分,于是开玩笑道:"宁宁说得没错,从今天开始我决定远离厨房和家务了。"

余秀珍见老伴也维护陆宁,心里老大不爽,可话是自己挑起的,又不能收回来,只能自己憋着这股不爽。

丁浩见气氛有点压抑,直说自己肚子饿了,一家人移到餐厅吃饭,丁起松讲起丁浩小时候的趣事,陆宁听得津津有味,气氛倒也融洽,余秀珍想起儿子小时候的样子,脸上不自觉地带了笑容。

陆宁暗暗松了口气,虽然她年轻,但是不笨,如果以后跟丁浩结婚,公公是个很好说话的人,婆婆那里可能要上心一点,不过想到以后是两个人单独住,觉得问题应该不是很大。所以悄悄地握了握丁浩的手,丁浩感觉到了,也知道陆宁在很努力地讨自己父母欢心,和她感激地一握。这个小动作没有逃过余秀珍的眼睛。

吃过饭后,丁浩见陆宁拘束的样子,提出带她去看电影,陆宁道了一声别,就快快乐乐地跟着丁浩出去了。

余秀珍心里老大的不满,等两人一关上门就对着老伴抱怨:

"你说现在的孩子也太不懂事了吧？吃完饭就说声叔叔阿姨再见就走了？也不说句帮忙收拾，说实话，我也不会叫她真干，毕竟人家第一次上门，可是你好歹客气一下啊！真是的！"

丁起松笑着打哈哈："既然你不需要人家干，那又何必在意这些呢？再说陆宁那孩子还小，哪有你这么懂得人情世故啊？我倒觉得这孩子挺好的，大方得体，说话做事也真诚，你非要她来虚的一套，这不是强人所难吗？只要儿子喜欢，我们怎么样都不要紧，他都三十六岁了，找到个合意的不容易，你可千万别跟着瞎掺合了。"

余秀珍边收拾边说："我当然希望儿子早日成家，也希望儿子找个他喜欢的人，可是这陆宁太年轻了，你没看见咱儿子对她紧张得很吗？这以后结了婚还不都是咱儿子伺候她？人家娶个老婆都是知冷知热有个人疼，热菜热饭地伺候着，我们倒好，娶了个宝贝疙瘩供着，平时我就是连个碗都没舍得让丁浩洗过，这一转眼就去伺候别人了，我怎么想怎么心里不舒服。"

丁起松知道老伴这是心疼儿子，但他并不怎么认同余秀珍的观念，可反对又怕惹恼了她，只好委婉地说："现在的年轻人和我们以前不一样了，家务都是分担着来，哪有什么规定都要女人干啊？我不也经常帮你干活吗？何况我看陆宁这孩子虽然年轻，不是个不懂事的，她知道分寸，你儿子受不了什么委屈。小夫妻关上门来想怎么样就怎么样，我们老的就随他们，少插手。"

余秀珍把碗重重地放进水槽里："什么小夫妻啊，我这还没同意呢？现在的女孩子都喜欢找年纪比自己大的，图什么？

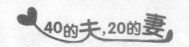

图男方的经济基础，这样自己就不用受苦了。"

"丁浩现在有点事业基础，可说白了也只是个打工的，就挣点年薪，陆宁年轻漂亮，如果她真是图钱，为什么不去找个更有钱的？"

余秀珍见自己说一句老伴就顶一句，彻底恼了："我说你怎么回事啊，你到底是丁浩的父亲还是陆宁的父亲啊？怎么句句都向着陆宁？她要去找有钱的，也得找得到才行，多少漂亮的女孩子在酒店当服务员呢！何况我们丁浩哪点差了？要身高有身高，要风度有风度，多少女孩子喜欢？也就是他眼界高，不肯随随便便找了，又说什么要先打好经济基础，才拖到现在，否则哪里轮得到陆宁？"

丁起松赶紧熄火："是是是，我们儿子条件当然不错，我是希望你不要先入为主对人家有意见了，毕竟她是我们未来的儿媳妇，一家人要和和睦睦的才是。"

余秀珍不以为然地说："什么未来儿媳妇啊，我还没答应呢！其实我觉得上次楼下老李介绍的姑娘不错，三十岁，人长得也实惠，一看就是操持家务的好手，丁浩要是娶了他，肯定是什么活都不用干，舒舒服服地过一辈子，可不比娶个小姑娘好？"

丁起松嘿嘿干应了两声，他发现自己要是再替那小两口说话，只会让老伴更加不满，只能闭上嘴，不发表任何意见。

余秀珍见老伴不再提反对意见，觉得是认同了自己的话，当下满意地擦了擦手，把围裙解了下来，打算等儿子回来的时候好好跟他说道说道。

二　年龄不是问题

丁浩牵着陆宁的手慢慢沿着苏堤走着，显得有些心事重重，陆宁已经见过自己的父母，接下来就是自己去拜访她父母了，不知道到时是否顺利。

陆宁同样有些心事重重，她摇了摇丁浩的手，有些不确定地问："你说我今天表现得怎么样啊？我感觉叔叔好像挺喜欢我的，阿姨似乎不怎么喜欢我。"

丁浩又何尝不知道呢？这是他之前没有预料到的，他只告诉父母要带女朋友回家，今年想着把婚事给办了，余秀珍想仔细问，可是丁浩工作忙，并没细说，他觉得自己带了个这么漂亮得体的女朋友回家，父母应该很高兴才是，没想到自己的妈竟然会排斥，可能女人的心思太复杂了，他猜不透吧。好在老爸还是真心喜欢陆宁的，自己回去好好劝劝，应该能说通老妈吧？

当然，这些事情绝对不能让陆宁知道，当下信誓旦旦地向她保证绝无此事，是自己的老妈性格就是如此。

陆宁半信半疑地看着他，她觉得丁浩的理由有点牵强，可是丁浩是从来不会骗自己的。

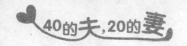

　　丁浩看着陆宁心事重重的样子有些心疼，替她理了理被风吹乱的刘海："傻瓜，别胡思乱想了，你是对我妈不礼貌了，还是生活作风有问题了？我妈为什么要排斥你？"

　　让丁浩这么一说，陆宁开始相信是自己敏感了，何况余秀珍也没说什么，是人总有个情绪，难道还非得逼着别人二十四小时对着自己笑啊？

　　陆宁撒娇地摇着丁浩的手臂："其实我以前一直都很自信的，可是我就是很在意你父母喜不喜欢我，我不是为了我自己，我就是怕他们不喜欢我的话你会很为难。"

　　丁浩既感动又心疼地搂了搂她，心里的念头更加坚定，老妈可能是杞人忧天，虽然陆宁年轻，可她并不是一个只会无理取闹的娇小姐，她有体谅之心，等老妈看到了这点，一定会很愉快地接受这个儿媳妇的。

　　当务之急还是先取得陆宁父母的喜欢，让他们同意把女儿嫁给他，至于其他的事，都可以慢慢来。第一次上门，礼物很关键，丁浩问："宝贝，你爸妈喜欢什么？你陪我一起去买。"

　　陆宁转了转眼珠子，很认真地回答："他们就喜欢我这个女儿，结果你却要把他们的女儿带走，所以无论你买什么都没用的。"

　　丁浩彻底愣住，虽然陆宁只是开个玩笑，还真是这么一回事呢！

　　陆宁见丁浩犯难，撒娇地说："唯一的办法就是替他们好好照顾我这个女儿，不准欺负我，不准背叛我，不准让我不开心，他们就会答应了。"

　　丁浩哪有不答应的道理。

陆宁难缠，等丁浩送她回家再回自己家时，已经晚上十一点多了。刚进家门，丁浩就发现余秀珍坐在客厅里呵欠连天地看电视，以往这个时间余秀珍早就回房休息了。看见丁浩回来，余秀珍立刻精神百倍起来。丁浩打了个招呼，打算回房休息。

余秀珍从厨房拿了盘水果，敲开了儿子的门。

"妈，这么晚还不休息啊？"丁浩知道，余秀珍这么晚还不睡，肯定是想和自己聊陆宁，反正迟早得聊，早点解决也好。

"妈在等你，想跟你聊聊，你很喜欢陆宁吗？"余秀珍在自己儿子的床沿边坐下，开始给儿子削苹果。

丁浩点点头，认真地说："我很喜欢她，希望今年和她结婚。"

丁浩这么坚定倒有点出乎余秀珍的预料，她看了看儿子，试探着说："你都想清楚了？妈觉得你们两个不是特别合适。"

丁浩一听，显得有些激动，他内心特别希望父母能够喜欢陆宁，即使达不到像自己那么喜欢她，至少不要排斥她，可是今天才第一次见面，老妈就反对，如何让他觉得不挫败？

"妈，宁宁到底哪里不合您的心意了？她人漂亮，学校也好，今天来我们家应对也得体，怎么就不招您喜欢了？"

余秀珍见儿子一心一意向着陆宁，就有种儿子被人抢走了的不快，深呼吸了口气，勉强把这种感觉压了下去："我不是说她不好，你说得没错，她条件确实很好，可是你想啊，像她这样聪明漂亮的女孩子早就被人宠坏了，恋爱时你宠着她玩儿是没什么，可是结婚后，你需要的是一个老婆，不是女儿，她不但不能照顾你，还需要你照顾，你又要忙工作又

二 年龄不是问题

要忙家里，你觉得你吃得消吗？"

丁浩松了口气，耐心地解释道："妈，这个你完全可以放心，宁宁看着娇气，其实她很懂事的，而且她爱我，怎么可能让我一个人这么累？她会帮我分担的。"

余秀珍见儿子这么死心眼，心里很不高兴，作为一个母亲，她绝对不希望自己的儿子受累："丁浩，妈是过来人，知道婚姻是怎么样的，你会发现恋爱和婚姻完全不同，恋爱的时候你做什么都是心甘情愿，可是结婚后你回家想吃个家常饭，结果你只有一个会煮方便面的老婆，说不定连个方便面还得你煮给她，那时候你才会觉得悲哀。妈跟你说，男人娶一个会照顾自己的女人最幸福，上次介绍你认识的张娟就不错，老李介绍的，知根知底，特别贤惠，里里外外都能操持，而且烧得一手好菜。"

丁浩见余秀珍又提起这事，忍不住皱了眉头，自己是找老婆，又不是找保姆，如果实在担心婚后家务太多，只要请个保姆一切就解决了。事实上就算陆宁会做，他也不想让她天天待在厨房里，偶尔下厨是情趣，天天下厨是悲哀。

当丁浩把这意思委婉地向余秀珍表达后，余秀珍皱紧了眉头："生活是很现实的，再多的情情爱爱也会在琐碎的生活中消磨干净。"

丁浩觉得这个话题扯起来就没完没了了，打了个呵欠说："妈，挺晚了，我明天还要上班呢，您也早睡吧！"

说着，把余秀珍请出了房间。

丁起松本来已经睡着了，见老伴怒气冲冲地回来，就知道在儿子那里碰了壁，忍不住劝解道："唉，你说我们都一把年纪了，就让孩子自己做主吧！能遇上自己喜欢的人不容易，你还非得给儿子心里插根刺，搞得他不痛快，我说你这是何苦呢？"

余秀珍舍不得说儿子，儿子是她的心头肉，可老伴就不一样了，不替她顺气，还敢说她多事，心里更加不痛快，冲着老伴一凶："他不痛快，我还不痛快呢，你说陆宁给他吃了什么迷魂药啊，怎么迷得这么彻底？"

丁起松笑着坐了起来，边给老伴捏肩膀边说："你啊！就是喜欢瞎掺和，你换个角度想想，你自己也是女人，我要是把你当成免费的保姆，天天就想着要你伺候我，你什么感觉？委屈不？那人家陆宁也是人生父母养的，凭啥就来伺候咱儿子呢？丁浩体谅她，心疼她你应该高兴，这说明我们把儿子教育得很好，是个顶天立地的男子汉，你非要他做一个甩手老爷，这不是存心扯他后腿吗？丁浩能这么想，我倒是很为他骄傲。"

余秀珍听老伴这么一说，心里的气稍稍顺了些，可还是很郁闷："我一想到自己辛苦养大的儿子，以后就要去伺候另一个女人，我心里就是不痛快，我就希望娶一个倒过来伺候我们丁浩的女人。"

丁起松知道老伴的心理，也不反驳："你也希望儿子开心是吧？比如我现在在给你按摩，我就觉得挺开心的，为自己的爱人做点事有什么呢？他是可以娶那个张娟，可是丁浩一点都不喜欢她，就算她把丁浩伺候到天上去，丁浩也不会觉得开心，如果你真的希望儿子以后的生活幸福，我觉得你应该尊重他的选择，这样他会感激你一辈子。"

余秀珍觉得老伴说的似乎也有几分道理，她需要再好好想想："先睡觉吧，什么事都明天再说。"

丁浩这里不太顺利，事实上陆宁那边也不顺利，只是丁浩这里的不顺利事先没有料到，陆宁却清楚父母肯定会反对。

果然，吃晚饭的时候，她刚说完丁浩的基本情况，罗淑芬就说："什么？比你大十四岁？我说你这是找老公呢还是找老爸？"

陆宁见老妈这么说丁浩，心里老大不高兴："当然是找老公了，有这么年轻的老爸吗？得十三岁就结婚生我，您以为是古代啊？"

罗淑芬已经习惯女儿顶嘴，也不当一回事，只是继续发表自己的观点："找老公是得找比自己年纪大一些的，但是最多也就大个六岁八岁的，你倒好，把这两个给加起来了，我就纳闷了，你跟他沟通没障碍？你俩没代沟？这可差着两个年代呢！"

陆宁理直气壮地说："当然没障碍了，我们思想不知道多和谐呢！跟我思想最有障碍的是您，反正我就喜欢他，您接受也得接受，不接受也得接受。"

陆宁说完，负气地快速扒饭。

罗淑芬拿女儿没办法，转身冲老公发火："这事全怪你！"

陆增华一般在老婆和女儿斗嘴的时候从不插嘴，免得被无辜殃及，想不到沉默了半天，战火还是烧了过来："怎么怪到我头上来了？"

罗淑芬给了他一个罪有应得的眼神："都是你给女儿的父爱不够，才会使她对老男人产生了兴趣，不怪你怪谁？你要是给了她足够的父爱，她能找这么大年纪的男人？以后你得多陪你女儿聊聊天，再不行，就去乡下把她爷爷接来，免得她什么时候找个年纪比你还大的男人回来，那我们就真得活活被气死了。"

陆宁一听老妈竟然这么挖苦自己，气得把饭碗一推，转身进了自己房间，砰的一声把房门关上了。

陆增华看着女儿关上的房门，重重地叹了口气，一边是女儿，一边是老婆，他哪边都不敢得罪，这两个女人，生生捏住了他的七寸。

罗淑芬看着女儿碗里还剩着大半碗饭，心里也有些后悔，可是嘴上不愿意服输："都是你把她惯坏了，什么都得由着她自己的性子来，现在倒好，话都说不得了，一不高兴就撂饭碗，饿死活该！"

"你啊，就是刀子嘴豆腐心，等下心疼的又是你自己。"陆增华不以为然地说。

晚上十点，罗淑芬在厨房里忙碌，女儿只吃了半碗饭，半夜里肯定会饿。

半小时后，罗淑芬端着一碗荷包蛋面进了陆宁房间，把面放到女儿的电脑桌旁。

陆宁闻到面的香味，勾动馋虫，肚子确实有点饿了呢！可又不愿意低头，她不允许任何人说丁浩，就算是自己的妈也不行，何况他们还没见过丁浩呢，干吗先入为主，所以，她硬邦邦地说了一句："你拿走，我不吃！"

罗淑芬见女儿这么倔，不由得来气，可是又怕她真饿着，最终还是心疼女儿的情绪占了上风："你要是不吃，那就别让

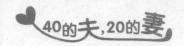

他上我们家来。"

陆宁听出了画外之音，惊喜地说："那是不是我吃了你就肯见他？"

罗淑芬没有正面回答女儿的问题："你先把面吃了再说。"

陆宁不再犯拧，端起碗来就吃，罗淑芬看着女儿的吃相，突然觉得眼睛发潮，也许以后等她自己有了孩子才会明白做母亲的心，父母不都是为了孩子好吗？怕她以后生活得不幸福，希望替她规避一切风险，怎么女儿就是不懂呢？认定是父母干涉她的恋爱自由。

等陆宁吃得差不多了，罗淑芬的心情也已经平静下来了："宁宁，妈不是想反对，只是意识到一些问题，你年轻，对社会和生活都认识不深，妈是怕你将来后悔。"

陆宁斩钉截铁地说："我不会后悔，我要是不和丁浩在一起，我才后悔。妈，我不知道你在担心什么，丁浩对我很好，你不要先因为年纪就对他有看法，至少你得先见见他嘛！也许你见了后，特别满意呢！"

"见我是一定会见的，妈只是想告诉你一些事情，现在你二十二，他三十六，的确，三十六的男人成熟稳重，不像二十几岁的毛头小伙子那么冲动毛躁，对女孩子有着致命的吸引力。可是你有没有想过，当你三十多岁的时候，他已经将近五十了，那时候你还能这么斩钉截铁地说你不会后悔吗？"

陆宁觉得老妈真是杞人忧天，五十岁有什么？女人老得比男人快，她不觉得这样有什么不好。

在罗淑芬看来，这是个大问题，女婿只比自己小十岁，

016

要一个小自己十岁的男人喊自己妈，她怎么想怎么觉得别扭，这要是经常接触的话，还不把自己给别扭死？

当罗淑芬把这些分析给女儿听的时候，陆宁满不在乎地说："那你觉得别扭我就让他别叫你好了，你一辈子都没女婿叫你妈，你不觉得亏我无所谓啊！"

罗淑芬见女儿这么执著，有些话也不得不说了："那你想过等他五十岁了，你们的生理还和谐吗？所以找老公还是应该找跟自己差几岁的男人，十几岁就太多了。"

罗淑芬还是有所保留，毕竟在女儿面前，这么直白地讨论这种问题还是拉不下脸来。

陆宁却觉得老妈越说越离谱，这种事还能有保证的？难道同龄的就一定和谐吗？得看保养和锻炼的嘛！

罗淑芬见女儿一句话都听不进去，并且态度强硬，不由得动了气："我说你这孩子怎么这么固执呢？除了我刚才说的那些，年纪大的男人社会阅历和生活经历都丰富，对付你这样的小女孩还不是小菜一碟啊？找个同龄的，就没那么复杂。"

陆宁见老妈反对到底的样子，也来气了："经历丰富有什么不好啊？这样他什么都知道，我正好不喜欢操心，所以我们俩是绝配，天造地设，天作之合，天生一对。"

罗淑芬见自己说一句，女儿顶一句，还比自己大声，比自己理直气壮，气得有些口不择言："他都三十六岁了，你了解他的婚姻吗？你看过他的户口本吗？你确定他没结过婚吗？如果三十六岁都不结婚，你不想想他有没有毛病？"

罗淑芬的话一点都没达到预期的效果，陆宁想也不想地说："三十六岁没结婚怎么了？你以为是你们那年代啊，一过

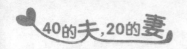

二十就赶紧结婚，生怕自己找不到老婆似的，现在大城市年过四十没结婚的多了去了，杭州好歹也算是省会城市吧，怎么你的思想这么落伍呢？妈，不是我说你，平时你没事的时候多看看新闻，多和社会接触一下，这样你的观念才会改变，我要睡觉了，你赶紧出去吧！"

罗淑芬在女儿这里碰了一鼻子灰，气冲冲地回到房间，看见老公在看新闻，气不打一处来，拿过遥控器就关了电视。

陆增华一看这架势，就知道老婆一定是被女儿给气着了："我说你也真是的，你女儿是什么性格你还不了解？她认定的事你能改变？哪次不是我们妥协啊！我觉得她说得也没错，你要反对好歹等见到人再说，女儿年轻，我们可不年轻了，让她把人带回家，我们帮着把把关，否则你要是态度强硬，宁宁可是豁得出去的人。"

罗淑芬被老公一吓，脑海里立刻出现陆宁私奔的情景，有些六神无主，赶紧问老公怎么办好。

陆增华坐了起来，慢慢给她分析："其实我觉得宁宁这孩子是很有主见和眼光的人，你的反对未必有用，我们就先见见这个人，凭我们俩的社会经验，难道还不能看出些门门道道来？你现在反对越激烈，宁宁的逆反心理就越重，你再说什么她都听不进去了。我好歹也在企业里干了小半辈子了，总比你们会看人。"

罗淑芬觉得现在除了老公说的这个办法，也没其他招了，她这辈子谁都不怕，就是怕女儿跟自己冷战，陆宁要是几天不理自己，那滋味比要了她的命还难受，这辈子算是被这丫头吃定了，罗淑芬心有不甘地想。

所以，第二天一大早，罗淑芬就来到女儿房间。陆宁一看是自己的老妈，撅了撅嘴，朝里翻了个身，罗淑芬看见女儿这么幼稚的行为，又好气又好笑："晚上把丁浩带回来吧！"

陆宁一下子忘了自己和老妈在赌气，立刻坐了起来："那你要保证不能给他难堪哦！不然我就不是带他回来，直接和他私奔。"

罗淑芬重重地拍向女儿，手掌落在被子上却轻飘飘地无力："女生外向说得一点都没错，放心，我保证不给他难堪！"

陆宁得寸进尺地要求道："男人都好面子，你除了不能给他难堪，还得保证要热情招待，妈，今天你什么都别干了，好好把家里收拾收拾，再多做几个好菜，下班我就带他过来。"

罗淑芬白了女儿一眼："你倒学会指派我起来了，凭啥你找个男朋友，我们全家就得当皇帝驾临了似的？我不干！"

陆宁搂住老妈的脖子，开始撒娇："不凭什么，就凭我是你跟爸最疼爱的女儿，我知道你一定不会让你的宝贝女儿不开心。再说了，不管你喜不喜欢他，我们家都得热情招待，这是表现我们家良好教养和风格的时候，你可不能把自己做低了哦！"

罗淑芬经不起女儿撒娇，加上陆宁能说会道，很快就妥协了。

这一天里，罗淑芬什么都没干，把家里里里外外都收拾得干干净净，陆宁不放心，还随时打电话过来监工，一会儿要罗淑芬把家里珍藏的餐具拿出来，一会儿又要罗淑芬买束鲜花插上，下午三点的时候，罗淑芬终于按照女儿的要求把家里布置妥当。还来不及坐下喝口水，陆宁又打电话过来告诉罗淑芬丁浩喜欢吃什么菜,罗淑芬一边一一照办,一边嘀嘀咕咕:明明自己反对的,怎么弄得跟招待领导似的?好像老公的领导过来吃饭,自己都没搞得这么累过啊!

陆增华回家一进门,看见焕然一新的房子不由得开起了玩笑:"果然还是宁宁厉害,叫你做什么你就做什么,我要是有宁宁一半待遇,我就是死也瞑目了。"

罗淑芬见老公回来,一天集聚下来的怨气终于有了倾诉的对象:"你还说呢!我今天算是被你女儿折腾惨了,我上辈子肯定欠了她,这辈子老天派她来收拾我。偏偏口才还了得,说不管我喜不喜欢丁浩,咱家必须热情待客,这是体现咱们精神风貌和教养的时候。"

"我觉得宁宁说得没错,你可以反对,但是不能搞得我们小家子气了。"

"我知道终于这丫头为什么这么拧了,你老向着她,她说什么你都说对,搞得她主意越来越大,现在光折腾我。"

陆增华换了鞋子,走进厨房打算给老婆帮忙:"你现在跟我抱怨抱怨没事,等下他们过来,你别这么嘀嘀咕咕的。"

罗淑芬拖长了声音:"知道了,谁敢逆你宝贝女儿的意啊!"

三　忐忑不安

这一天，陆宁过得无比漫长，一想到晚上的见面，她就非常紧张，老妈可别出什么乱子才好。终于熬到下班时间，她赶紧打电话给丁浩。

过了一会儿，陆宁上了丁浩的车，发现后座堆满了各种各样的礼品，吃惊地说："你买这么多？"

"第一次上你家，礼多人不怪嘛！"

陆宁心里微微地有些感动，丁浩对自己的父母有多在意，就说明有多爱自己。

丁浩不确定地问："你跟叔叔阿姨都说好了吧？他们有什么反应啊？"

换做平时，无论面对什么样的场合，他都不会怯场，可是现在上未来岳父母家，他就是觉得心里忐忑不安，比哪次都紧张，也终于理解上次陆宁为什么老想打退堂鼓了，这确实很考验人的胆量。

陆宁知道丁浩在想什么，笑着冲他点点头，要他一切放心。

丁浩凝视着车的前方，看似不经心地问："万一他们反对

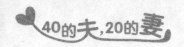

呢？"

陆宁满不在乎地说："他们反对也没用，我认定你就可以了，了不起我们就私奔，让他们后悔去。"

丁浩笑了，腾出手来揉揉陆宁的长发："傻瓜，能奔到哪去？我怎么可以让你舍弃你的父母呢？我想好了，就算他们反对我们，我也一定会做到让他们接受我为止。"

丁浩说得无比认真，这话既是说给陆宁听的，也是给自己打气的。

虽然陆宁再三叮嘱老妈一定要热情招待，但是她也不敢在丁浩面前夸下海口，万一老妈不合作……

她甩甩头，把这些念头甩出脑海，都快到家了，再想这些有的没的还有什么用？等下不就知道答案了？

当陆宁亲亲热热地拉着丁浩走进家门的时候，罗淑芬正好把最后一碗汤端上桌。

陆宁小声对丁浩说："看吧，做了这么多菜招待你，这下放心了吧？"然后看见忙得热火朝天的老妈，陆宁立刻亲热地过去抱抱她，同时小声说："妈，你果然没有让我失望，谢谢你哦，我保证以后孝顺你，等你老了，我接你过去一起住。"

罗淑芬努努嘴，白了女儿一眼，她算是看明白了，女儿大了，已经由不得自己做主了，不被她气死算她孝顺，哪还敢指望她养老。

丁浩小心地打量了一下，房子显然经过打扫布置了，他心里微宽，这说明陆宁的父母还是重视这次见面的。

丁浩拘谨地将手里的礼物都搁到茶几上，恭敬地向陆宁父母问好。

陆增华看了看茶几上丰富得几乎可以开店的礼品："人过来了就好，买什么东西嘛！"

陆宁在旁边帮腔："就是啊，我也叫他不用买，可是他还是买了。"

罗淑芬解下围裙，仔细地打量着女儿的意中人。

丁浩一米八左右的身高，足足高出陆宁一个头，身高算是理想的了。长相不属于太出众一类，不过和年轻小伙子比，确实有一种成熟男人的味道与稳重，女儿向来喜欢有思想的男人，难怪会喜欢上比自己大那么多的男人。谈吐也算斯文有礼，不过只是这么一见，就算粗鲁，也能装出斯文来。罗淑芬这么想着。

陆宁受不了老妈的眼光，简直就是探照灯，更怕丁浩不自在，赶紧拉了他入席。

罗淑芬可没这么好打发，论第一感觉，她倒也不排斥丁浩，虽说他已经三十六岁了，不过也许真的应了那句话：男人不容易老。丁浩看来看去也就三十左右的样子，和女儿出去还不至于被误认为父女，可是看男人怎么可以只看第一感觉呢？他的家庭、工作、父母性格这些都要考虑到，女儿是被爱情冲昏了头，自己可清醒着呢！谁要将女儿从她身边带走，都必须过了她火眼金睛的考验再说。

所以，菜没吃几口，罗淑芬就开始发问了："丁浩，在哪里工作呢？做什么？"

丁浩知道这些都是见丈母娘必问的问题，人家要把女儿嫁给你，总要对你有所了解才是，所以毕恭毕敬地答道："在一家公司做市场总监。"

三 忐忑不安

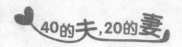

"公司规模怎么样？"

"大概几百人吧！"

"家里还有什么人吗？有没有兄弟姐妹？"

陆宁见老妈跟审犯人似的，就老大不高兴，插嘴道："家里当然有爸有妈喽，这还用问吗？"

罗淑芬见女儿这么不开窍的样子，不禁来气，心想我要不是你妈，我才懒得问他呢！

丁浩捏捏陆宁的手："没事的，阿姨也是想对我有所了解。如果什么都不问就把你嫁给我，那不是太草率了吗？"

这句话说中了罗淑芬的心事，连个外人都能看出自己的苦心，就是女儿不懂。

"我家里除了爸妈还有一个妹妹，不过妹妹早就嫁人了。"

罗淑芬继续问："如果你结婚，是打算和父母一起住呢？还是小两口住？"

"前几年我在工作的地方附近买了套房子，父母家离工作地也远，婚后想单独住，周末去看看他们，可能这样感情更好，毕竟天天住在一起容易产生矛盾。"

罗淑芬对这个回答比较满意，她生怕女儿以后要面对婆媳关系，自己就是从媳妇过来的，深知婆媳关系的厉害，女儿又是被宠大的，万一出点什么状况，那自己可真要天天失眠了。

"什么地段，买了多大呢？"罗淑芬追问道。

陆宁见老妈越问越详细，并且有没完没了的趋势，再度插嘴："妈，吃饭就吃饭，你哪那么多问题啊，以后你不就知道了吗？你不去派出所当调查员真是可惜了，说不定还是模范员工，能干出一番大事业呢！那里就缺少你这种执著认真，锲而不舍的人。爸，你有没有这种关系啊？回头把我妈介绍进去，让她发挥所长。"

陆增华呵呵地笑，女儿的话果然形象。可是他不敢赞同，万一惹恼了老婆，自己就成出气筒了。

罗淑芬气不过，以后就知道了？以后知道了还来得及吗？到时候都结婚了，说不定孩子都有了，知道了也白搭，这孩子看着挺聪明的，怎么在这些事上就这么不开窍呢！

丁浩怕气氛搞僵，赶紧表态："没事的，反正这些事也不是什么不能说的，早些年房价便宜，父母又资助了些，房子大概有一百八十平米吧，地段还不错。当时付了七成，按揭三成，不过这几年已经还清了。"

丁浩心想，下一个问题应该就是按揭问题了，还是赶紧主动交代吧！

罗淑芬一愣，自己正想问呢，想不到丁浩主动交代了，如果他说的都是实话，那这个男人也算靠谱。不过最大的一个问题，必须搞清楚。

陆宁虎视眈眈地盯着老妈，示意她就此打住，罗淑芬略过她的眼神，就当自己没看见，舀了碗汤给丁浩："丁浩，你可别不高兴，阿姨就这么个女儿，平时宝贝着呢！她的终身大事那就是我们全家的头等大事，你们相处多，也许宁宁比较了解你，可阿姨和你第一次见面，总要聊聊问问才能相互了解是吧？"

丁浩连连点头："应该的，阿姨，您有什么问题尽管问。"

罗淑芬暗笑一声，小子，等的就是你这句话呢！"那阿姨

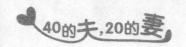

问了，你可别生气啊，更不能迁怒宁宁啊！"

陆宁听老妈这么一说，警惕地看着她："妈，你想问什么就问我吧！丁浩的事情我都清楚。"

罗淑芬给了女儿一个你真幼稚的眼神，看着丁浩开口了："丁浩，你年纪也老大不小了，按理说你这个年纪早该结婚生子了，怎么拖到现在呢？以前谈过恋爱吗？"

陆宁又想开口，丁浩制止了她："阿姨想知道很正常，当初你不也好奇地问过我吗？阿姨，我谈过一次恋爱，大概两年吧，那时候刚毕业没什么基础，给不了对方想要的生活，正好另一个人可以给她，所以她就离开了我。这件事使我认为男人必须先成就事业再谈结婚生子，当事业有些小成绩的时候，我也希望能够找到理想的人生伴侣，可是缘分这种事不是说来就来的，所以一直拖到了现在，大概情况就是这样。"

陆增华对丁浩的回答非常满意，这个男人成熟内敛不浮夸，为人也坦诚，应该可以给女儿幸福："来来来，菜都凉了，我们先吃饭，吃完再聊！"

陆宁挑衅地看了老妈一眼，对着老爸嫣然一笑："还是我爸会疼人。"

罗淑芬不满地瞪了女儿一眼，从小到大女儿就用这招来气自己。

吃过饭后，陆宁生怕老妈继续发挥"十万个为什么"的精神，赶紧拉着丁浩说要逛马路。罗淑芬确实还很想多了解一点，但是女儿可不听她的，早就蹦蹦跳跳拉着丁浩出门了。

两人把车开到西湖边，丁浩体贴地拿了件外套给陆宁披上，虽然冬天已经过去了，但是晚上还是有股清冷的味道。

陆宁把自己的手塞给了他："我妈晚上就跟个警官似的，你有没有不高兴啊？"

丁浩轻轻叹了口气，被人一个问题接着一个问题地问，放谁身上都不可能高兴，可他知道无论他找了谁当老婆，对方的父母肯定会问这些问题，不问才不正常，所以他说："这些问题本来就要面对的，我怎么会介意呢，何况你整个晚上处处维护我，我感动还来不及，哪里还有心思不高兴？我只担心阿姨不满意我！"

陆宁松了口气，她了解丁浩，虽然丁浩看起来脾气很好，很温和的一个人，可是骨子里有些大男子主义，他肯留在自己家让老妈像审犯人似的盘问，都是因为爱自己。

陆宁安慰他说："放心吧！从小到大，我想做的事情他们从来拦不住，我妈肯定会接受你，她拗不过我的。"

丁浩把陆宁的手揣进自己口袋里："宝贝，我知道你向着我，但是我希望让他们自愿接受我们的感情，而不是被你逼的，好吗？"

陆宁侧着身子看了看丁浩，轻轻地嗯了一声。

只是回到家的时候，陆宁又忘了丁浩的叮嘱。

罗淑芬自从女儿离开家后就没停止过和老公议论丁浩，说实话，丁浩给她的感觉不错，彬彬有礼，态度谦和，可是人都有隐藏自己的一面，谁知道时间长了会怎么样呢？尤其是比女儿大了十四岁，这个才是她心中的刺。

陆增华揭穿老婆："其实不管我们宁宁找了谁你都不会放心，总担心那个男人对不起宁宁，我看不是宁宁找谁的问题，问题在你这里。"

三 忐忑不安

罗淑芬不高兴地说:"你怎么回事?我担心女儿有什么不对?我还没说你呢,整个晚上你都没说什么话,你到底关不关心她啊?"

"我当然关心宁宁了,但是关心她不用像你审犯人一样,你们聊天的过程中我就可以慢慢观察。"

"那你观察到了什么没有?"

"我觉得宁宁眼光挺不错的,丁浩以后应该不会亏待她。"

老公的话,让罗淑芬的心安定些,可她还是不放心,以后的事谁能保证?丁浩的条件也算可以了,可是一个男人到了三十六岁,只要不是太没能力,都有点成就了,所以他也只能说过得去,她是担心以后他老了,自己女儿还年轻,这老夫少妻的多不和谐?难道叫女儿守活寡吗?

陆增华见老婆说得如此担心,忍不住拿前段时间看到的新闻告诉老婆,女人嫁一个比自己年纪大很多的男人,离婚的可能性会小很多。

罗淑芬觉得老公说的话也有一定道理,现在出轨的男人实在太多,女儿嫁给丁浩的话,相对来说确实安稳系数高很多,可再一想,凡事没绝对,万一丁浩还是出轨了,那女儿就亏大了。

陆宁到家的时候,罗淑芬正陷在这种纠结里,见老妈一副打算彻夜谈心的模样,赶紧抢在她前头说:"妈,现在你什么都不用说了,你只需要祝福我,我相信自己的眼光,我的路必须由我自己来走,不管是成功的还是失败的,我得走了才知道,你也没法替我选择一条必然成功的路,我自己选的失败了我也认了,如果你替我选了还失败的话,那我会不甘心的。"

陆宁说完，也不管罗淑芬什么反应，就回了自己房间。

罗淑芬看着女儿被关上的房门愣了半晌才醒过神来："你看看，你看看，这就是你生的女儿，她哪是跟我商量啊，她就是给我下最后通牒呢！"

陆增华忍不住替女儿说话："好了，她说得也没错，她的人生就应该让她自己去走，我们可以给她建议，但是不能替她选择。"

罗淑芬鄙视地看了老公一眼，给她建议？她会听你的吗？真后悔生女儿啊！早知道就生儿子了，省心多了！

四 执子之手

这天，陆宁接到死党苏天佩的电话，要求她抛弃男朋友和几个姐妹一起聚聚。陆宁想了想就答应了。自从和丁浩恋爱后，陪姐妹的时间少多了。死党们纷纷说她是典型的重色忘友型，虽然陆宁特别喜欢和丁浩待在一起，可是她也怕出现网上说的那种情况：你因为男朋友慢慢疏远了姐妹，于是有一天，你和他有矛盾的时候想找个人说说，却发现曾经熟络的姐妹已经渐渐陌生。最后的总结是：女人应该有自己的交际圈！

陆宁深以为然，加上丁浩平时经常出差，她更加觉得姐妹是不可或缺的。苏天佩告诉她下班后在公司等就行，她负责接她一起过去。

下班后，刚出公司，陆宁就发现不远处停着一辆红色跑车，很多人投去羡慕的眼光，陆宁对车子兴趣不大，属于有也行，没有也行的一族，所以看了一眼就打算走过。红色的跑车却在此时按了按喇叭，陆宁皱了皱眉头，她讨厌这种喇叭声，随即车窗摇了下来。

驾驶座上赫然坐着苏天佩，得意地冲她招招手。陆宁惊讶地看着她："什么时候买的车啊？"

苏天佩凑过身子打开车门，说："我还不是想给你一个惊喜嘛？本来想伪装成男人来接你，所以待在车上不动，你却搞得我不得不现身，枉费我一番苦心！"

陆宁坐上车，系好安全带："是是是，是我不识好歹，不过我已经有了丁浩，你哪还需要装男人来接我啊！"

苏天佩斜睨了她一眼，娓娓分析："这你就不懂了吧！从生意学上讲，越受人关注的商品越畅销，越无人问津的商品，只会越来越无人问津，我这也是替你制造点人气，好让丁浩紧张紧张啊！"

陆宁不以为然地说："我喜欢纯粹的感情，干吗玩那么多心眼，你不累啊！"

苏天佩知道在感情上陆宁死心眼，要改变她的想法任重而道远，反正她影响不了陆宁，陆宁也无法同化她，好在闺蜜是求同存异的，所以她换了话题，开始聊这辆新车。

陆宁对车没什么想法，平时也不研究，说一窍不通也毫不夸张，只能夸这车漂亮。

苏天佩满意地点点头，同学四年，陆宁有多漠视车她不是不清楚，她能说这车漂亮已经实属难得，要从她眼里流露出艳羡的神色，估计自己得开架飞机来了："这个社会没有车多不方便啊，我建议你有空也去考个驾照，让丁浩给你买辆女士小车开开，等你自己开了车，说不定你就爱上了。人家说爱珠宝爱名车别墅那是女人的天性，我就不相信开发不了你这天性了。"说到后来，苏天佩觉得自己简直就是恨铁不成钢了，陆宁找的男朋友虽然不如自己的有钱，可是也不差，买辆车给她应该不成问题。可是据说丁浩主动提过，被陆宁

四 执子之手

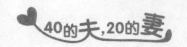

一口拒绝，使得她这个死党一听到这个消息就扼腕长叹三声："姐姐，你什么时候才开窍啊！"

陆宁可不会被苏天佩三言两语就说动，她一想到学车要花那么多时间，还得去考驾照就更没兴趣了。何况，有车有方便的时候，也有不方便的时候，有了车就会成为义务司机，很多时候说不定自己有事，不帮又说不过去，这不是给自己找麻烦吗？最最重要的是，如果她学会了开车，丁浩就再也不会接她了，这样会失去很多亲密交流的机会，所以她死也不打算学车买车。

苏天佩继续给她描绘着有车的好处："你想啊，你开着一辆精致的车，披散着一头长发，这是一副多么动人的场面？多少男人会朝你投来爱慕的眼光，多少女人会朝你投来羡慕的眼光？"

"你看你开了这么一辆车来，我有朝你投来羡慕的眼光吗？女人，你的名字叫虚荣。"

苏天佩立刻接上一句："虚荣是上帝唯一原谅女人的原罪。"

说话间，已经到了苏大妈私房菜，苏大妈私房菜地段并不算热闹，擅做江浙菜，味道地道，价格合适，被几个女孩偶然发现后，就成了她们经常聚会的不二场所。

陆宁她们到的时候，另外两个死党田佳和郑微微已经坐在包厢里等了，埋怨她们开车还没自己坐车快。

苏天佩不客气地给自己倒了杯水，又给陆宁一杯，猛灌两口才说："这是新车，我的新鲜劲儿还没过呢，万一蹭了撞了多心疼？当然得慢慢开了。"

田佳忍不住调侃她："你老公那么有钱，弄坏了再给你买一辆呗！"

苏天佩撇撇嘴道："有钱是有钱，也得给你花才是，他小气着呢，远没丁浩舍得为宁宁花钱。本来我看上的是Z4跑车，结果他说什么你刚学会容易刮到蹭到，先买辆现代开开，等以后熟练了再换Z4。"

郑微微白了她一眼："你就知足吧，我连QQ都买不起，你都已经开现代了，大学里我也没觉得比你差啊，怎么一毕业这差距就这么大呢？"

郑微微拿腔拿调的话把大家都给逗乐了，苏天佩是个豪爽的性子，丝毫不隐瞒："你咋不说我找的男人已经四十八岁了呢？要是我找的是二十八岁，你再羡慕我也不迟！"

苏天佩是浙大的美女，从进大学起就希望找到一个年轻多金的男人，恋爱谈了无数场，确实也遇到几个富二代，可是这些富家子弟都被宠坏了，不是脾气很差就是性情不稳定，更不想过早受婚姻的束缚，这些感情开始得快，结束得也快。兜兜转转到了大四，苏天佩又认识了当时四十七岁的华裔日侨夏宁清，对方资产过亿，也有过婚史。苏天佩考虑再三，还是决定跟夏宁清，女人的青春很短暂，一辈子能遇到几个有钱男人说不准，与其耽误下去弄到自己人老珠黄，还不如现在把握机会。

虽然几个闺蜜觉得年纪相差得大了一点，但是都清楚苏天佩的追求，也只能给予祝福。何况这年头的姐妹情谊有了新的内涵，只要对方选择的就给予尊重，人家有权选择自己的生活，不必上纲上线。

四 执子之手

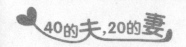

　　陆宁叹了口气，开玩笑道："天佩，我真想让你带着夏宁清上我们家做客去，让我妈看看大二十四的也大有人在，丁浩只比我大十四岁，她应该偷着乐了。"

　　"我倒是愿意，就怕夏宁清不肯，你妈那么疼你，迟早会妥协的，你再说点甜言蜜语哄哄她，等她找不着北的时候，说不定就点头了。"

　　陆宁想到老妈反对自己跟丁浩交往，就忍不住头痛，可是要她跟丁浩分开，那是万万不能，只好走一步看一步了。

　　苏天佩看着几个进大学后就一起玩的死党，心中充满温暖，等到大家吃得差不多的时候，满怀喜悦地宣布自己即将结婚。

　　这个消息并不意外，几个人纷纷送上祝福。

　　苏天佩话锋一转："计划赶不上变化，他妈妈希望我们去日本住，房子都给我们准备好了，可夏宁清现在的事业都在杭州，他是个孝子，打算把他母亲接过来和我们一起住，明天他就去日本接他妈妈，家里就剩我和保姆了，我想邀请你们带另一半来玩，顺便认识认识我的新家。"

　　陆宁把苏天佩的邀请告诉了丁浩，丁浩为难地告诉她周末要加班，陆宁只好作罢。其实丁浩加班是事实，另一方面他并不想参加。如果只是几个差不多圈子里的人聚会，他一定会尽量参加。可是对方明显和自己不是一个阶层，这样的邀请让他觉得不自在，他甚至希望陆宁也不要去，可是又不想因为自己的喜好去限制她的自由。陆宁根本不知道丁浩心里的这些想法，快快乐乐地过去了。

　　苏天佩的新家坐落在一处新开发的别墅区，独门独院，环境优美清雅，有点闹中取静的感觉。正门进去是一个大大的花园，适逢春天，园中的花木长得郁郁葱葱却不失规矩，显然有专人打理过。

苏天佩迎了出来，陆宁打量着这幢欧式别墅，由衷地说："天佩，你的新家好漂亮啊！"

苏天佩听了无比满足，嘴里却谦虚着，把大家让到客厅里。

客厅里的装修美轮美奂，几乎是港台电视剧豪门里的翻版。三楼的流苏大灯一溜垂下来，流泻出一室高贵温柔。保姆适时送上水果茶点。

田佳小声对男友康辉说："我们恐怕一辈子都住不上这样的房子。"

康辉血气方刚地说："未来的事可说不好，万一你老公买彩票发了呢？"

田佳没好气地白了他一眼，中彩票？那概率有多少？做白日梦吧！她的要求也不高，两人在杭州能买个两室一厅七八十平方的房子足矣，这样两家的父母偶尔过来也有个地方住，以后有了孩子也不用担心老要搬家。可是这个最最普通的愿望，落在他们身上，显得遥遥无期。所以看着苏天佩的豪宅，她内心那根需要稳定生活的神经被狠狠拨动了。

苏天佩看着几个同学羡慕的眼神，无限满足，虽然自己找了个快五十的男人，可是嫁过来就享福。如果找个年纪相仿的男人，陪着他慢慢奋斗，熬到人老珠黄的时候终于有所收获了。有良心点还好，万一碰到个过河拆桥的，那这一世岂不是白忙活了吗？何况这个社会诱惑多，就算他本来无心出轨，可是外面年轻女孩子多，想要不劳而获的也不少，到

四 执子之手

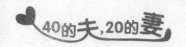

时候自己一把年纪，怎么跟她们这些青春少艾的女孩子争？索性自己先做个不劳而获的人吧！

陆宁倒是没有太大的起伏，她很喜欢苏天佩的别墅，可是喜欢归喜欢，这个世上的好东西太多，根本羡慕不过来。对于这些东西，可以有最好，没有也不强求，能与自己心爱的人有一个温馨的小窝，一起看夕阳黄昏，相亲相爱地过一辈子就是最大的幸福。

几个人各怀心事，在苏天佩家吃完中饭，康辉就推说还有事，要提前先走，田佳也觉得不甚自在，一起告辞。陆宁知道丁浩还在加班，就与郑微微留下，陪着苏天佩聊天。

路上，田佳感慨道："天佩家真是大啊，我的要求也不高，能有她家厨房那么大的房子让我安身，我就知足了。"

康辉没有搭腔，他知道田佳这话是说给自己听的，可是自己大学毕业才一年，赚的钱除了吃饭和房租，根本剩不了多少钱，想在杭州买房，谈何容易？

见康辉不说话，田佳又说："眼看房价越来越高，要是我们再不早点买的话，可能一辈子也买不起，工资涨得再快，也快不过房价。"

康辉安慰她："最近房价不是一直在调控吗？房价不可能一直都涨，总会跌的。"

田佳对这种论调嗤之以鼻："我相信太阳从西边出来都不相信房价会跌，都说了多少年了？房价有跌过吗？就你还在做春秋大梦。"

康辉不吭声了，田佳说的确实是实情，今天又见识了苏天佩的豪宅，她心里有落差，觉得不平衡也难怪，是自己没本事。

田佳见康辉像霜打的茄子一样，心有不忍："我只不过是看我们到现在还没有自己的房子，心里着急，要不我去找我父母想想办法，你也去跟你父母商量一下，看看可以凑到多少钱。"

康辉诺诺地应着，心里却没底，自己的父母只赚点微薄的工资，供自己上学已经花得差不多了，哪还有什么能力资助他买房子呢？康辉看着两边急速倒退的房子，惆怅起来。

星期一早上，罗淑芬不小心摔了一跤，陆增华已经出门，陆宁带着老妈去医院检查，好在罗淑芬并无大碍，忙完这些，已经上午十点了，想到没有请假，陆宁赶紧拦了辆的士，直奔公司。

路上陆宁接到HR总监程文皓的电话，叫她尽快赶回公司。今天有一个重要的人要入职，程文皓要陆宁全程负责及陪同。陆宁来不及多想，吩咐司机开快点，估计公司又招了什么重要人才吧！一般这样的人无论简历还是面试，陆宁都不会知道，直到对方要来入职了才会通知她。

刚进程文皓办公室，陆宁发现办公室里坐着一个非常年轻的男人，不由地一愣，心想：以前招的重要人才没有五十也有四十，这个人怎么看也就二十几岁的样子，难道现在能人多，年纪轻轻就这么出众？这也太打击人了吧！

程文皓态度恭敬地介绍道："陆宁，这是董事长的公子，刚刚从国外留学回来。"

男人伸出手，陆宁一愣，才想到把自己的手递过去，然后又迅速抽离。她在感情上有洁癖，除了丁浩以外的男人，她都不喜欢和人家有任何肢体上的接触。

□ 执子之手

037

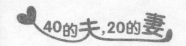

"我叫严守业，今天要麻烦你了。"

陆宁刚听到他是董事长的儿子时，对他的崇拜之情立即消失，转而产生的是一种不以为然的情绪，可能大学时代苏天佩交往过好几个富二代，使她对富家子弟有了莫名其妙的成见。可是严守业斯文有礼，又让她讨厌不起来，何况人家又没招惹到自己。

程文皓又做了简单的补充，严守业是来公司熟悉运营和业务的，挂名职位是副总，陆宁知道，一般富二代都要经过这个历程。

程文皓交代陆宁替严守业办理入职手续，并叮嘱陆宁要服务周到。陆宁明显在程文皓的脸上看到讨好之色，也难怪，毕竟都在这个公司工作嘛！

严守业的办公室在董事长旁边，一早就被收拾出来了，只是大家都不知道这间办公室会给谁用，陆宁替他办完入职手续，忍不住开玩笑道："董事长在公司没有办过任何手续，你以后是接替他的，其实也不用办，何苦这么折腾一下呢？"

严守业笑着问："是不是我麻烦到你了？"

陆宁一转念才知道严守业误会了，原来这男人还挺敏感啊，自己不过是随便开个玩笑嘛！

"我没这个意思，何况替人办入职手续，本来就是我的工作之一。"

严守业好脾气地说："我来公司是希望和大家一起工作，不要受到特殊对待和照顾，所以我才和大家一样，都经历一遍。"

陆宁性格直，想也不想地说："那你应该不要透露自己是董事长之子的事实啊，你一透露大家还怎么把你当普通人呢？"

"其实我也这么想过，但是天下没有不透风的墙，我怕大家最后发现了，以为我是我爸派来的间谍，所以我还是决定坦白身份，让大家在工作中慢慢了解我的为人。"

说着，严守业自己动手开始收拾办公室，其实办公室已经被收拾得非常整洁，就是添置了一些东西，和重新摆放一些物品。陆宁觉得一个大男人在办公室收拾东西，自己在一边袖手旁观似乎说不过去，就主动帮忙收拾。

严守业一边收拾一边告诉陆宁在国外的时候，其实他都是自己做这些事的。

"严总，你还有什么需要，尽管吩咐！"

严守业看了看办公室，满意地点点头："没什么需要了，对了，其实我比你大不了多少，不用叫我严总，该不是不记得我的名字了吧？"

陆宁慧黠地一笑："怎么可能不记得呢？你的名字最好记了，一看就知道是董事长的殷切希望，叫你守住家业嘛！就是董事长对你要求太低了！"

严守业挺喜欢这个女孩的直接，如果看见自己毕恭毕敬、畏首畏尾的就没意思了："怎么说？"

陆宁偏着脑袋想了一下说："因为董事长只叫你守住家业啊，如果他野心大一点，应该给你起名叫严扩业，或者叫严霸业也行，这样多有气势啊！"

严守业被这个女孩逗乐了，可还是忍不住为自己的名字辩解几句："俗话说创业容易守业难，能守住就已经很不容易了。"

陆宁点点头："那倒也是！"

"我觉得你蛮直接的，以后我想了解公司的事，可不可以

四 执子之手

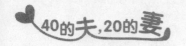

找你啊？"

陆宁想了想说："我来公司一年还不到，有些可能我也不是很清楚，不过只要我知道的都可以，就是有一点，如果你是向我打听哪个同事好哪个同事不好，这种问题我是不会回答你的，我不喜欢在背后评论一个人。"

严守业不由又打量了眼前的女孩几眼，心里多了几分欣赏，他最不喜欢女孩子凭着漂亮搔首弄姿，或者没什么能力却勾心斗角，眼前的女孩虽然漂亮，却有一股傲气和真诚："放心吧，如果我把精力放在打探这些上，我估计不用叫严守业，干脆叫严败业算了！"

陆宁被他调侃的话逗乐了。

两人收拾完后，陆宁又给他介绍了一下公司的基本情况，就到了下班时间了，严守业提出请她吃个饭，感谢她忙乎了这大半天。陆宁拒绝了，一来她觉得这本来就是她应该做的，二来丁浩已经约了她。

严守业没料到自己的提议会被拒绝，当下觉得有些难堪，随即一想，这正是这个女孩的可贵之处，又何必去破坏呢！

陆宁回办公室简单收拾了一下，刚出大门，就看见转角处停着一辆熟悉的车子，立刻心情愉悦地奔过去。

丁浩发动车子，神秘地说："今天我们先不吃饭，要去完成一件重要的大事。"

"什么事啊？难道你要向我求婚？"陆宁笑嘻嘻地说。

丁浩伸手捏捏她的脸："你都早盼着嫁给我了，我还用求婚吗？"

虽然陆宁一心一意要嫁给丁浩，可是女孩子都好在嘴上争个高低："谁说的啊，追我的人从浙大排到西湖，我还得考虑考虑呢！你要是不求个几十次，我未必嫁给你的哦！"

丁浩带陆宁去的是他之前买的房子，虽说离工作的地方很近，但是公司给每位总监级的职员提供住宿，房子又没装修过，所以没住过，陆宁更没去过了，这也是为什么丁浩答应很久要在厨艺上一显身手，却迟迟没有兑现的原因。

丁浩指着四面雪白的墙壁，问陆宁喜欢怎么装修。

陆宁看着空荡荡的房子，开始勾勒自己喜欢的画面："我喜欢在阳台上种一些花，这样心情会很舒畅，空气也会很好！这里的落地窗我喜欢配上象牙白的窗帘，风一吹过，轻轻摇曳，就像童话里的感觉一样。床我要欧式的，最好还有纱帐，地上我喜欢铺上厚厚的地毯，这样踩上去才舒服，还有这里，一定要有个大大的梳妆镜，最最重要的是我们一定要有一个更衣室，我的衣服那么多，你的也不少，我觉得一个更衣室够不够我们用还不好说呢！卫生间里我要有一个很大很大的浴缸，可以让我们两个人都躺在里面的。"

丁浩听着陆宁神往的描述，觉得她更多的是在描绘一种感觉，对于具体怎么装修，基本属于毫无头绪那种。其实丁浩内心很想满足陆宁的所有要求，不过身为男人，考虑的事情比较全面，装修一套房子，还得看是否实用，如果完全按照陆宁的想法来，可能最后会装修出一个童话世界："宝贝，你的想法都很浪漫，不过我们还是要现实一点，比如地毯很难打理，容易滋生螨虫，对你的皮肤也不利啊！"

陆宁情不自禁地摸了摸脸，壮士断腕似的说："那地毯就算了吧！你自己叫我说的嘛，我说了你又反对。"陆宁撅了撅

四 执子之手

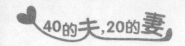

嘴，有点不高兴。

丁浩也不想惹得她不开心，思索了一下说："这样吧，你把你的想法和要求都告诉我，然后我们找家装修公司，听听他们的意见，能满足你的我当然希望满足你了。"

陆宁立刻多云转晴，开始兴奋地描述自己的梦幻之家，丁浩却越听心越沉，要是完全满足她的愿望，不提很多东西可行还是不可行，光装修上的预算就会超出很多。虽然自己年薪不算低，可是前几年赚的钱都换这套房子了，后来又买车，积蓄也就是这几年的事，现在他总算体会到了公司里一些刚工作不久的年轻人说婚结不起，连自己这种收入还可以的人都有这种感觉，何况人家刚工作的呢？可是这些话，要他如何跟陆宁说？不能满足女朋友的要求，对他而言就是一种失败。

陆宁兴高采烈地说了半小时，突然发现丁浩的回应特别少，心思细腻的她立刻就明白了，摇着他的手撒娇道："是你自己叫我说的嘛，我也只是随便说说，而且我们都还年轻，现在有这样的房子我很开心了，刚才说的就当是我们以后的努力目标嘛，其实住什么样的房子，有什么样的装修都不是重点，重要的是里面必须有你，否则就是给我半山别墅，我住着都没意思。有爱的房子才是一个家，没爱的房子只是一堆钢筋水泥。"

丁浩感动地点点头，拥紧了她，他很清楚，陆宁是个对生活有要求的女孩，可是她又不是那种拜金的女孩，偶尔有些小姐脾气，可是大部分时候还是很通情达理的，也因为这点，丁浩愿意宠着她的小脾气。听了陆宁的描绘，丁浩暗暗告诉自己，要努力赚钱，尽量满足她的愿望。

陆宁突然想到了什么："你说我们双方父母都还没见过，日子也没定下来，这么早就装修吗？"

丁浩却有他的道理，装修可能要花两三个月时间，就算用无害的材料，也得留几个月散散味，当然也要双管齐下，尽量早点安排两家大人见面。

丁浩摸摸鼻子说："我可以理解为你在向我求婚吗？"

丁浩话还没说完，陆宁就跳了起来追打他，两人在空荡荡的房里里你追我赶，最后还是丁浩把陆宁捉住："宝贝，别追了，我投降，这个周末我们去买戒指，我正式向你求婚，我们一定要在今年把婚礼给搞定了。"

陆宁来不及娇羞，奇怪地问："为什么一定要在今年搞定呢？你很急吗？虽然你三十多了，可是也不差这一年吧？"

"明年我就三十七了，三七三七，听着就像散妻散妻，多不吉利啊！三八更遭，听着就像骂人的。"丁浩郁闷地说。

陆宁听了哭笑不得，她没料到丁浩还有这么迷信的一面："你还信这个啊？"

"宝贝，这不是我信不信的问题。比如结婚要挑个好日子，就是为了不使婚姻出现万分之一的状况。我就是希望我们样样都好。"

陆宁偎在丁浩怀里，听着他殷殷告白，心里变得无比柔软，过了一会儿才小声说："那我们分头努力，争取让父母们早日见面，你说好不好？"

丁浩没有回答她，只以一个无比深情的热吻传达着他的心意。

四 执子之手

五 求婚

自从丁浩决定这周末带陆宁去买钻戒，他就开始在网上研究钻石，结果看了半天，就只记得净度、切工这些字眼。又看了一会儿，觉得头疼，忍不住揉揉太阳穴。

沈曼进来找丁浩签字的时候，无意中瞥到页面，丁浩想关掉已经来不及了。

"老大，怎么研究钻石啊？打算给我们找个总监夫人了吗？"沈曼戏谑地说。

丁浩既没承认也没否认，只是笑笑。看着沈曼，突然心念一动，沈曼是部门里最时尚最爱打扮的女孩子，找她当顾问肯定没错。

这是沈曼的强项，见丁浩求教，立刻侃侃而谈："老大，钻石是有价的，当然是越贵越好了，看你想买多大的，什么品牌的，心理价位是多少。"

被沈曼这样一问，丁浩才发现对于这些问题他都没考虑过，难怪毫无头绪了。

沈曼看出丁浩的窘迫，体贴地说："老大，你得先把这些明确了，我才好给你参谋嘛！"

丁浩觉得沈曼说得有理，想了想，还是问了一个问题："那一般女孩子喜欢什么样的钻戒呢？"

"当然是克拉钻了，而且越多克拉越好，还有颜色，级别越高越好……"

丁浩看着沈曼神往的样子，终于相信女人对衣服珠宝天生就具备无限热情这句话了。哪个男人不想给心爱的女人一个鸽子蛋，可也得给得了啊！

周末上午九点的时候，丁浩打电话给陆宁催她起床一起去看钻戒，陆宁在电话里神清气爽地说已经梳妆打扮好了。丁浩大为惊讶，以前哪次约会也没见陆宁这么积极过，总是要自己三催四请才舍得起来，看来钻石的魅力确实大啊！

路上，丁浩试探着问："宝贝，你想要多大的钻戒啊？"

陆宁娇滴滴地说："那就看你想送你的心肝宝贝多大的钻戒了啊！"

丁浩心想，能力范围内能买多大就买多大吧！陆宁显然已经被钻石感染了，一路上谈的全是钻石，可见这一星期没少研究。

到了商场丁浩才算是真正见识了女人对钻石的痴狂，陆宁从一个专柜跑到另一个专柜，恨不得多生一双眼睛才好。他喜欢她热情真实的模样，可是也被那些标价震撼。

陆宁看的都是一克拉左右的钻石，丁浩在旁边陪着，贵的有几十万的，便宜也要五六万，偶尔出现一两个两三万的，陆宁说颜色已经偏黄了，这样的钻石绝对不能要。丁浩没说话，手心却已经开始出汗，原本打算三万块搞定钻戒，现在看来是不可能了。

五 求婚

陆宁还在不亦乐乎地看,丁浩却失去了兴趣,他很想让她满足,可是又怕她看上特别贵的戒指,陆宁边看边说:"结婚一辈子只有一次,我一定要买个好的钻戒,这是一辈子的纪念,老的时候我们还可以拿出来回味。"

丁浩发现自己没有接腔的勇气,说了就代表她看上什么就要买什么,他只能希望他的宝贝对自己的经济不要太乐观。

陆宁对着两只克拉钻戒反复比较的时候,丁浩的手机响了,他很感谢这个电话,可以让他暂时离开这个心惊胆战的地方,于是走到旁边接电话去了。

电话是沈曼打来的,提醒他别忘了查收她发的计划书,这个要在周一之前赶出来,丁浩答应着,沈曼顺口问道:"老大,你现在在哪呢?"

"在商场看钻石呢,全部贵得要命!"丁浩忍不住感慨了一句。

沈曼咯咯笑道:"老大,你可是总监哦,也会嫌贵啊!"

丁浩顺着她开玩笑:"程文皓又不是总统,和你们一样都是拿工资的。"

"商场里的钻石当然贵了,进场费啊,品牌费啊,水电费啊,人工费啊,我才不去商场买呢!"

丁浩好奇地问:"那你都去哪买呢?"

"我有朋友就是做珠宝鉴定的,还是权威机构,直接拿南非裸钻加工,又是带GIA国际证书,价格比商场便宜一半不止。"

丁浩听得心动不已,追问道:"真的吗?"

"当然是真的啊,我知道你肯定想买来求婚是吧,你找我帮忙嘛，最多请我吃顿饭就打发了，何必花那冤枉钱呢！"

丁浩觉得此刻的沈曼真是救自己于危难的天使，赶紧连连应承，陆宁看了一会儿终于发现丁浩在一边接电话，有些不满地过来扯他，丁浩有了沈曼的保证，突然有了底气，开始兴致勃勃地陪着陆宁看钻戒。

陆宁也觉得一个钻戒要七八万有点太贵了，可是她真的好想买一枚啊，在她眼里，钻戒不仅仅是一枚冰冷的戒指，更是他们爱情的象征，可她又不想丁浩花太多的钱，所以她比丁浩还纠结。

"刚才我看到一个克拉钻七万多真的好漂亮啊，可是我觉得有点贵了。"陆宁嘟囔着，眼神却一直没舍得离开柜台。

丁浩想起沈曼的话，如果找她帮忙的话，那七万多的戒指也就三四万，就算超预算也超不了太多，关键是陆宁开心："宝贝，你多看几个，看中的话我们都试戴一下，我有朋友是做珠宝鉴定的，可以拿到很大的优惠，你看好款式，把你的要求都告诉我。"

陆宁又惊又喜，埋怨丁浩怎么不早告诉自己，一边把喜欢的几款又试戴了一遍，一边提醒丁浩别拿颗玻璃回来。丁浩连连应着，用手机把她试戴的图片拍了下来。虽然戒指打算找朋友买，可是陆宁逛性还很足，丁浩放下了心事，也陪得心甘情愿。半天后，两人才兴致勃勃地出了商场。陆宁还是有些不放心，不断地追问道："你那什么朋友啊？我认不认识啊，他人可靠吗？那他什么时候可以帮我们搞定啊？"

丁浩不知道先回答她哪个问题好，只好跟她保证周一上班问好立刻告诉她，实在不行，就再来商场把她喜欢的买了。

五
求
婚

047

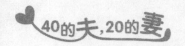

有了这个保证，陆宁彻底放心了，心满意足地上了车。

丁浩则是赶紧联系沈曼，两天后沈曼给他答复，正好有一颗钻石，级别要比商场上他们看到的高一点，算上加工费和戒托大概四万出头，市场价可要八万多。丁浩考虑了一下，决定买下这颗钻石，虽然比预算超出了一万多，可是比商场几乎便宜了一半，已经很划算了。

半个月后，沈曼把一个红色丝绒盒子交到丁浩手里。丁浩关上门，打开办公室后面的窗，看着钻石在阳光下流光溢彩，开始想象陆宁看到这枚戒指时的激动。

下午，拜访客户的时候，丁浩想起陆宁那句别带一颗玻璃回来的话，又找了家机构复检，直到结果出来才安心地把戒指锁到车里。

这段时间陆宁也没闲着，她想帮帮丁浩，所以收集了很多装修信息，家是他们两个人的，总不能让丁浩事事亲力亲为。何况建设自己的家，是种无比幸福的过程。

可是网站上那些美轮美奂并且报价低廉的图片，等她联系上装修公司的时候，对方的报价永远能高出一倍，理由是他们的房子有一百八十平，陆宁第一次觉得一百八十平方实在太大了。以前陆宁觉得住的面积最好几百平方，甚至是楼上楼下还带个花园的别墅最好。虽然大学里确实有很富有的男生追她，可是她始终无法像天佩那样以嫁给有钱人为终身目的。何况在她心里，谁都比不上丁浩，虽然丁浩不像那些富二代那么有钱，可是也不差，最最重要的是他是陆宁爱上的第一个男人，别说现在他经济条件还可以，就算他真的很穷，估计她也非他不可了。

事实上，丁浩也在为这件事头疼，按照他的原计划，装修打算在三十万内搞定，可是和装修公司交流了一下要求，主要是陆宁的要求，预算最少也要在四十万左右。丁浩知道陆宁不是攀比虚荣，而是女孩子特有的浪漫，曾经这也是他最喜欢的特点，何况陆宁长期被父母宠着，根本没有太大的金钱概念。按说这超出的十万丁浩也能承受，怕就怕到时候事事超预算，钻戒和装修已经是最好的例子了。可是他内心特别想满足陆宁的所有要求，以前丁浩觉得自己虽然不是什么富翁，可也从来没觉得自己缺钱过，生平第一次，他觉得钱不够花。而且他从没想到找家里支持，如果老妈知道跟陆宁结婚使自己有了经济危机，还不知道对她有什么成见呢！何况他一直认为啃老是种可耻的行为。

　　他突然想起前段时间在网上看到的一段话：男人娶了比自己小很多的女人，这辈子就注定要扮演父兄和老公的角色，她不高兴了，你要哄着，她要什么，你得设法满足，不能跟她讲道理，谁叫你比她大那么多呢？如果这个女人有了孩子，你就等于同时带了两个孩子。丁浩想，写出这段话的仁兄肯定是过来人，要不怎么会有这么深刻的感触呢！他觉得还得补充一点：男人找了比自己小很多的女人，会情不自禁地去迁就她，疼爱她，自动把自己上升到照顾她的角色里。

　　后来丁浩想到了一个办法，既不会使陆宁不高兴，也可以使自己走出困境，据说这个招一出，所有女人都会感动得稀里哗啦！丁浩越想越觉得这个办法好，当然，在实行这个办法之前，他先得做另一件事——求婚。

　　丁浩特地找了一个天气非常晴好的周末，换上剪裁考究

五　求婚

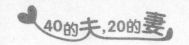

的西装，把自己打扮得特别精神。因为陆宁说过，她喜欢成熟男人，喜欢看男人穿西装打领带，这样才有男人的味道。可陆宁不是男人，无法体会西装的束缚，所以更多时候，丁浩习惯穿休闲便装。

陆宁看见丁浩的时候，果然很惊喜，故意用色迷迷的眼光上下打量着他："今天怎么这么帅啊？"

丁浩用她的思维方式回她："我就今天帅吗？以前不帅？"

陆宁娇嗔道："讨厌，明明知道人家不是这个意思。"

丁浩带着陆宁去了灵隐寺，陆宁奇怪地说："怎么带我来寺庙呢？你想许愿？"

丁浩神秘地笑笑："也可以这么说吧！既然来了，我们就拜拜菩萨吧！"

陆宁不太情愿，她并不信这些，总觉得无论什么愿望都应该自己努力去实现，如果躺在家里不努力，天天拜菩萨愿望就会实现吗？

丁浩却很信这些，牵着她到旁边去买香，同时给她灌输："宝贝，求菩萨不是说我们自己不努力了，而是我们自身的努力加上菩萨保佑，给自己求了一份心安，你不觉得很好吗？你也希望菩萨保佑我们两个恩恩爱爱，白头到老吧？"

丁浩把买来的香点上，陆宁偏着头问："这个真的有用吗？真能让我们白头到老？"

丁浩肯定地说："只要你信，有了这个信念还怕我们不能白头到老吗？"

丁浩进完香后，突然发现陆宁不见了，这下可慌神了，立刻四处寻找，回头却见陆宁举着三根硕大无比的巨香朝自己跑来，旁人纷纷注视着她，有的露出理解的微笑，有的吃惊地看着她。陆宁全然没有看见，一心系在三根巨香上。

丁浩指着差不多有她手臂那么粗的香："宝贝，你也太夸张了吧？"

陆宁振振有词地说："俗话说礼多人不怪嘛，既然要菩萨保佑我们白头到老，当然要买这么粗的香了，你看来上香的人那么多，就你刚才那样，菩萨记得住你才怪呢！我这就不同了，保证菩萨对我印象深刻，保佑我一辈子都和你不离不弃的。"

陆宁的行为虽然夸张了一点，可想到她的出发点，丁浩不能不感动，疼爱地揉揉她的头，帮她把香点燃，陆宁闭上眼睛，嘴里念念有词："菩萨菩萨，你一定要保佑丁浩一辈子疼我如初，一辈子不做对不起我的事，还要保佑他不能死得比我早，虽然如果我和他一起死，我亏了一点，但是你可以让我们两个都活得长一点，他活一百岁，我就活八十六吧！"

丁浩在旁边听得一清二楚，帮着陆宁把香插好："我是不会不要你，就怕以后你嫌我老就不要我了。"

陆宁娇横地搂住丁浩："不准你这样说，不管你多老多丑，就算你瘫在床上，我也愿意伺候你一辈子。"

丁浩认真地看着她："你一直觉得我的爱不像二十几岁的小年轻那么炽热，那是因为我这年纪不适合做太多夸张的事了，可是今天我要为你做一次。"

陆宁还没从丁浩的话里醒过神来，就看见丁浩突然单膝跪地，从口袋里掏出一个戒指："宝贝，今天我在所有神灵面前向你求婚，保证今生今世永远都对你呵护疼爱，无论你年

五
求
婚

051

轻也好，年老也好，我会一辈子爱你如初，你愿意嫁给我吗？"

陆宁惊呆了，喜悦和幸福如潮水般淹没了她，虽然她一直知道丁浩最近肯定会跟她求婚，也想象过这个场景，可是真的等到了这一天，她发现自己还是激动得不行。

旁边进香的人看见有人突然求婚，也纷纷起哄，进香的人大多是上了年纪的老太太。

"姑娘，他当着所有神灵向你求婚，那是认真得不得了的，不然可是要遭天谴的，赶快答应他吧！"

"有菩萨作证，他一定会对你好的，菩萨在上面看着呢！"

也有年轻女孩子说："我以后要我男朋友也在菩萨面前求婚，男人谁都骗得了，可是骗不了菩萨。"

陆宁见自己一下成了焦点，有些不好意思起来，赶紧伸手去拉丁浩，丁浩却没有就着她的手起来，只是深情地凝视着她："宝贝，你答应我的求婚吗？"

人群又开始起哄，陆宁在这样的场合里觉得分外局促，连忙说："答应，答应，你先起来。"

丁浩这才心满意足地起来，陆宁替他掸了掸裤子上的灰尘，丁浩捉住她的手，把钻戒套了上去。陆宁无限喜爱地摸了摸这个戒指，拉着丁浩出了灵隐寺。

灵隐寺外面是灵隐路，两人在树荫下走着，已经是人间四月天，太阳暖洋洋地照着，洒下一地斑驳，陆宁时不时地抬手看看指头上套着的戒指，想装得淡定一点，结果发现根本做不到，热情奔放地抱住丁浩的腰："我真没想到你会当众跟我求婚，我以为你最多找个两个人的包厢，然后把戒指给我。"

其实丁浩也觉得惊讶，要是现在让他再当众求一次婚，他肯定没有这个勇气，刚才他也不知道哪来的勇气，反正就这么做了："宝贝，你不是一直嫌我没有惊天动地的举动吗？不过我想这辈子我也只能做这么一次了，所以你回去好好写篇日记，以后可以经常回味。"

陆宁觉得此刻自己真是世界上最幸福的女人了。

回去的路上，丁浩把戒指的证书及清洗服务卡等附件一并交给了陆宁，陆宁盯着鉴定证书说："这戒指的等级比我们上次看到的要好，在商场上买大概要八九万了。"

丁浩大为惊讶，女人对钻石的入门实在太快了，光凭一张证书就能大概估计出价格。丁浩也不想充胖子，老实交代："这戒指就花了四万多，定做的和你看的品牌不一样，我还担心你不高兴呢！"

陆宁不以为意地说："不啊，我觉得很好！可以花一半的钱买到的东西为什么非得贵一倍去买呢？除非我们去买蒂芙尼或者卡地亚，那就是为了买个牌子。以后我们要花钱的地方还有很多呢，不能乱花钱。"

丁浩觉得此时的陆宁简直就是全天下最懂事最体谅最完美的女人了。

陆宁欢喜地抚摸着戒指，仍觉意犹未尽，提出要去给戒指刻字，把两个人的名字都刻上去，这样才显得这枚戒指独一无二。

丁浩对沈曼佩服得五体投地，看来还是女人最了解女人，本来他还以为沈曼八卦，非要打探自己的女朋友叫什么名字，现在看来是自己多心了。

五 求婚

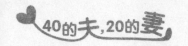

"你看一下戒指的内侧，已经刻上我俩的名字了。"

这一下，陆宁又惊又喜，几乎不敢相信了："你真是太了解我了，我决定了，戒指在我在，戒指亡我亡。"

陆宁说得斩钉截铁，丁浩赶紧阻止她继续说下去："胡说，戒指再重要也不可能有你重要，何必为了枚戒指要死要活的。"

"那你就不了解女人了，对女人而言，很多有象征意义的东西，比生命还重要。"

丁浩摇摇头，他确实无法理解女人这些想法，对他而言，只要人活着，一切就有希望，有意义的东西也可以重新再找，他不了解，有些东西对女人而言，是无法取代的。

丁浩没有忘记还有另一件重要的事情要做，含情脉脉地看着陆宁："宝贝，既然你答应了我的求婚，以后就是我老婆了，这是我的工资卡和银行卡，以后我们家的财政就交给你了。"

丁浩以为自己这样做，陆宁一定会感动地接过卡，然后回自己一个大大的拥抱，可是陆宁只是看了看那两张卡，并没有伸手来接："这个还是你自己拿着吧，你知道我最头痛理财了，女人不老的秘诀就是少操心，你把财政交给我，我不操心死才怪呢！所以我决定以后我们家的财政归你管。"

丁浩愣愣地看着两张卡，继续给也不是，收回来也不是，办公室里的女孩子都说，男人最爱自己的表现就是把自己的经济大权交出来，怎么到了自己这里不是呢？

也许陆宁是想考验自己吧，丁浩想，都是女孩，他就不信区别这么大，所以他继续说："哪有男人理财的啊，你想啊，你把我的经济大权要过去，你就不怕我跑掉了是不是？"

陆宁想也不想地说："我才不稀罕拿这个绑住你呢，再说了我就是没有这个，我也相信你不会跑。"

丁浩不知道他应该感激陆宁的信任，还是郁闷她的自信。本来指望着陆宁掌管财政后，对他的经济状况了解后，很多事也不用沟通了，他实在担心她期望过高，最后失望，索性让她自己去看。可是他的如意算盘还是落空了。

六　闪瞎你的眼

回到家的时候，罗淑芬在洗衣服，陆宁心情太好，跑到她身边甜腻腻地叫了一声："妈，我回来了。"

"看见了。"罗淑芬头也不抬地说。

陆宁忍不住，突然把手伸到老妈面前。

罗淑芬不耐烦地拨开女儿的手："走开走开，在洗衣服呢，别捣乱！"

陆宁一点也不计较老妈的态度，继续执著地伸着手，罗淑芬想挡开女儿，突然看见女儿手指上的戒指，惊讶地嘴巴张得老大："这是什么？"

陆宁见老妈终于看见戒指了，才把手缩了回来，爱不释手地抚摸着："妈，你不是连钻戒都不认识吧？我给它起了个名字，就叫闪瞎你的眼。是不是很有新意啊？"

罗淑芬才没心情跟女儿讨论给钻戒冠名的事情："哪来的戒指？"

"你问得好奇怪哦，难道我还能自己去买个钻戒啊？爸说你不喜欢用大脑思考，果然没错。"陆宁得意地说，一点也没顾忌是不是出卖了老爸。

罗淑芬懒得计较这个，盯着女儿追问："丁浩送你的？他向你求婚了？你答应了？"

"我戒指都戴上了，当然就是答应了哦！"

这下罗淑芬没心情再洗衣服了，扯开嗓子叫："陆增华，你快出来，你女儿出事了。"

陆宁对老妈的用词相当不满，自己好端端的，怎么就成出事了？真是晦气！

陆增华在房间里听到宝贝女儿出事了，赶紧扔下电脑就冲了出来，刚出房间就看见陆宁好端端地站在客厅里，忍不住埋怨道："你瞎嚷嚷什么啊，宁宁不是好端端地站在这里嘛！"

罗淑芬大惊小怪地把陆宁拉到老公面前："你看看，你女儿钻戒都带上了，她都不跟我们商量，就答应了别人的求婚，你说她把我们当什么啊？"

陆增华一听是这事，觉得老婆真是大惊小怪："宁宁不是早就把人带回来让我们见过了吗？再说人家跟她求婚，她总不能说你先去跟我父母求吧？得宁宁答应了，他才能来跟我们提嘛！"

陆宁邀宠地挽住老爸的手，示威地看着罗淑芬。

罗淑芬见老公跟女儿一个鼻子出气，顿时气不打一处来："你能不能对你女儿的事上点心啊？人家一提要结婚，你女儿就迫不及待地点头了，这是要让人看低的，一点都不矜持，就算要结婚，也得给人设点障碍，辛苦得来的才会珍惜，我真怀疑是不是我生的。"

陆宁不怕死地加上一句："我也觉得我很可能是被抱错的，

看我多单纯啊,就你心眼多。感情嘛,就要两个人真诚,非得要心计。爸,你以后防着我妈一点。"

罗淑芬差点被女儿的话活活气死:"我说你这孩子有没有良心啊,我做一切还不是为了你?如果你不是我女儿,我才懒得管你呢!"

罗淑芬越想越伤心,女儿在找老公这件事上不但不听自己的意见,还处处跟自己做对,生怕气不死自己,忍不住开始掉泪。陆增华一见老婆流泪,赶紧朝女儿使个眼色。

陆宁见老妈开始抹眼泪,也有些内疚,小心翼翼地坐了过去,轻轻地推了推老妈。

罗淑芬别过头去不理女儿,陆宁求救地看了老爸一眼,老爸双手一摊,意思解铃还需系铃人。

"妈,你别哭了嘛,你再哭,我也要哭了。"见老妈不理自己,陆宁索性耍赖。

罗淑芬擦擦眼泪,重重地拍了女儿一下:"你个没良心的死孩子,这么大的事不跟家里说一声自己就做主了,回头不但不知错,还理直气壮,你是不是嫌我碍眼,想早点把我气死啊?"

"妈,我错了嘛,可是我和丁浩是真心相爱的,他对我真的很好,你知道这个戒指要多少钱吗?八万多啊!他都舍得给我买,反正我已经答应他了。我是可以让你做主,可是万一你喜欢的人我不喜欢呢?这样我一辈子都不会幸福,你也不想你唯一的女儿以后一直不开心吧?"陆宁不是个虚荣的人,可是为了让老妈相信丁浩真的很疼爱自己,她忍不住把戒指的价格说贵了一倍,何况这戒指在商场里确实要这么贵的嘛！

罗淑芬又看了一眼女儿手上的戒指，就这么个玩意要八万多？那丁浩也算是肯在女儿身上花钱了，嘴里却说："什么八万多，说不定拿个玻璃骗骗你呢！"

陆宁一听老妈这么说丁浩，忍不住就想发脾气，可看到老妈的眼泪又不忍心了，憋着气说："这有鉴定证书呢！你怎么那么阴暗啊，老把人想得那么坏，如果丁浩靠不住，那全世界的男人都靠不住，我干脆去当尼姑算了。"

"不是我阴暗，每个当妈的都这样，以后你有了自己的孩子，你也这样。"

陆宁无法想象自己有了孩子也会这么草木皆兵："才不会呢！我要是有了孩子，我就尊重她的选择，才不像你呢！"

罗淑芬见女儿如此冥顽不灵忍不住又想发作，想了想决定还是先稳住她再说："我不跟你争这个，你就这么铁了心地要嫁给丁浩？"

陆宁也不希望和自己的老妈闹得这么僵，开始撒娇："妈，我是真的很喜欢丁浩，人你也见过了，除了他年纪比我大得多，你还能挑出其他毛病吗？我的生活得我自己过，你不能替我选择了，你要是尊重我的自由和选择，我会感激您一辈子的，你也不想我就这么跟您敌对一辈子吧？"

陆宁的话说中了罗淑芬的软肋，她又何尝不希望女儿开开心心的呢！可是身为母亲，想的是女儿的一辈子，而不是现在几年，所以她觉得自己一定要替女儿把好这个关，要是女儿将来婚姻生活不幸福，那最大的责任就是自己这个做妈的。可是看见陆宁这么殷切地盼望自己答应，看着这个自己从小就捧在手心里的女儿此刻眉头紧蹙，无限烦恼的样子，她的心不由自主地软了下去，可她还是不肯松口："宁宁，你要知道恋爱可以是两个人的事，婚姻就是两家人的事，你要考虑的因素很多。"

陆宁何其机灵，立刻抓住机会道："妈，这个我知道，所以我觉得您和爸定个时间见见丁浩的父母，我没什么阅人经验，可是您不一样啊，您就替我看看？"

女儿把话说到这个份上了，罗淑芬只能默许，如果再坚持下去，只会惹恼她而不顾一切。于是，她想了想说："我可以答应见丁浩的父母，但是你这钻戒先别戴，什么都还没定，你天天戴着这个我看着碍眼，等我们见过面再说。"

陆宁本不想摘下戒指，可想到以后有一辈子时间戴也就不再坚持，乖乖把戒指摘了交给罗淑芬保管，同时叮嘱老妈一定要好好保管戒指，万一戒指丢了，她就不活了，罗淑芬也就没女儿了。

罗淑芬赌气地说："没了省事，省得被你气死。"

陆宁俏皮地说："我看你被我气得活蹦乱跳地开心着呢！"

罗淑芬想板起脸来，结果还是忍不住笑了出来。

陆宁见老妈笑了，赶紧溜回房间跟丁浩报喜去了。

丁浩也很高兴，再没比这个消息更动听的了，可还是忍不住有些担心，再三询问陆宁是否逼迫父母答应。

陆宁当然不肯承认，只说自己的父母对丁浩其实还挺满意的。

丁浩不知道陆宁这边的具体情况，既然她说已经答应见面，那不管过程如何，结果总是好的，现在自己要做的就是搞定自己的父母。

罗淑芬拿着钻戒回到房里，要女儿把戒指摘下来，绝不是刚才的理由，女儿对丁浩完全信任，说多了只会不高兴，还不如自己拿着戒指去鉴定。

陆增华听了罗淑芬的打算，忍不住皱眉："我觉得丁浩对宁宁是认真的，你这样做不太好吧？"

罗淑芬见老公竟然不支持自己，很是恼火："你觉得？你嫁女儿就凭感觉啊？女人有第六感，男人也有吗？再说我就偷偷拿着去鉴定，如果是假的，我就直接跟宁宁摊牌，如果是真的，我再去见他父母也不迟。"

陆增华关掉电脑，拿了衣服去浴室："随便你吧，我去洗澡了！"

第二天，罗淑芬小心地带着钻戒出门了，现在还不知道它的真假，万一有什么差池，女儿真的可能跟自己拼命。她打听了好多人，才找到鉴定钻石的机构。对方告诉她当天就可以来取。罗淑芬见干等着不是个事儿，约了几个姐妹打麻将。因为心不在焉，连连放炮，罗淑芬一边给钱，一边暗骂都是丁浩那小子给自己找事，姐妹们问她怎么心神恍惚的，她也不好意思说实情。

下午四点多的时候，罗淑芬顾不得自己大输，赶紧结束了麻将，匆匆赶到鉴定中心。

"怎么样，这戒指值多少钱？"罗淑芬焦急地问。

"戒指是真的，和之前的证书吻合，不同的地方购买价格区别很大，这个不好说。"

鉴定人员的回答滴水不漏，罗淑芬没有得到想要的答案，

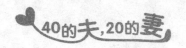

只好换了个方式问道："那一般商场上这样的戒指要多少钱呢？"

"大概七到十万之间。"

这下罗淑芬满意了，小心地收到手袋夹层里，这个戒指值这么多钱，至少说明丁浩那小子没耍花招，她知道以金钱来衡量感情不应该，可是她又没跟丁浩谈恋爱，只能用这个方法来衡量感情。当然，这一切都是瞒着陆宁进行的，这丫头就跟喝了迷魂汤似的，要是被她知道还不在家闹翻天。

回到家里，陆增华已经在房间里上网了，罗淑芬把鉴定证书拿到他面前："鉴定过了，戒指是真的。"

陆增华的眼睛依然盯在新闻上，头也不回地说："我本来就没觉得它是假的，就你防人跟防贼似的，鉴定过了，那安心了？赶紧收起来，别让宁宁发现你背着她搞那么多事。"

罗淑芬立刻把复检结果仔细地收了起来，嘴里却不愿承认："发现就发现，我也是为了她好！"

这天下班，丁浩没有住在公司里，他要回家跟父母商量见面的日子，总不能陆宁那边已经搞定了，自己这边还迟迟没有动静，如果让她父母觉得不被尊重，那这事可就大了。

余秀珍见儿子回家，先是一愣，然后立刻高兴地把儿子迎了进来，知道儿子还没吃饭，赶紧把尚有余温的饭菜放进微波炉里热着。

丁浩亦步亦趋地跟在余秀珍旁边："妈，有个事我想跟您商量。"

余秀珍就知道儿子突然回家肯定有事，甚至还能猜到他大概是为了什么事，可是儿子回来她总归还是高兴的："先吃饭，吃完再说。"

丁浩哪有心情吃饭，随便扒拉几口就把碗放下了："妈，我向宁宁求婚了，她也答应了，我们希望两家大人见个面，商量一下婚期和婚礼。"

余秀珍的脸沉了下来，自己还没松口，儿子就把婚都给求了，到底有没有把自己这个当妈的放在眼里？余秀珍什么都没说，负气地转身进了厨房。

丁浩见老妈不理自己，脸色难看地阴沉着，立刻跟了过去："妈，我也老大不小了，和宁宁又情投意合，我们很希望能得到你们的祝福。"

丁起松出来倒水，见老伴和儿子在厨房里嘀嘀咕咕，就端着杯子走了过去："你们躲在厨房里说什么呢？"

余秀珍没好气地说："你儿子通知我们他要跟陆宁结婚，叫我们参加。"余秀珍特地把"通知"两个字咬得很重，以显示自己的不满。

丁起松笑着打哈哈："丁浩年纪也不小了，要结婚是好事啊！不过结婚是大事，两家人肯定要坐下来好好商量商量。"

丁浩感激地看着自己的老爸，有一种惺惺相惜的感觉：还是男人了解男人啊！

余秀珍见老伴来打岔也就算了，还口口声声向着儿子，不满地瞪了他一眼："你什么都还不了解，就坐下来商量了？"

丁起松看见儿子求助的眼神，知道不能坐视不理："是丁浩娶老婆，他觉得了解就可以了，你又不能代替他去恋爱，以后成了一家人，你有的是机会慢慢了解。"

丁浩知道老妈特别疼爱自己，于是改用怀柔政策："妈，

六 闪瞎你的眼

你知道我喜欢一个人不容易，否则早就结婚了，人家到了我这个年纪孩子都上小学了，你也不想看我一直形单影只吧？宁宁除了年轻，你根本就挑不出她其他毛病了，如果年轻也是一种错，我宁愿一错再错。"

丁起松也跟着劝："儿子都这么大了，他的婚姻大事你就让他自己做主吧，何况丁浩的眼光向来不错，你就相信他，我们呢就做好我们的分内事，别再为难儿子了。"

"妈，我求你了，宁宁已经跟她爸妈说好了，你就答应了吧，而且我都已经求婚了，如果有什么变化，那不成了我欺骗人家感情吗？你从小就教育我要做个有担当的男人，你会支持我的是吧？"

余秀珍在儿子期盼的眼神中沉默了，其实要说她多不满意陆宁，还真没有，她知道现在的八零末九零初都有些娇气，根本算不得什么错，可陆宁这么年轻，她知道怎么做人老婆吗？

丁起松朝儿子努努嘴："你跟陆宁他们商量一下，什么日子见面告诉我们一声。"

丁浩见余秀珍没像一开始那么反对，立刻见机行事："妈，我和宁宁商量好时间就告诉你们。"

余秀珍还是没有说话，就当默认了。

丁浩不放心地叮嘱道："妈，这次我们是商量结婚日子了，我跟你保证，宁宁真的比您看见的要温柔懂事，你儿子我也不傻，不可能娶个河东狮吼回来，为了我们以后生活和谐，您对她父母可要热情点。"

余秀珍不是滋味地说："还没结婚呢，心就向着岳父母了？"

丁浩忍不住想申辩，丁起松赶紧给他使了个眼色，丁浩只能默默地闭嘴，他知道申辩得越多，余秀珍的不满也就越多，这是老爸私下里告诉他的。

六 闪瞎你的眼

七　烫手山芋

　　天气热得很快，只是一周时间，暖意熏人就取代了春寒料峭，路边树枝上的新芽已经长成一片片碧绿的嫩叶，自从余秀珍答应见面后，丁浩松了一大口气。

　　丁浩早上开车去上班，心情愉悦地欣赏着路边的风景。装修公司已经定了下来，虽然陆宁最后说只要是他们的家，无论怎么装修都无所谓，可是丁浩征求了装修公司的意见后，还是尽量满足她的要求，他喜欢看见她雀跃的神情，这是他最大的幸福，正因为如此，他处处都依着她，也许应了网上一句话：一物降一物。

　　刚进办公室，沈曼就敲门进来了，丁浩心情奇佳，想到她帮了自己那么大的忙，怎么着也得意思一下，就提议道："沈曼，上次的戒指我女朋友特别满意，真感谢你帮我省了这么多钱，中午我请你吃饭吧！不过办公室里这么多人，你不介意我也叫上兄弟姐妹们吧？让他们知道一下都是沾了你的光。"

　　丁浩这么做另有他意，他是个重信诺的人，既然答应了沈曼请她吃饭，一定要兑现，可是一个公司上司下属之间单独吃饭又容易引起不必要的猜测和麻烦，这也是他的职业操守之一。

沈曼见自己一句玩笑话，领导却这么慎重对待，也不客气，主动提出她来通知并预定地点。说完这些，沈曼皱着眉头敲敲自己的脑袋："老大，我找你是为什么事来着呢？"

丁浩哭笑不得："年纪轻轻的，怎么记性这么差？"

"是啊，我觉得我有老年痴呆症的前兆。对了，我想起来了，刚才董事长秘书打电话过来说董事长请你上去一趟。"

丁浩郁闷地看了看这个糊涂的女孩，这么重要的事应该一进门就说，居然先研究去哪吃饭，唉！也怪自己平时对她太过纵容了。

既然董事长有请，丁浩不敢耽搁，拿起一个笔记本就过去了。

董事长室在顶楼，平时丁浩有重要事情汇报才会来这个办公室，还没走到，迎面就走来董事长秘书，旁边还有一个女孩。

"丁总监，董事长见您一直没在，就让我把人直接给您带下来了。"

董事长秘书身边站着一个年轻的女孩，二十出头的年纪，打扮穿着打扮非常时尚，一双大眼睛毫不畏惧地上下打量着丁浩，眼中带着一抹桀骜不驯的光芒。

女孩不等介绍，主动说："我叫艾伦，通过董事长的关系进来的，我觉得公司只有市场部适合我，以后请多多关照。"

原来董事长给自己指派了人，丁浩微微皱了皱眉，他比较看重能力，像这样凭关系进来，一直为他所不齿，当下淡

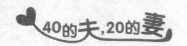

淡地说:"等下看看你擅长什么吧!"

艾伦眨巴着清澈的眼睛看着丁浩:"我什么擅长都没有,你就从零开始教我吧!"

丁浩觉得一股气憋在胸腔里,自己部门里的职员虽说不上个个能干,可干好自己的本职工作也都绰绰有余,这个艾伦凭着董事长的关系,什么都不会,却毫无愧色,如此嚣张,还不带坏整个部门的风气?真不知道董事长怎么想的。

下午,丁浩就知道董事长怎么想的了,部门里另一个女孩陈水晶进来送文件的时候就冲丁浩抱怨:"老大,董事长也真是的,怎么把这么个人塞到我们部门来?什么都不会,叫她复印文件,居然丢进碎纸机里。"

丁浩也很郁闷,可是屁股决定脑袋,部门里的其他人可以抱怨,自己这个部门领导可不能抱怨,只好违心地说:"她刚来,你们多教教她,这是董事长安排的,我也没办法。"

陈水晶朝外面看了看,神神秘秘地凑近丁浩:"老大,你知道她什么来历吗?"

丁浩不是个八卦的人,可是他知道这个艾伦肯定有来历,既然已经分到自己部门了,他觉得自己应该了解一下。

陈水晶压低声音说:"据可靠消息说,这个女的是董事长的情人。"

什么?丁浩瞪大了眼睛,董事长居然把自己的情人安排进了公司?他觉得难以置信:"不可能吧,你们都听谁说的?"

陈水晶理所当然地说:"大家都这么说,您想啊,无风不起浪,她肯定也知道我们都在背后议论她,可是她一点反应都没有,典型的死猪不怕开水烫。"

068

丁浩阻止了陈水晶继续往下说:"好了,我心里有数了,你先出去工作吧,把艾伦给我叫进来。"

陈水晶得意地出了丁浩办公室,扯着嗓门叫:"艾伦,总监叫你。"

足足有五分钟后,艾伦才出现在丁浩办公室,直呼其名道:"丁浩,你找我?"

丁浩没料到艾伦这么随意,不过他也说不出来反驳的理由,本来自己的名字就叫丁浩,总监只是职位,他有什么权力要求别人一定要叫自己的职位呢?不过这艾伦也太随便了些。

"上午一直在忙,也没有给你安排工作,你可以介绍一下自己的特长和兴趣,这样我才好给你安排合适的工作。"

艾伦想了想说:"我的特长就是没特长,我的兴趣就是对什么都有兴趣,你看着安排吧!"

丁浩没想到她竟然这么嚣张,只好委婉地提醒她:"在公司上班不像一个人,要适应工作还有人际关系。"

艾伦想也不想地说:"我最讨厌搞人际关系了,中国人最喜欢勾心斗角借机上位,我不喜欢。"

丁浩推了推眼镜,本来想说你傍富不也是借机上位吗,可是这种没凭没据的事不好乱说,即使是事实,揭人家隐私也是不道德的行为,只好说:"你好像也是中国人。"

"我是中国人啊!所以我才了解中国人嘛!难道我说得不对吗?"

丁浩还真不知道怎么反驳她呢,这个女孩简直就不像一个正常人,嚣张、直白,还带那么一点桀骜不驯,丁浩说:"也

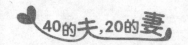

许你说的情况确实客观存在，今天我们不讨论这个。既然你说对什么都有兴趣，那就先去接触策划这一块吧！"

艾伦无所谓地点点头，自言自语道："我替策划这块的同事们哀悼，他们有难了。"

丁浩惊讶地看着她，想不到她还挺有自知之明的："我会跟策划模块的同事招个招呼，叫他们好好教你，有什么事你可以找我。"

丁浩的潜台词是：拜托你别去折腾那些同事，任何事情都让我来解决吧！可是艾伦不这么想，她把这看做是一种承诺，立刻说："好，我一定会找你的。"

丁浩突然觉得自己似乎说错话了。

果然，第二天下午艾伦就气势汹汹地冲到丁浩办公室，一脸愤怒地说自己被搞策划的同事欺负了，要丁浩为她做主。

丁浩并不意外，心想：做策划的兄弟姐妹自己都了解，并不是会欺负新人的人，以艾伦的性格，倒过来折腾他们倒有可能。不过，这种想法只能在心里想想，丁浩耐着性子问："他们怎么欺负你了？"

艾伦把一叠纸甩在丁浩办公桌上："现在市场部在策划一个活动，我不想做没有意义的事，所以主动要求这次的策划我来写，可是我熬了一夜写出来的东西，他们居然只看一眼就否决了，说没有可行性。"

丁浩拿起那叠纸粗粗扫了一眼，就这一眼，丁浩忍不住对艾伦刮目相看，以她的年纪居然能够写出这样的策划来，果然人不可貌相啊！可他很怀疑她真的已经成年了吗？

"那你自己觉得呢？"丁浩反问她。

"我觉得我这份策划案比他们写的有吸引力多了。"

丁浩又看了一眼，心想：你的头等奖就是一辆宝马跑车，这吸引力能不大吗？但身为总监又不能这么说话，只好委婉地告诉艾伦，市场部搞任何活动都有预算限制，而这次活动所有的预算加起来也买不了半辆跑车，所以这个策划肯定不能采纳。

艾伦睁大了眼睛："怎么市场部这么穷吗？人家都说市场部是花钱的部门，那就是大爷。"

"你认为市场部就是花钱的部门，这么认为也没错，但是花钱也得看花得值不值得。"丁浩耐心地解释道。

艾伦显然不听这套说辞："你没花之前怎么知道值不值得？就你们那活动，一等奖只是一个苹果手机，这也太没吸引力了，宝马跑车就不一样了，我保证大家参与的热情空前高涨，所谓舍不得孩子套不住狼，我认为你应该仔细看看我这份策划，按照我的策划来做。"

丁浩对她的天真感到无语，不过仔细想一想，她说得也不是完全没有道理，只是缺乏实际的经验，年轻人虽然很多想法不切实际，可是他们的热情和创新也是老人无法比拟的，想到这里，丁浩温和地说："你的点子其实很好，但是有几点我们要考虑到，如果我们的奖品是苹果手机，很多人愿意参与进来。但是如果是跑车，很多人可能就会怀疑这是作秀，或者奖品已经内定了，反而认为这是一场骗局，到时候我们就是花钱不讨好。再者，公司有预算制度，不是某个人想怎么样就怎么样的。如果每个部门都这样，你说这还像一个公司吗？"

七 烫手山芋

　　艾伦摸摸自己的耳垂，觉得丁浩说得好像也很有道理，可是这份计划是自己忙了一晚上才做出来的，就这么放弃了多可惜啊！所以，她还是想争取一下："可是不同的事要不同对待嘛，如果是预算的问题，我帮你解决啊！"

　　丁浩想起陈水晶的话，本来心存怀疑的他此时也有点相信了，要知道各部门每年为了多争取点预算，哪个不在年度预算会议上说个口干舌燥的？可是在她眼里竟然是如此轻而易举的事，不管她是不是董事长的情人，这关系肯定不简单。不过丁浩并没有把她的话当回事，她能做出让大家目瞪口呆的策划来，说几句大话更不是了不得的事。

　　谁知第二天一上班，董事长就打内线把他叫了过去，丁浩直觉董事长有请应该和艾伦有关。

　　丁浩进了董事长室，董事长挺和气，甚至让秘书端了两杯咖啡进来，丁浩恭敬地等着董事长的指示。

　　董事长喝了口咖啡，笑着开了口："艾伦这两天在市场部怎么样？"

　　这两天，艾伦的到来几乎是市场部的一场灾难。这个女人年纪不大，口气不小，经常颐指气使地对其他老员工指手画脚，丁浩已经接到不止一次投诉，艾伦非常以自我为中心，其他人认为艾伦仗着跟董事长有染，也非常不以为然，可以说艾伦在市场部是孤立的，几乎没有什么人喜欢她。

　　可是艾伦毕竟是董事长指派过来的，丁浩如何能把这些实情告诉他？只好避重就轻地说："艾伦刚来没几天，还在适应当中。"

　　其实丁浩非常不解，以董事长的年纪要找也应该找个温柔懂事的，怎么会找一个这么嚣张的呢？也许真的应了那句情人眼里出西施吧！

谁知董事长话锋一转："昨天艾伦跟我说市场部预算紧张，连搞个活动都缩手缩脚？"

丁浩心里暗暗叫苦，昨天艾伦说预算的事她来解决，自己根本没当一回事，可想不到艾伦还真的找董事长了。董事长要是觉得自己想通过艾伦为自己部门争取什么利益，那自己可就冤大了，所以他觉得应该解释一下到底是怎么回事："是这样的，董事长，艾伦刚到市场部希望能做出一番成绩来，所以她写了一个策划书，其实写得很有新意，可是艾伦把一等奖设为宝马跑车，并且坚持这么做，我只好告诉她市场部没有这么多预算。"

董事长笑着摆摆手："你不用跟我解释，我大概能明白怎么回事，宝马跑车肯定是不行的，但是我们也可以搞得稍微高级点，这样吧，我再给市场部特批三十万预算，艾伦没什么经验，这样的活动她负责不了，但是你可以让她参与学习一下。"

丁浩惊讶得忘记说话了，看来真是英雄难过美人关，想不到艾伦一句话，就给自己部门拉来了三十完预算，可是丁浩心里不是滋味，总觉得这个预算不够光明正大："董事长，我觉得您单独给市场部追加预算不太好……"

董事长直接打断了他："我已经决定了，你也不用有负担，艾伦可塑性很强，有事你多担着点。"

丁浩明白了，这笔预算都是为了艾伦，她想参与这个活动，董事长不想拂了她的意。

七　烫手山芋

八　尘埃落定

　　最终丁浩安排艾伦作为助手参加这次活动，其实有时候，丁浩也有些同情艾伦，部门里的同事都排斥她，在公司她也没什么其他朋友，独来独往，很是孤独。丁浩知道被人排斥的滋味肯定不好受，就侧面提醒她要注意和同事们的相处，可是他显然自作多情了，艾伦根本不买他的账，还指责丁浩应该凭能力做事，而不是结党营私。

　　丁浩气得发怔，一时没忍住："你知道筷子定理吗？公司为什么不设置一个人一个部门？就是说明团队的重要性，如果你坚持这种态度，我想你不适合参加这次活动，我要的是向心力，不是离心力。"

　　丁浩有自己的原则，他从来没有因为别人说她是董事长的情人对她有意见，当然也不会因为这个原因而对她特殊。

　　艾伦见丁浩真的动气了，梗着脖子不说话，过了一会儿才不情不愿地说："那我尽量吧！"

　　丁浩点点头，示意艾伦可以出去了，艾伦临出门时突然转身说："我欣赏你的正直，所以我不会让你太为难。"

　　丁浩看着艾伦消失的背影发愣，这个女孩很特别，难怪董事长对她另眼相看吧！有点捉摸不定的感觉。

快下班的时候，丁浩特地订了周六中午香格里拉的包厢，想到和陆宁的感情终于有了重大进展，他的心情不由自主飞扬起来，部门的烦恼事暂时放到了一边。

很快到了星期六早上，陆宁破天荒起了个大早，罗淑芬刚刚坐起看养生节目，陆宁就冲了进来，钻到她的被窝。

罗淑芬知道女儿的来意，关掉了音量："从你上中学开始，就再也没跟我睡过一张床了，今天是为了丁浩吧！"

陆宁撒娇道："妈，你可不可以不要这么聪明嘛！我只不过想到以后结婚了，就不能天天看见你了，所以想来陪陪你嘛！"

一想到女儿结婚后家里空落落的场景，罗淑芬无限伤感，果然是女大不中留，天天想着结婚了。

陆宁知道老妈在想什么，笑嘻嘻地搂住罗淑芬的脖子："如果再过几年我还待在家里，估计你都要愁白头发了，你女儿我这么替你省心，已经是最大的孝心了，你看看网上那些剩女们，天天看着老妈忧愁的眼神，多揪心啊！"

罗淑芬一下忘记了立场："倒也是，楼下老张的女儿都已经三十二了，还没找到男朋友，老张天天急得跟什么似的，如果她女儿能够嫁出去，估计她做梦都要笑醒了。"

陆宁打蛇上棍："就是嘛！你看我让你少操多少心呢！再比如，你上次跟我说天天跟你锻炼身体的秦阿姨，她女婿和女儿天天能为谁先上马桶的事吵得不可开交，我和丁浩肯定不会发生这种情况，他肯定会让着我的。"

罗淑芬没好气地白了女儿一眼："这么说我还要感激你替

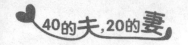

我找了个年纪比我小不了多少的女婿了？"

陆宁摇头晃脑地说："那倒也不用感激我，你只要支持我的选择就可以了。妈，今天你和丁浩的爸妈见面，你态度一定要客气点哦，不能像在家跟我说的，你把我当宝贝，人家的儿子也是宝贝，你千万别摆出一副你多吃亏的样子哦。"

罗淑芬不是滋味地说："你倒想得周到，怎么平时对你妈我就从来不这么用心呢！天天在乎人家父母的感受，怎么一点都不在乎我的感受，天天顶撞我？"

陆宁可不想老妈借题发挥，赶紧安抚她："那是因为你是我亲妈啊！我在你面前最真实了。"

"如果亲妈的待遇是天天被你气个半死，以后你就把我当后妈当婆婆都行，我不当这个亲妈了。"罗淑芬负气地说。

"好了，我的亲妈妈，女儿求求你了，等下态度热情一点，我声明我这辈子非丁浩不嫁，如果你要是对他们态度不好，以后我嫁过去，人家把气撒到我身上，你的宝贝女儿受了委屈，心疼的可是你自己。"陆宁太清楚罗淑芬的软肋是什么，基本一击一个准。

罗淑芬一想到女儿会受委屈，忍不住就大声了起来："他们敢，看我不折腾死他们！"

"好了，你放心吧，丁浩肯定不会让我受委屈，今天你的任务就是把自己打扮得优雅一点，然后和我爸一起去。"

罗淑芬把所有喜欢的衣服都拎了出来，试了半天才决定穿什么，中午十一点多的时候，陆家三口终于到了香格里拉，丁浩已经在门口等他们了。

陆宁一看见丁浩，就放开罗淑芬的手，朝他奔去，罗淑芬朝老公努努嘴："这就是生女儿的下场。"

陆增华非常了解老婆口是心非的特点，嘴里嫌弃女儿，可要是女儿有点什么事，让她拿命去换都行。

丁浩礼貌地和他们打过招呼，就牵着陆宁朝包厢走去。

丁家二老已经坐在包厢里了，罗淑芬耳尖，听到他们似乎在埋怨自己迟到了几分钟。陆宁解释道："叔叔阿姨，不好意思，周末打车有点困难。"其实是她老妈磨蹭给耽误了点时间。

丁起松赶紧站了起来让座："没关系，早知道让丁浩去接你们嘛！"

余秀珍不以为然地看着老伴，什么叫丁浩去接？丁浩要是去接了，自己怎么办？虽然她知道老伴说的不过是客套话而已。

在罗淑芬和余秀珍相互较劲儿的时候，陆增华和丁起松已经开聊了："听宁宁一直说起你们，也没机会去拜访你们。"

丁起松连忙客气道："哪有让你们来拜访的道理？要换了是古代，提亲也得男方去女方家里，您说是吧？"

余秀珍忍不住在旁边插嘴道："古代提亲那是媒婆去提，哪有男方父母去提的？你懂不懂风俗啊？"

余秀珍虽然冲着老伴说，可是罗淑芬不傻，听出了余秀珍话里的傲气，本以为自己这么年轻漂亮的女儿嫁过去，他们占了这么大的便宜，应该对女儿和自己一家恭敬客气，看来事情不是这么一回事，难怪那丫头一大早就过来给自己打预防针，罗淑芬觉得不能就这么坐着不吭声，一定要为女儿争取最大的地位："社会在进步，我们也不能老是停留在那些

八　尘埃落定

077

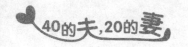

老黄历上，宁宁说丁浩已经买了八万多的钻戒跟她求婚了，吵嚷着要我们赶紧过来见个面。"

罗淑芬提钻戒的事是为了侧面提醒余秀珍：你儿子对我女儿可是绝对认真的，你以后别想欺负我女儿！

余秀珍一听立刻沉下脸来，她知道丁浩已经求婚了，但是没想到儿子竟然一出手就是八万多的钻戒，难道她陆宁就这么金贵吗？以后的日子还要不要过了？

丁浩小声问陆宁："那戒指只有四万多，你怎么说的啊？"

陆宁无辜地看着丁浩："人家也是为了给你争点面子嘛！"

"那你也不用骗你妈啊！"

"现在骗都骗了，你可不能揭穿我，否则她得扒了我的皮。"

丁起松很清楚老伴哪里不高兴了，怕局面闹僵，忙打圆场："丁浩，人都到齐了，让服务员上菜吧！"

余秀珍深呼吸两次，想把这郁闷压下去，结果还是压不下去："钻戒这种东西只是个象征意义，实在没必要花这么多钱，以后过日子哪里不要钱呢？"

罗淑芬听了这话特别不舒服，敢情他们连这点钱都不肯花？如果不是看女儿这么中意丁浩，别说八万的钻戒，就是八百万的钻戒她都不稀罕。所以她说："话可不能这么说，生活水平在提高，人的追求当然也在提高，以前我们只要有饭吃，有衣服穿就满足了，现在的人，能做到只有这点要求吗？"

余秀珍想反驳，可是又无从下口，只好阴阴地说了一句："现在的人都希望自己过得好，所以都把经济基础看得很重，这就是为什么很多女孩子会找年纪比自己爸爸还大的富豪。"

罗淑芬心想:这话不就是冲着我们来的吗？先不谈我女儿是不是拜金，要拜金也不找你儿子啊！

罗淑芬面带微笑地说:"是啊，可富豪也不是那么好当的，否则丁浩怎么不去当呢！不过我倒觉得女孩子想过得好一点，完全是可以理解的，就是我女儿不听话，不然之前就有个身价过亿的富二代追她，对方人品也不错，可我们家宁宁就是一根筋。"

余秀珍见罗淑芬话里话外都在贬低自己儿子，气得脸色发白，陆宁急得要命，忍不住在桌下踢罗淑芬的脚，罗淑芬才不情不愿地住了嘴。

"那都是认识丁浩之前的事了，我觉得钱多钱少都无所谓，只要过得去就好，感情才是最重要的。"其实陆宁也觉得委屈，她和丁浩在一起真的不是为了什么所谓的经济基础，否则以她的条件，要找个更有钱的，真不是难事，可是她又不能跟余秀珍生气，她知道老妈是为了自己出头，更不能去说罗淑芬什么了。

丁起松起身倒酒:"我们别光顾着聊，菜都凉了，宁宁这孩子我接触不多，但是挺纯真的，我一直都夸丁浩眼光不错。"

罗淑芬见丁起松夸奖自己的女儿，脸色才好看了些:"我养的女儿我清楚，虽然平时一直被我娇惯，但是她的本性非常纯良。虽说本性纯良是好事，可是在这个社会，这样的人容易吃亏！"

丁浩觉得这场见面似乎成了两家母亲相互斗势，心里非常着急，朝陆宁使了个眼色。

陆宁无奈地叹了口气:"妈，你说这些干吗啊？以后有丁

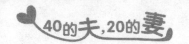

浩照顾我，他肯定不会让我吃亏的。"

丁浩赶紧给准岳母盛汤，并且表明心迹："阿姨您放心，我一定会好好照顾宁宁，绝对不会让她吃亏受委屈。"

罗淑芬看着老公殷切的眼神，和丁起松温和的笑意，还有女儿和丁浩几乎缠绕的眼光，终于叹了口气："只要宁宁开心，我这个做妈的没什么好说的。"

陆宁热情奔放地搂了搂罗淑芬的脖子："妈，你最好了，我就知道你最疼我了。"

罗淑芬心里无比柔软，也许真像老公说的，是陆宁结婚，只要她开心就好。虽然丁浩的母亲看起来并不是很好相处的样子，可他们并不住一起，相信也不会有太大矛盾，何况天下对儿媳妇像对亲生女儿一样的婆婆能找得到几个？

丁浩见准岳母松口，大大松了口气，忙碰碰余秀珍的胳膊："妈，您还没说话呢！"

余秀珍见三个人已经同意，要是自己咬着不放的话，儿子心里还指不定怎么埋怨自己呢！何况此时自己反对也找不出什么合适的理由。只得说："我没什么意见。"

丁起松见老伴已经默认，觉得应该发挥一家之主的作用了："亲家，那我们商量一下这小两口的婚事吧！你们有什么要求尽管提出来，只要我们能做到的，一定不会委屈陆宁。"

罗淑芬觉得丁起松说的话听着才入耳，不是她自夸，自从女儿毕业后，多少姐妹朋友都赶着介绍自己的儿子侄子外甥啊！有公务员，有归国华侨，还有富二代，就是死丫头觉得相亲老土，死活不肯去。

余秀珍在旁边面无表情地说："我和我们家老头子意见一

样，你们有什么要求尽管说，比如婚礼酒席还有聘礼等，你们说吧，我们有心理准备。"

罗淑芬觉得这话又在侮辱自己，什么叫有心理准备？什么心理准备？好像自己就等着敲他们一笔似的。再说你们家娶儿媳妇，哪有不花钱的道理？可罗淑芬知道自己不能说这些，免得真的被余秀珍看低，她觉得这种关键时刻自己一定要替女儿争取地位，否则以后嫁过去还不知道受余秀珍多少闲气呢！一想到女儿可能受气，罗淑芬觉得心就像被猫抓了几下，隐隐地疼。

"现在结婚不像以前了，女方收一笔聘礼，把女儿嫁出去，在我看来这和卖女儿没什么区别，宁宁是我的独生女儿，在我心里什么都没她重要，老公也没女儿重要。所以婚礼想怎么办，他们两个自己去商量，不过不能太寒酸了，至于聘礼嘛，你们想给，我们也没意见，但是我们家一分钱也不要，都给小两口以后生活。我们也不会毫无表示，我就一个女儿，以后钱也都是留给她的，她要结婚，我一定会让她嫁得风风光光的。现在的风俗都是男方买房，女方买车，既然丁浩已经有了房子，那就换辆新车吧！五十万以内的车，他们自己去挑，选中了，我给钱。"

陆宁没想到老妈竟然这么大手笔，虽然自己家境还可以，可是毕竟自己念书，学这学那，花费也不少，这五十万对自己家来说，并不是小数目。看来老妈真的是心疼自己啊！

丁浩听到罗淑芬要给女儿陪嫁一辆五十万的轿车，也吓了一跳，之前丝毫没听陆宁提过，可见她也不知道，只要他们同意陆宁嫁给自己，他就感激万分了，哪里还能让他们出

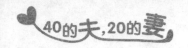

这么多钱呢?

"阿姨,谢谢您的好意,但是宁宁不会开车,我现在开的这辆买了也不过三年,开着还顺手,这个钱你们还是留着养老吧!"

罗淑芬斜睨了余秀珍一眼:"如果你们不想要车,那这五十万就折现,会随着宁宁嫁过去。我就一个女儿,绝对不会委屈她,反正这钱早晚都得给她。"

陆宁觉得这样推来推去又麻烦又虚伪,立刻接过话头:"妈,那就谢谢你了,反正你的钱就是我的,以后我给你养老啊!"

罗淑芬宠溺地拍拍女儿的脸:"我要是不给你这钱,你是不是不准备给我养老了?"

陆宁夹了个硕大的虾放到罗淑芬碟子里,委屈地说:"哪能啊?你就这么看你女儿啊!"

余秀珍本来想以钱来做做姿态,哪知道对方一甩就是五十万,她知道罗淑芬这是存心做给自己看的,但是她并没有觉得不高兴,儿子娶陆宁,她最担心的就是丁浩在经济上吃亏太多。既然如此,罗淑芬想摆谱就让她摆呗,总之可以让儿子减轻负担的事,她都不会反对。

丁起松没老伴那些小九九,认为人家不要聘礼,又给女儿五十万陪嫁,这样显得自己家占了太多便宜,容易落人话柄,自己这一辈子做人做事都无愧于心,可不能临老让人说自己占了亲家的大便宜。他亲亲热热地给罗淑芬倒上饮料:"亲家,你们的好意我们心领了,虽然我老丁家不算大富大贵,可丁浩争气,我们老两口平时花销也不大,这娶媳妇的钱,

082

我们早就准备了，你们的钱还是留着自己傍身吧！"

丁起松的话说得入情入理，陆增华觉得亲家母是个厉害的人，可亲家公是个忠厚温和的人，以后即使真有什么问题，两家也能商量着来。

余秀珍见老伴轻易就推了五十万，心中老大不爽，斜睨了丁起松一眼："我说你瞎操什么心呢？亲家母那钱是给女儿的嫁妆，是给陆宁的，又不是给你儿子的，哪有你拒绝的份啊！"

丁起松被老伴这么一顿抢白，觉得面子有些挂不住，可是他这一辈子已经忍让惯了，当下尴尬地坐在一边不吭声。

陆增华见老婆提了这个五十万，搞得亲家夫妇不和，有种好心办坏事的感觉，连忙补救道："亲家母见外了，等他们两个结了婚，就是一家人，哪还分得那么清楚呢，宁宁的也就是丁浩的，都一样，都一样！"

陆宁也表示跟丁浩从来就不分你我的，这钱给谁都一样。

陆增华给丁家二老斟上饮料："这事就这么定了，都是一家人，何必这么见外呢！我们还是商量一下日子这些比较重要。一般慎重的，会先订婚……"

陆宁以为自己的父母还要搞那些繁文缛节，马上表态："爸，那都是以前了，我觉得订婚又麻烦又劳民伤财，还是免了吧！丁浩你说是吧？"

罗淑芬瞪了女儿一眼，还没结婚呢就什么都向着婆家，一点都不知道矜持，唉，如果有下辈子，还是生个儿子吧！

余秀珍虽然对陆宁颇有微词，可是这次完全赞同她的想法："订婚确实麻烦，只有那些学历低的，因为年纪还小，只

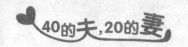

好先订婚。现在大学毕业的基本上都直接结婚了。"

陆增华见大家纷纷反对，笑着说："其实我就这么一说，我也不赞成订婚，太折腾了，日子现在也定不下来，怎么样都得好好选一个吉利的日子。"

丁起松连连点头："应该的，应该的。"

丁浩和陆宁对望一眼，以眼神说:总算是尘埃落定了! 她突然想起苏天佩，不知道她的生活是否如意。

九 大失所望

苏天佩的婚事没有陆宁那么曲折，夏宁清把老母亲从日本接了回来后，两人就去领了证。她知道夏宁清早年丧父，是母亲一手把他带大，对母亲感情很深，又知道婆婆手里掌握着不少股权，对婆婆自然是亲热有加。可是苏天佩的婆婆不是个容易搞定的人物，想当年她要一手带大儿子，一手创立这份家业，其艰辛可想而知，能力自然远在一般的老太太之上。

她不相信儿媳妇对儿子真心真意，两人年纪差了一辈，如果儿子没钱，她会选择嫁给他吗？有了这个认知后，夏母对苏天佩就多了戒心，细致到吃穿用度都要过问。苏天佩选择夏宁清本来就是图他身家雄厚，可是如今却和普通人无异，甚至还不如普通人，普通人是没钱可花，也没什么好不满的，可是自己对着身价过亿的老公，却想要什么不能买，想玩什么不能玩，简直是双重郁闷。

起先，苏天佩觉得婆婆可能是考验自己，也许等过了考验期，婆婆对自己就不会看得这么紧了。所以处处小心谨慎，尽量做到符合婆婆的要求，在家低眉顺眼，唯婆婆是尊。可是一个多月过去了，夏母却丝毫没有变化，这让苏天佩又气愤又无奈。

这天下午，杭州大厦迪奥专柜打来电话，通知她预定的限量包包到了。这款包包她已经等了一个多月，中国早就没货，特地等专柜从国外订购回来，刚到楼下，发现夏母端端正正坐在沙发上，赶紧叫了一声妈。

夏母眼皮都没抬一下，把一叠信用卡账单递到她手里，面无表情地说："虽然现在夏家不缺钱，但是再大的家业也禁不起毫无节制地乱花，宁清赚钱也不容易。"

苏天佩脑袋嗡的一声，她想不通，夏家资产过亿，自己买点衣服包包怎么了？可是当着婆婆的面，她不敢这么说，只好拿老公当挡箭牌："妈，您知道宁清应酬多，偶尔也要携太太出席，如果我不穿得体面点，宁清脸上也不好看。"

夏母当然不希望儿子丢脸，所以淡淡地应了一声，苏天佩见婆婆认同自己的观点，想早点溜之大吉，夏母见儿媳妇要出门，又在身后叮嘱了句："夏家资产再多，如果都是挥霍浪费，就算金山银山也会吃空，所以，买任何东西之前要先想一想这个东西是否必要。"

苏天佩闷闷地应了一声，本来急着买新包包的心情被浇灭大半，夏母这样告诫自己了，如果再把那个限量包包买回来，不知道她会有什么反应，苏天佩不确定了。

夏母看着媳妇远去的背影，露出得意的神色，虽说自己儿子有钱，可那钱也不是天上掉下来，大风刮回来的。她苏天佩天天什么都不用做，却穿着名牌衣服，挎着限量包包，她看着就是碍眼。她没奋斗过，凭什么享受这一切？如果她要是尽心尽力把自己儿子伺候好了，那么她自然会对媳妇的用度宽松一点，但是现在只是个开头，在她还没有特别好的表现时，自己这个做婆婆的一定要让她知道有付出才有收获的道理，更别想在自己眼皮底下掀起风浪，这个家里，她才是真正的主人。

苏天佩不敢跟婆婆较劲儿，把心思动到老公身上，婆婆对自己苛刻，可是对儿子却溺爱得很，只要夏宁清喜欢自己，肯在自己身上大把花钱，婆婆还能怎么样？

所以，晚上亲热过后，苏天佩跟老公撒娇："老公，我看中一个包包，好漂亮，是迪奥的限量款，你买来送给我好不好？"

夏宁清半闭着眼说："你知道我工作忙，这种事你自己搞定不就可以了？为什么还要我去买？"

苏天佩半撒娇半抱怨地说："妈说我们虽然有钱，可是也要省着点花，她年纪大了，我不想逆她的意，可是如果是你买，她肯定不会有意见。"

苏天佩尽量表现出身为儿媳妇的低眉顺眼，更希望夏宁清了解自己这么做是为了照顾他妈的感受，让他感激自己的付出，从而满足自己的所有要求。

哪知道夏宁清一听是自己的母亲反对，想也不想地说："我妈说得有道理，钱再多也要花得值得，你的衣服首饰已经不少，我看最近没必要再添置了。"

苏天佩一听，气不打一处来，什么叫钱要花得值得？钱花掉了的才叫钱，否则躺在银行里只是几个冰冷的数字，死了谁也带不走，为什么活着的时候不好好享受？她本以为婆

九　大失所望

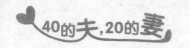

婆反对，那是因为她白手起家，把金钱看得比较重，想不到自己的老公说的话和婆婆大同小异，真不愧是亲母子。苏天佩突然觉得在这个家里，老公和婆婆是一条心的，自己只是个外来的闯入者而已，所以他们都带着戒备的心思对待自己。想到自己不顾如花岁月嫁给一个几乎可以做爹的男人，只为了生活过得安逸富足，却没想到竟是这种下场，越想越不甘心，越想越生气。忍不住给了夏宁清一个背脊，指望着他像以前一样哄哄自己，然后再答应自己的要求。可是没想到，夏宁清不但没像以前一样哄他，转身关了床头灯呼呼大睡。苏天佩躺在床上，久久难以入睡。

第二天，苏天佩来到杭州大厦的迪奥专柜，要求退了之前所付定金，包包暂时不买了。专柜小姐态度非常友好地告诉她这个限量包是从国外订购回来，如果客人不买，定金是无法退的，苏天佩不愿意白白承受这笔损失，执意要退。

专柜小姐很温和地告诉她，这是不行的，语气相当坚决。苏天佩分明从对方眼中看见鄙夷的神色。这种神色大大地打击了她的自尊心，她以为做了夏太太便跻身上流社会，想不到如今竟被一个专柜小姐鄙视，这个认知让她羞愧难当，最后几乎是逃离了杭州大厦。

回去的路上，苏天佩想了很多，这还是结婚初期，如果自己就这么忍气吞声的话，也许一辈子都要过这样的生活，她不甘，没道理她以青春年华陪着半老的夏宁清，还是这个结果。夏宁清大自己那么多，无论从哪个方面来讲，他都得哄着自己，让着自己，把自己当个宝。所以她打定主意，从今天开始就冷淡夏宁清，等他受不了的时候，还不乖乖来求自己？这么一想，心中的郁闷消散不少，她就不信她这辈子就得逆来顺受地过日子。

回到家里，夏宁清已经在书房了，苏天佩把衣服一换，躺到床上，连保姆叫吃晚饭都没下去，她等着夏宁清过来问自己怎么了。可是直到晚上九点，夏宁清还在书房里。

苏天佩躺在床上又饿又气，电视频道换了一个又一个，什么都看不进去。十一点的时候，夏宁清终于回房了，还是只语未问。

苏天佩沉不住气了，阴着脸问："你现在心里还有没有我这个老婆？"

夏宁清换上丝质睡衣，不解地问："你这话什么意思？"

"什么意思？"苏天佩腾地坐了起来，"晚饭我没吃，你有问过我一句吗？我心里不高兴，你有关心我一句吗？"

"我工作忙，公司的事情还处理不过来，哪有精力天天关注你的小情绪？你又不是三岁小孩，饭没吃就说明你不饿，饿了你叫保姆给你做就是了。难道还要我给你做吗？"夏宁清脸上的表情是理所当然，使得苏天佩更加生气。

"行，那你什么时候关心过我的心情？难道我是个木头吗？就是家里的摆设吗？"苏天佩几乎用吼的了。

夏宁清皱皱眉头，把房门关紧，责怪道："你大晚上的发什么神经，小心把我妈吵起来，老人家睡眠本来就不好，醒了就睡不着了，你有什么心情需要我关心的？不用工作，不用看老板的脸色，更不用为生活发愁，天下还有比你活得更自在的女人吗？我看你是没事找事。"

苏天佩见老公完全不体谅自己的心情，还一副赐予者的模样，伤心加失望，眼眶都发红了，但是见夏宁清不耐烦的表情，她不敢继续再发作，索性扯过被子蒙头睡觉。

过了一会儿，夏宁清伸手过来抚摸她，动作中带着明显的欲求，苏天佩恨恨地想：有需要了找我，平时却不关心我，难道我就是你发泄需要的工具吗？这么一想，她觉得自己无比委屈，冷冷地拨开了那只手。

夏宁清见她一副决绝的模样，顿觉兴味索然，不再要求。这一夜，苏天佩翻来覆去没有睡好。

苏天佩以为夫妻床头吵架床尾和，只要夏宁清对她有那么一点愧色，肯好言好语地哄哄自己，那她也不是个歇斯底里的女人，她会见好就收的。可是夏宁清根本就是一副没事的样子，这样的夏宁清让苏天佩觉得陌生和心寒，所以她找茬和他吵架，只是想引起他的反应。

夏宁清觉得头疼，结婚之前苏天佩温柔体贴，怎么结婚后像变了一个人似的，她指责他对她花钱不够大方，她怎么不去跟她那些同学朋友比比，哪个穿戴有她体面？怎么就这么不知足呢？或者她就好好表现一下，让自己的母亲彻底喜欢她，那不比跟自己吵架强？自己是她老公，更是他妈的儿子，谁都可以做自己老婆，母亲可就一个，只要她把自己的母亲哄好了，要什么会不给她？可她却一门心思都在索取上，把自己当成银行，哪个男人受得了？

夏宁清觉得家里待着烦闷，索性经常和朋友出去应酬，在这期间他认识了一个在酒店弹琴的艺术女生，她不但善解人意，而且聪明乖巧。夏宁清回家的时间越来越晚，起先是十点，后来十一点、十二点，甚至凌晨才回来。

苏天佩渐渐觉得不妙，劝了几次，可是老公根本无动于衷。她知道不能再吵，如果再吵下去，老公就真的离自己越来越远，虽然夏宁清让她失望，可是在她没有更好的出路时，她并不想放弃他。

苏天佩知道夏宁清是个孝子，自己的话他听不进去，但是他妈的话，他却不敢违逆，所以她把主意打到婆婆身上。

这段时间，苏天佩简直就是个二十四孝媳妇，足不出户，陪着婆婆聊天解闷。

夏母冷眼看着这一切，儿媳妇是有个性的人，但是她绝不容许儿媳妇在自己面前有恃无恐。对儿媳妇不能太纵容，以免没了行状，儿子忙于事业，自己这个做妈的就不能袖手旁观。看着这段日子儿媳妇低眉顺眼的样子，夏母打心眼里得意。

这天晚上，夏宁清又没回家吃饭，苏天佩觉得这是个机会，吃罢晚上，给婆婆端了一盘水果，见婆婆心情不错，委婉地开了口："妈，宁清这段时间早出晚归的，都很久没按时回家吃饭了，您是不是管管他啊？"

夏母吃着水果，没有吭声，过了一会儿才说："男人在外面赚钱，有些应酬也是难免的。"

苏天佩见婆婆无动于衷的样子，忍不住着急："妈，宁清以前不是这样的，就这段时间回家越来越晚，我的话他未必肯听，但是您的话他一定听。"

苏天佩心想，给婆婆这么大的高帽子戴，婆婆一定会站在自己这一边的。

夏母缓缓地开了口："宁清和你结婚，你就是他老婆，能

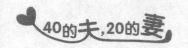

不能把一个男人留在家里，就看老婆的本事，老婆做得好，男人的心在家里，人自然在家里。如果老婆做得失败，男人不喜欢待在家里，别人再怎么干涉也没有用。还是想办法怎么留住老公的心吧！不早了，我回房睡觉了。"

苏天佩看着婆婆关上的房门，心里恨得牙痒痒，这会儿作壁上观了，那平时何必插手那么多？该管的时候不管，不该管的时候瞎管，这个老东西专门跟自己做对。

晚上十二点，站在空旷的阳台上，任夜风徐徐地吹着，苏天佩凝望着远处的天空，忍不住开始遐想：如果自己像陆宁一样找个钱不是很多，也不是很少，对自己疼爱如命的男人，现在不知道是什么样的情景……

十　女大不中留

在丁起松的积极努力下，日子很快就选了出来，余秀珍比较满意八月初八这个日子，可是丁浩希望选国庆期间的一个日子，这样婚假加上国庆，差不多有一个月左右时间，不但可以安安心心操办婚礼，还可以从从容容地去度个蜜月。最后，余秀珍还是依了儿子。

日子定下来后，陆宁就满怀喜悦地等待着做丁浩的新娘，只是她没料到结婚竟然有那么多事情要做，几乎每个周末都无法休息。丁浩给她看了他们的结婚进程表，选婚纱、拍婚纱照、装修、做美容、定客人名单等等等等。陆宁看得眼花缭乱，最后说："我觉得我们还不够从简，其实我们只需要做两件事，领结婚证，买两张机票走人。结婚就是两个人的事，现在让我觉得结婚好像不是为自己而结。"

丁浩笑着捏捏她的脸："你以为我不想啊，可我们要是这么干的话，两家父母会让我们安生？就当是遂了他们的心愿吧！我们应该开心，至少他们同意我们结婚了是不是？"

陆宁满不在乎地说："我早就想好了，他们同意我也要跟你在一起，不同意我也得跟你在一起，谁也不能把我们分开。"

丁浩听着陆宁孩子气的话,觉得心里最柔软的地方被触动了,很窝心很窝心。

因为忙婚礼的事,陆宁偶尔会跟同事打个招呼,提前偷偷溜走。这天,她打算故技重施,程文皓打内线叫她进去,陆宁暗想:难道是最近不太敬业,领导有意见了?唉,其实老因为私事而影响工作确实不好,可是结婚那么多杂七杂八的事情要办,能不操心吗?虽然有两家老人帮忙,丁浩把大部分事情都揽了过去,可是丁浩的工作比自己更忙,她怎么忍心让他一个人去操心,何况有些事他也无法代劳。

陆宁小心翼翼地走到程文皓办公室,低眉顺眼地问:"程总监,您找我?"

程文皓出乎意料的和善,让陆宁有些摸不着头脑,就算程文皓没发现自己擅离职守的行为,充其量也和平常一样,可是今天却笑得特别亲切,甚至还带了种讨好的意味。

"陆宁,工作还适应吗?"

陆宁更加云里雾里,如果自己刚进公司,程文皓这么问她会当成普通的上司关心下属,可是自己工作已经一年了,现在才问适应不适应是不是太晚了点?可是对方毕竟是领导,陆宁不会把这种想法表达出来:"工作还算适应,谢谢程总监关心。"

程文皓笑得更加和善:"你在这个岗位上已经干了一年了,有没有想过换个岗位干干呢?"

陆宁一愣,难道是这段时间的表现让领导不满,所以领导想调了自己,想到这里,她情急地说:"程总监,我知道这段时间家里事情比较多,可能对工作有所懈怠,但是我保证以后不会再发生这样的情况……"

程文皓笑着打断她："你不用着急，我不是这个意思，最近小严总来公司上班快一个月了，现在他需要一个秘书，让HR推荐，我觉得你不错，想推荐你，不知道你的想法如何？"

去当严守业的秘书？陆宁不明白为何领导会看中自己，公司里有文秘专业的女孩子很多，自己连个门外汉都算不上，而且她对秘书这个行业从骨子就有种排斥，可是领导这么问自己，又不好意思说自己讨厌做秘书，只好委婉地说："程总监，谢谢您的欣赏，可是我在HR只做了一年，有很多东西都还没学到，我的理想是成为一个资深HR，所以，这个秘书可能……"

陆宁说到这里停住了，程文皓明白她的意思，宽厚地说："没关系，最重要是你有没有兴趣，如果你不喜欢，绝对没有人会勉强你。"

程文皓心想，严守业只是让自己探探她的口风，自己可不能把事情办砸了，凭着做了这么多年HR总监，程文皓一眼就可以看出严守业对陆宁的欣赏。不过他没料到陆宁会这么直接干脆地拒绝，如果换了其他女孩子，有一个可以接触未来接班人的机会，还不死死抓住？也许严守业就是欣赏这份独特吧？自己以前倒没有太注意这个女孩，只知道她平时工作挺认真负责的。

陆宁一听不会勉强自己就放心了。

程文皓笑着说："既然你不愿意去当秘书，那小严总的秘书得另招了，你去找他，看看他对秘书有什么要求，我们再给他招。"

十 女大不中留

陆宁点点头，出了程文皓的办公室回到自己的位置，坐在对面的是陆宁在公司里的死党赵颖，见陆宁心事重重地出来，好奇地问："头儿找你什么事？"

陆宁左右看看，小声说："他问我愿不愿意给严守业去当秘书。"

赵颖兴奋地说："这可是个难得的机会，直接接触富二代，有嫁入豪门的机会。"

陆宁不高兴地白了她一眼："什么嫁入豪门啊，你是我死党，又不是不知道我的情况，下半年我就跟丁浩结婚了，这辈子我就只爱他一个，其他人再有钱，我也不会心动的。"

赵颖举双手投降："得得得，是我俗了，我们陆大小姐不食人间烟火，一辈子只为爱情而活呢！"

陆宁无奈地斜睨了她一眼，把桌上的资料收拾一下："不跟你贫了，我还得给人家招秘书去呢！你这么想嫁入豪门，我觉得招你就很好！"

赵颖一听还真来了劲儿，趴近陆宁问："有什么要求，赶紧说来听听，万一我要是不小心嫁入豪门，我保证以后在公司都罩着你。"

陆宁好笑地看着她，看来爱做梦是每个女孩子的共性："要是你真嫁入豪门，你还会在公司上班吗？不上班你怎么罩着我呀？"

赵颖暧昧地一笑："傻瓜，你没听过这世界上最厉害的就是枕边风吗？"

"越说越没谱了，我先去找小严总了解一下他的要求，到时候你也投简历参加好了。"

"那你可得时时跟我透露进展哦。"

陆宁不再和她打趣，带上表格就去了严守业的办公室。

严守业蹲在柜子边，不知道在找什么东西，陆宁敲了敲门。严守业回过头来见是陆宁，笑着招呼道："进来吧，不用这么拘束。"见陆宁进来后一直站着，又补上一句，"坐吧！"

陆宁这才坐了下来："严总……"

严守业笑着打断了她："上次不是说好了吗？叫我名字吧，虽然我的名字是土了点，好在用了这么多年也习惯了。"

陆宁不好意思地笑笑，虽然两个人年纪差不了多少，可是自己在人家公司里上班，总让她觉得这是无比遥远的距离，她实在做不到像叫别人那么直呼其名，所以她只是笑笑，索性就不叫了吧！

"那个……我们程总监吩咐我来的，他说你想招的秘书。"

严守业在陆宁对面坐了下来，仔细地看着她："是的，我还跟他提了上次引我入职的女孩认真负责很不错，让他问一下你是否愿意做我的秘书，现在看来，你的答复应该是不。"

陆宁歉疚地说："刚才程总监跟我提了，可是我的兴趣在HR上，不想做一个秘书，对不起！"

严守业点点头："这个不能勉强，你别往心里去，我就是这么一问，你放心吧，我会尊重你的选择。"

陆宁感激地笑笑，大学里她对富二代真的没什么好感，觉得所谓的富二代，其实不过是一帮寄生虫，再差劲一点的，仗着老子有钱，玩弄女人、仗势欺人。可是眼前这个严守业，颠覆了她对富二代的观感，他不但不会依仗自己的老爸命令别人，甚至比普通人更体谅尊重别人，这让她对他有了一些

十 女大不中留

好感，心想，一定要给他招个合格的秘书。

"谢谢你的理解，我一定会给你招一个合格的秘书，我这个人其实不适合当秘书。"

严守业好奇地问："为什么说自己不合适呢？我倒是觉得你挺合适的。"

陆宁生怕他改变主意，赶紧陈诉自己的缺点："秘书这个岗位虽然不是领导，可是需要的能力一点都不比领导少，为人要谨慎圆滑，还有细心，善于察言观色，这些我都不行的。"

"什么样的人用什么样的秘书，我不喜欢那种曲意逢迎，长袖善舞的人，你就给我招个和你差不多的，人要正直一点。"

陆宁不好意思地笑笑，她听得出来，严守业这是婉转地在夸奖自己呢！其实做HR一年，对于看人和洞察别人的心思，她还是学到了不少东西，以她对严守业的了解，他确实是个正直有修养的人，所以他不会欣赏那种特别圆滑的人。

"你还有其他要求都可以告诉我，也许无法招到完全和你想象一样的人，但是我们会尽量招符合岗位诉求的人，HR会先刷选两轮，然后再请你面试。你希望对方多长时间到岗？"

严守业见她一副认真负责的模样，打消了和她随意闲聊几句的念头，把自己的要求一一罗列给她。

陆宁简单整理了一下，站起来说："大概我明白你的需求了，回去我就发布招聘信息，尽快招到合适的人选。"

严守业点点头，想了想又补充了一句："也不用太赶，按照一般程序即可，不用特殊对待我，我相信你的眼光。"

"那我更要认真上心了，不能辜负你的信任啊！"陆宁嫣然一笑。

严守业一呆，为这个灿烂的笑容失神，这个将认真和活泼很好地集于一身的女孩子让他有种耳目一新的感觉，难怪自己不愿意走公司流程，要她来负责招秘书的事，也许就是为了多点和她接触的机会吧！

陆宁果真像自己说的，回去就发了招聘信息，虽然她自己不喜欢做秘书，可是不能阻挡人家做秘书的热情，才半天时间，就收到了上百份简历，陆宁仔细地刷选着，令她惊讶的是里面还有赵颖的简历，她以为是同名同姓，仔细一看，还真的是她。

陆宁看看左右，压低声音问："你来真的啊？"

赵颖理所当然地说："本来就跟你说真的，记得对我手下留情啊！"

陆宁再问："你想好了？严守业的要求和你的区别可是挺大的。"

赵颖自然有她自己的道理："我们做HR的应该知道性格的互补，他想招一个跟他类似的人其实是错误的，所以我最适合他了。"

"可是你想过没有，你被录取了还好，万一你要是没被应聘上，公司里的同事可能会笑话你妄想攀龙附凤。"

"嫉妒和嘲笑别人的人都是心理不健康的人，我理她们干吗啊？再说了，公司里的人转岗都是很秘密进行的，只要你不说出去，谁知道啊？难道头儿和小严总自己去跟人说吗？男人不至于这么八卦吧？"赵颖信心满满地说。

陆宁没好气地瞪了死党一眼，留下了她的简历，反正到时候是严守业亲自面试，就当给她一个希望吧！唉，真是拿

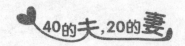

她没办法。

接下来的日子，陆续还有很多简历投来，自动刷选了后，还有几十个人符合基本条件，陆宁光看这些剩下的简历就看得头昏脑胀的，好在程文皓只让她专心负责这件事。

半个月后，陆宁评上了明星员工，虽然她觉得自己工作还算认真，可是以前那么认真没有评上，最近因为婚礼的事，老是三心二意的却评上了，她忍不住想：难道是因为严守业的关系？可是这种事情无凭无据，实在不好猜测，能评上总是好事，所以陆宁还是觉得非常开心。

在陆宁面试后，又经过程文皓面试，最后剩下了六个候选人，她本以为程文皓会把赵颖刷下来，想不到赵颖竟然成了这六个候选人之一，陆宁非常不解，拿着简历发呆。

赵颖看见她的样子，忍不住说："你别想不通了，道理很简单。董事长想把公司交给小严总，头儿正愁没机会巴结小严总呢，万一我真被选上了，那HR是我的娘家，头儿说不定比我还希望我能做小严总的秘书呢！"

陆宁听得一愣一愣的，难以置信地说："只是招聘秘书而已，你以为真的让你找老公啊？还娘家，真是一点都不矜持啊！"

赵颖眨巴这眼睛："你不觉得找老公和找工作其实都是相通的嘛，你和丁浩还不是因为你找工作认识的？"

陆宁想起和丁浩认识的过程，温暖地笑了。那时候她快要大学毕业，投了几份简历，哪知道去面试那天被人偷了钱包，可是离面试的时间又不多了，她想向路人求助，又不好意思张口，更怕别人把她当成骗子，丁浩正好开车经过，见她蹲在路边，忍不住就停了下来，知道发生了什么事后主动提出送她过去。陆宁也不知道自己当时是急疯了还是觉得眼前的男人很可靠，想也不想地就上了丁浩的车。丁浩把她送到后，还给她留了一百块钱，好让她面试结束后自己回家，陆宁执意要他留下电话号码，以后好把钱还给他。这么一来二去，两人就恋上了，陆宁经常说丁浩见自己蹲在路边就停车，肯定是对自己一见钟情。丁浩笑着说一百块钱买了个老婆，实在太划算了。陆宁一听这个就急，丁浩说这就是缘分，陆宁蹲在路边，来来往往的人那么多，就自己停了下来。自己那天哪条路都不开，只偏偏选了这条路，这不是姻缘早注定吗？

"你都回忆多少遍了，还没回忆够啊？"赵颖受不了地叫道，"等不了几个月就可以结婚了，至于吗？"

陆宁摸摸自己的脸颊，冲赵颖扮了个鬼脸，继续埋首招秘书的工程中。

三天后，陆宁让进入最后一轮的女孩子集中到公司面试，一些同事看见这个阵仗，纷纷戏称这是选妃，而不是招秘书，赵颖因是HR的人，别人以为她和陆宁一起负责此事，倒也没人说什么。陆宁暗叹，想不到这死女人分析得还挺对，既给了自己一个机会，又不会让自己落人话柄。只是最终的结果并不是赵颖期许的那样，严守业录取了一个已有三年工作经验的女孩，赵颖愤愤不平地跟陆宁说："她哪里比我好啊？她有我了解公司吗？有我这么热衷秘书行业吗？凭什么是她啊？你说严守业是不是国外待久了，眼光出了问题？"

陆宁笑看着她不说话，从投简历到面试这段时间，这女人开口闭口都是小严总，现在知道自己没被录取，就成严守

十 女大不中留

101

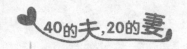

业了，还是个眼光有问题的严守业。好在赵颖生性乐观开朗，第二天已经愉快地上班了，偶尔看见严守业的新秘书，这种情绪才会发作一下。

三个月后，陆宁和丁浩坐在他们新装修完毕的家里，无限感慨。

丁浩打量着原本空荡荡，如今已是一应俱全的爱巢，心里满怀感动，这可是自己和陆宁一点一滴，付出了无限想象和精力才完成的巨大工程，里面包含了无数美好的愿望和心血。

陆宁窝在丁浩怀里慵懒至极，这个房子里凝聚了他们太多的心血，以前她不知道为什么大家都喜欢把房子比做爱巢，原来真的像燕子衔泥那样一点一滴垒成的。

丁浩摸摸她的脸颊，以前比较圆润，这段时间忙忙碌碌，脸都消瘦不少，忍不住在心里感慨，那么多人苦无减肥的良方，建议去结一次婚，保证想不瘦都难。

陆宁大概是累了，懒洋洋地想睡了，丁浩看着她疲惫的样子，心生不舍，却还是摇醒了她："刚刚装修好的房子不能住，我送你回家，等我们结婚度完蜜月，这个房子刚刚好。"

陆宁迷迷糊糊地看着这个房子，心里突然生出无限憧憬，以后自己和丁浩就会生活在这个房子里，不知道迎接自己的日子到底是怎么样的。

几天后就是七夕情人节，陆宁想从网上找一条温馨深情一点的短信发给丁浩。邮箱里突然多了一封邮件，是严守业发来的，约她下班后去看电影。陆宁心里咯噔一下，本来自己和严守业隔得老远。可只要和HR有关的工作，程文皓都会派她去接触，可是严守业有秘书后，陆宁习惯和他的秘书对接，平时两人的接触并不多，只是偶尔在公司餐厅吃饭的时候会碰到。现在严守业在一个这么暧昧的日子向自己发出了看电影的邀请，实在无法不使陆宁往那方面去想。陆宁知道，晚上肯定是和丁浩过情人节的，可是怎么拒绝严守业又不让他觉得尴尬恼火成了她的难题。陆宁想告诉他自己已经有了男朋友，并且快结婚了，可是想想又觉得不妥，人家根本没求爱，万一自己这么说了，人家很无辜地说并没有求爱的意思，那自己多尴尬啊？最后陆宁索性做了缩头乌龟，就当自己没看见这封邮件。

快下班的时候，陆宁收拾了一下桌子，手机却在此时响了起来，是严守业打来的，陆宁犹豫了下还是接起了。

"邮件看到了吗？"严守业温和地问。

一向口齿伶俐的陆宁变得结结巴巴地："啊？邮件？一下午都在忙着面试，不好意思啊！"难怪都说做贼心虚，说谎确实很挑战一个人的心理素质啊！

严守业体谅地说："没关系，是我不好，现在有手机，干什么还发邮件呢，可能我这个人比较含蓄吧！"

"哦！"陆宁在心里祈求：千万别说，千万别说！

奈何老天没有听到她的祈求，严守业说："其实我邮件里也没什么重要事，就是想约你看电影，晚上有空吗？"

陆宁装做刚刚才知道的样子："啊？我晚上已经有安排了，不好意思啊！"

陆宁心想，七夕节有安排了，这就等于告诉他自己已经有男朋友了。

"哦，那是我动作太慢了，那以后约你看电影你会赏脸

十 女大不中留

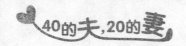

吧？"

"会……吧！"陆宁吞吞吐吐地说，其实她一直都是个很心软的人，要她很坚决地去拒绝一个人，她真的做不到。何况对方也没提出非分的要求，这就让她更加为难了。

"那你玩得开心点。"严守业主动挂了电话，他很想问问她是否和男朋友有约，可是他发现自己很不愿意知道答案，也许这就是一种逃避心理吧！有时候不知道是种希望。

不过陆宁很快就忘记了这个插曲，待嫁新娘想的最多的就是婚礼。时间过得很快，转眼夏天就过完了，陆宁无限憧憬、满怀喜悦，可罗淑芬完全是另一种心情，在自己身边待了二十多年的女儿突然要嫁人了，那种心情真的难以言说，恐怕会有很长一段时间无法适应吧！

陆宁理解老妈的心情，虽然她很向往和丁浩的小日子，可是想到要离开父母，她也有些伤感，所以，她很少再和老妈顶撞，尽量都顺着她，多陪陪她。罗淑芬看在眼里，知道女儿的用意，心里的不舍更加浓重。

陆增华看在眼里，安慰她："女儿大了，总是要嫁人的，何况以后还在杭州，你想见她，随时都可以，比那些女儿远嫁的不知道好多少倍了，你要往好处想。"

"话是这么说，这孩子念大学都在杭州，从来没离开过家，以后样样都要自己来，我能不担心吗？"

陆增华笑着说："那你当初还反对她跟丁浩，如果咱宁宁找个二十多的，两个孩子生活在一起，你不是更操心？现在好歹丁浩还能多照顾她一点。"

罗淑芬白了老公一眼："你别哪壶不开提哪壶好不好？如

104

果她真找个年纪差不多的，那我就搬过去伺候他们，保证不让宁宁受苦。"

"好好好，算我多嘴，我不说了。"

陆增华知道女儿出嫁前夕，老婆的情绪极不稳定，少惹为妙，起身打开电脑看财经新闻去了。

罗淑芬趴在床底下掏啊掏，终于掏出一个盒子，去了陆宁房间。

陆宁正在收看电视剧，见老妈过来，点了暂停。罗淑芬在陆宁身边坐下："宁宁，这些是妈给你的。"

陆宁好奇地打开盒子，里面都是老妈的首饰，有金镯子、金项链，平时老妈都是放在床底下，简直就是命根子，怎么突然都拿出来了呢？陆宁狐疑地看着罗淑芬。

"你要结婚了，妈当然要有所表示了。"

陆宁看着那堆首饰，忍不住皱皱眉头："妈，我不想要，您看您的首饰，款式都不适合我，我要来干吗呢！您还是自己留着吧！"

罗淑芬叹了口气，这些都是自己的宝贝，想不到女儿根本看不上眼："这些可都是货真价实的黄金，保值的。"

"黄金太俗气了，如果您非要给我，我肯定第一时间拿来换其他东西，那您又该心疼了，所以您还是自己留着吧！"陆宁无法想象把这些东西戴在自己身上有多老土，所以打死她也不会接受老妈的好意。

罗淑芬也不勉强，从睡衣口袋里掏出一张银行卡："你不要就算了，这里有五十万，是妈给你的陪嫁，你可要放好了，别一回头就给丁浩，女人身上不能没钱，否则到了婆家受气。

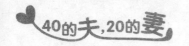

以后你看见什么喜欢的，要是丁浩舍不得给你买，你就拿这钱买，我看你婆婆不是个好说话的主，反正你拿自己的钱买，她也没什么话好说。"

陆宁不以为然地说："丁浩最舍得给我花钱了，您那都什么老黄历了啊，现在的婆婆不是您想象的那样，再说我奶奶好像也没怎么您嘛！"

罗淑芬见女儿这么天真，忍不住戳了戳她的额头："那是你奶奶去得早，而且你奶奶是贤惠那类型的，不爱生事。婆媳关系都几千年了，你以为那么容易变啊！总之你听我的，这钱好好藏着，否则你吵架都没底气。"

陆宁觉得老妈小题大做，自己是去结婚，又不是去吵架的，只要她对婆婆尊重有加，她不信人家还能吃了她。俗话说伸手不打笑脸人，所以她对老妈的话根本没放到心里去。

罗淑芬见女儿一副不开化的样子，忍不住着急："我知道说这些惹你嫌，但我是你妈，必须告诉你。我之所以给你这么多钱，也是希望让你在你婆婆面前有面子，她不敢随便欺负你。"

陆宁拖长了声音："妈，你越说越离谱了，她是丁浩的妈，又不是我的阶级敌人，搞得我就像去打仗似的。"

"家庭关系搞不好就是没有硝烟的战场，你把这钱收好，记住我的话，别给丁浩，自己留着傍身。"

罗淑芬理了理女儿的长发，鼻子开始发酸，赶紧退出陆宁的房间。

十一　有人欢喜有人愁

严守业自从七夕情人节之后，一直没有任何动作，他不是不想再约，而是害怕被再次拒绝，更怕以后连朋友都做不成，所以这件事成了他的心病。因为家世的缘故，都是女孩子主动追求他，对于如何追女孩，他真的毫无经验。

被逼无奈，他只好向新来的秘书请教，秘书一听笑着说："严总，追女孩子其实很简单，胆子够大，脸皮够厚，一般都能追到，何况您还这么有钱，您一表白，哪个女孩子还不立刻眉开眼笑地答应了啊？"

严守业红着脸掩饰道："不是我自己，是我一个兄弟问我。"

秘书点点头，眼里却是完全不信的神色，严守业也顾不上她信还是不信，秘书的话鼓励了他，给了他无限信心。眼看着十一快要到了，严守业决定在放假之前表白，否则这样搁着实在太难受了。

坐在公司附近的星巴克里，陆宁做梦也没想到严守业会这么直接地向她表白，她本来以为七夕节那次他应该已经明白了。

陆宁结结巴巴地说："那个……我们之间不太合适。"

严守业生性内敛，可是现在已经把这话挑明了，他也就不再顾及，变得积极主动："哪里不合适？"

陆宁避重就轻地说："我们的家世相差太过悬殊，你应该找和你门当户对的女孩子。"

"可能我接受的是西方教育吧，在我的观念里，没有这种门第观念，我只在乎两个人的感觉。"

陆宁不是不想跟他说实话，可是严守业和以前任何一个追求者不同，他是这个公司的少东家，如果自己拒绝了他，不知道他会不会因爱成恨，把自己给开了？以她对他为数不多的了解，觉得他不是这样的人，可是就算不影响到工作，以后见面多尴尬啊！正在纠结不已的时候，手机里突然进来一条消息，是丁浩发来煽情短信，这个短信突然给了陆宁勇气，了不起就是一份工作嘛，可是在男女问题上这么暧昧不明，怎么对得起丁浩？

想到这里，陆宁不再犹豫，将手中的咖啡喝了个精光，一口气说："对不起，你是个很好的人，虽然我们之间接触不多，可是我依然能感受到你真的很优秀。可是我已经有了男朋友，而且十一就要结婚了，我很爱我的男朋友。我不是存心不告诉你，只是觉得到处跟人家嚷嚷自己有男朋友是件挺傻的事，不知道我现在说你会不会生气，但是我更不能欺骗你，隐瞒你，谢谢你对我的欣赏，可是我只能跟你说一句很抱歉。"

严守业的心一直往下沉，表白之前他不止一次地想过，也许她是有男朋友的，可是他认为只要她还没结婚就还有选择的自由，自己可以公平竞争，想不到现在的情况比预料的最差情况还要糟糕，她马上就要结婚了。口中的咖啡顿时变得无比苦涩，涩得自己的心都觉得很苦，从小到大，自己要什么有什么，唯独在感情上开窍比较晚，可是他终于对一个人有感觉了，人家却告诉自己快要结婚了。这种打击中夹杂着巨大的失落，使得他整个人都变得很萎靡。

陆宁觉得好抱歉，过了一会儿才小心翼翼地开了口："你还好吗？其实这个世界上有很多优秀的女孩子，你一定会找到一个你很爱的，她也很爱你的人。"

严守业强打起精神，努力挤出一丝笑容："我没事，我只遗憾没有早点认识你，既然做不成情侣，我想你应该不会反对多我这个朋友吧？"

陆宁讷讷地点点头，已经拒绝人家的表白了，如果连朋友都拒绝，实在说不过去，她觉得只要自己做到保持距离，做朋友未尝不是好事。

"那你应该不会拒绝一个朋友参加你的婚礼吧？"

陆宁直觉这样不妥，可是又想不出什么理由来拒绝，心想，还是答应吧，让他亲眼见了自己的婚礼，也许就彻底死心了，这样一想，陆宁笑着说："当然不会了，回头我发一张电子请柬给你。"

看着陆宁离去的背影，严守业百味陈杂，她明明已经拒绝自己了，为什么他还要去参加她的婚礼呢？也许这就是一种放不下，想去看看到底是什么样的男人赢得了她的芳心，然后就忘记她吧！

陆宁的婚礼在香格里拉酒店举行，场面非常热闹，罗淑芬看着女儿幸福的笑靥，悄悄拭去眼角的泪水，老公说得对，

109

女儿幸福就好。丁浩看着娇媚动人的陆宁,再看她缱倦的眼神,顿时觉得身上有了一种责任,一定要给这个小女人一辈子的幸福,对她不离不弃。

婚礼上,双方很多亲戚第一次见面,陆宁看见很多人根本不认识,丁浩亦是如此,只是其中有一位来客引起了丁浩的重视,此人就是严守业。

严守业一改平日的休闲,穿得相当正式,笔直朝陆宁走来,丁浩狐疑地看着陆宁,陆宁有点不自然地说:"这是我们公司的副总!"

丁浩朝严守业礼貌地点了点头,来者是客,何况人家还是来参加自己婚礼的。

严守业递给陆宁一个盒子:"新婚快乐!送红包太俗气,我挑了一份礼物,希望你喜欢!"

陆宁讷讷地看着手中的盒子,直觉可能是贵重礼物,连连推辞:"过来喝喜酒我已经很开心了,礼物就不用送了,真的不用。"

严守业相当坚持:"这是我的祝福,你不能拒绝我的祝福,我还有事,酒席就不参加了。"

不等陆宁再说什么,严守业已经转身离去了,陆宁看了看满室的宾客,无暇分身,只能看着他离去。客人陆续到来,陆宁很快就忘了这个插曲。

田佳看着陆宁热闹豪华的婚礼,无限羡慕,哪个女孩子没有一场梦中的婚礼?可是就康辉的状况,根本无法给她一场像样的婚礼,即使勉强办了,代价也太大了,除非他们打算以后都不吃不喝了。看着身边的同学同事一个个像模像样地嫁了出去，每次参加婚礼，田佳的心情都是五味陈杂。她觉得有必要利用这种场景刺激一下康辉，让他萌发更强烈的斗志。

康辉怎么会不知道田佳在想什么，可是他一无背景，二无基础，想要出人头地，谈何容易？田佳明里暗里的意思他都明白，可是自己实在没钱，给不了她想要的一切，难道还能去偷去抢吗？

田佳最看不惯康辉一副认命的样子，恨极的时候她真想说早知道还不如找个年纪大一点，有房有车的男人嫁了呢！可是想到两人多年的感情，这种伤人的话，无论如何也说不出口。

陆宁和丁浩过来敬酒，田佳看到陆宁手上的钻戒在灯光的折射下流光溢彩，那光芒几乎刺到了她的心里，她半羡慕半挑衅地看着康辉："你什么时候也给我买个这样的戒指啊？"

康辉想也不想地说："那种石头不能吃不能穿的有什么用？"

康辉倒不是吃不到葡萄就说葡萄是酸的，他觉得田佳要房子要车子都是合理的，因为房子可以让他们有个安身立命的地方，车子可以代步，这些都是改善生活的必需品，可是钻石这玩意儿有什么用？那么一小颗就要几万块钱，戴在手里怕丢了，搁在家里怕被偷，实在没必要买。

其实田佳并不是非要康辉去买，只要他说一句一定会好好努力，争取早点给你买个比这更大的戒指，她也就满足了，可是康辉不但不说，还对她这种合理的要求横加指责，这让她大为光火。

十一　有人欢喜有人愁

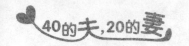

康辉一看田佳的脸色，知道自己说实话得罪了她，想到这个女人陪着自己捱苦日子，要房子没房子，要车子没车子，心里就觉得亏欠了她，连忙好言安慰，可是田佳却再也提不起兴致来了，最后两人食不知味地吃了几口，就推说身体不舒服，早早告辞了。

晚上十二点，丁浩带着陆宁回到新家。

陆宁往床上一躺："累死我了！"早上五点她就被催起来去影楼化妆梳头，一直忙到晚上，中间一刻都没停歇，简直就是超负荷劳动。

丁浩自己洗完后温柔地催她："宝贝，头发和妆还没卸掉呢！快去洗洗！"

陆宁磨蹭了一会儿，极度不情愿地往浴室走去。丁浩随便将亲戚朋友送的礼物礼金归置了一下。眼光落在一个盒子上，那是严守业送的礼物，丁浩打开一看，一对光华璀璨的耳环静静地躺在黑色丝绒上，有了上一次买钻戒的经验，丁浩大概也能判断出这对耳环价值不菲。

正在发愣的时候，陆宁湿漉漉、香喷喷地从浴室里出来了，撒娇地坐到丁浩身边。

"宝贝，你们副总怎么送你这么贵重的礼物啊？"丁浩不动声色地问。

陆宁看着盒子里的耳环，说实话，这耳环好漂亮，陆宁一见就喜欢，可是看着丁浩的眼神，她不敢把这种喜欢表现出来："我也不知道啊，如果知道我就不收了！"

丁浩搂住她，尽量掩饰住自己的情绪："宝贝，你不要怪我多心，我总觉得他送你这个礼物，好像有点……"

陆宁惊讶地看着他，谁说就女人有第六感，原来男人的敏感一点也不输给女人嘛！陆宁觉得夫妻间要坦诚，何况自己也没做过什么对不起丁浩的事，所以就坦白道："他是我们董事长的儿子，前不久才来公司上班，当时我替他办理入职手续，不知道怎么的，他就看上了我，后来我跟他说我已经有男朋友，而且快结婚了，他说想参加我的婚礼，那我总不能说不要他来吧！我不知道他会送我这个礼物，如果你不高兴的话，我找时间还给他就是了。"

丁浩看着陆宁清澈的眼神，知道她不会欺骗自己，放心了些，可是那对钻石耳环，就像一根刺扎在心里一样，老妈有一句话还是说对了：老婆如此年轻漂亮，做老公的不省心啊！要是不好好疼这个媳妇，被人拐跑就糟了！

"还给他就不用了，显得我特别小气，但是你只能戴我送给你的首饰，改明儿我就去给你买一对更漂亮的。"丁浩有些负气地说，虽然他宠陆宁，但是在感情上他有着任何男人都有的独占欲。

陆宁娇滴滴地搂住他的脖子："遵命，今天是我们的新婚之夜，你就跟我讨论这个啊？"

丁浩看见她娇媚的样子，顿觉气血上涌，立刻搂紧她："当然不是，我们有更重要的事情要做。"

昏黄的灯光下，两人化成了树与藤，说不尽的缠绵，诉不尽的缱绻，只愿这一生就这么缠绕下去……

第二天，两人坐上了去巴厘岛的航班，本来丁浩想带她去马尔代夫，哪知道陆宁更想去巴厘岛。巴厘岛的费用远低于马尔代夫，丁浩当然从命。

十一 有人欢喜有人愁

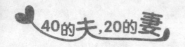

在巴厘岛的异国风情中，每天与日出为伴，与沙滩海水为伍，日子过得特别快，转眼半个月时间就过去了，丁浩带着依依不舍的陆宁踏上归程。

飞机上，陆宁靠在丁浩肩头，看着渐渐熟悉的环境再度呈现在眼前，知道自己的婚后生活即将正式掀开。

十二　婚后生活

迷迷糊糊中，丁浩听到咚的一声，以为是哪本书掉到床下去了，这么沉闷的响声估计是康熙词典之类的书了，可是他买过康熙词典这样的书吗？困意太足，不容他思考这个问题，翻了个身打算继续睡觉，随即听到一阵抽泣声，一个激灵惊醒过来，怎么会有女人的哭声？

坐起身子往床下一看，陆宁正瞪着带泪的眸子怒视着他，丁浩心疼地从床上溜了下来检查她有没有摔伤："宝贝，以前你还跟我说自己睡相很好，怎么掉到地上去了？"

陆宁听他这么一说，气不打一处来，在他腰上狠狠拧了一把，痛得丁浩大叫："你谋杀亲夫啊？"

陆宁抹了一把眼泪："我还没说你谋杀亲妻呢？"

丁浩一头雾水地看着她："我怎么谋杀亲妻了？我对你还不够疼爱吗？"

陆宁的嘴撅得更高了，眼泪在眼眶里打转："你还好意思说，就是你把我踹下床的，人家屁屁好痛！"

听她这么一说，丁浩心虚起来，刚才做梦好象梦见有人扑向自己，结果他大发雄威，飞起一脚，给了那人结结实实一脚，想不到那人竟是他娇滴滴的老婆。

丁浩抱起她，放到床上，压下心疼责怪道："我就说让你睡在里面，你偏要睡外面，现在摔疼了吧？"

陆宁不客气地拍到他身上："你还怪我？现在是你不对，你睡觉不应该踢人，不是我应该睡外面还是睡里面！"

陆宁朝着他几乎吼着说，丁浩看着她委屈的小脸，心软起来："好了好了！是我不对，我保证以后注意，但是我睡着的时候，我真的控制不住！"

陆宁不敢相信地看着他："你的意思是你以后还要踢我？"

丁浩嘿嘿笑着，下一秒钟，咚的一声，又有人掉到床下，不过这次是陆宁把他踢下了床。

陆宁坐在床上破涕为笑，丁浩哭丧着脸说："把老公扶起来！"

陆宁难得听话地下床扶起丁浩，嘴里得意地说："以后不准踢我，不然下次就不是把你踢下床，直接把你从阳台上踢下去！"

丁浩捏了捏她的粉脸："你老公我有先见之明，早就在阳台上按了防盗窗，你踢不下去！"

陆宁撅着嘴甩开丁浩的手："别老摸我的脸，手上有细菌，把人家皮肤都摸坏了，阳台上踢不下去，我直接把你踢门外去！"

丁浩凑近她，嬉皮笑脸地说："你舍得啊？"

陆宁吃软不吃硬，挣扎两下就放弃了，仰着头软软地说："老公，我饿了！"

被她一说，丁浩也觉得肚子咕咕叫了起来，估计昨晚太操劳了："宝贝，我也饿了，你是不是该表现一下了？"

陆宁瞪大眼睛看着丁浩，一脸的委屈："刚才你把我踢下床，尾骨都裂了，现在好痛，估计这段时间你得好好照顾我了！"

"那我也被你踢下了床，谁来照顾我呢？"

陆宁立刻从床上坐了起来，动作之矫健一点也看不出受伤的样子："那你皮糙肉厚的，能和我细皮嫩肉的比吗？"

最后的结果当然是丁浩认栽，她一向就是他的克星，二十六岁才娶了这么个宝贝老婆，又足足比他小了十四岁，自然是千般疼、万般爱的。打个不恰当的比喻，就好比一对夫妻上了年纪才有孩子，自然会对孩子比较溺爱，他对陆宁就有这种莫名其妙的情绪。

"那好，我去给你弄吃的，你收拾一下房间！"

结果他进去喊她吃饭的时候，陆宁还抱着被子睡得天昏地暗。自然，房间还是原封不动！

陆宁很给面子，把丁浩做的早点吃了七七八八，平时她基本上对每样食物都会吃几口，但是很少有吃完的情况，今天能吃成这样已经让他很有成就感了，还有没吃掉的东西，他可以理解为自己的水平还有提升空间。

"那早餐是我做的，房间是不是应该你收拾？"丁浩好心地提醒她还有收拾房间这回事。其实丁浩也不介意家务谁做得多还是少，只是逗逗她。

陆宁毫不犹豫地点点头："本来是应该我收拾的，可是我被你踢下床，现在走路都困难，你还舍得让我收拾房间吗？"

最后，当然是丁浩洗了碗，并且主动承担收拾客厅和房间的任务。

陆宁坐在沙发上，抱着一只无尾熊："老公，你别收拾了，

十二　婚后生活

117

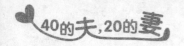

我不忍心！"

丁浩双手一摊："那你也不收拾，我也不收拾，这家还能见人吗？"

正说着，门铃响了起来，丁浩过去开门，门外赫然站着的是余秀珍。陆宁一见，立刻把无尾熊扔到一旁，正襟危坐。

余秀珍扫了儿子和媳妇一眼，心中一股怒气就开始升腾，果然不出自己所料，儿子拿着个拖把在干活，媳妇悠闲地抱着狗熊窝在沙发里，这一幕怎么看怎么刺眼。不方便直接冲儿媳妇发作，只好说自己的儿子："丁浩，怎么你结婚之前什么都不用做，结婚后就变成清洁工了呢？"

陆宁知道这话是冲着自己来的，可是现在就算她去抢拖把都没用了，只会让余秀珍觉得自己是做贼心虚。

还是丁浩反应快："妈，不是您想的那样，昨天我睡觉不注意，一不小心把宁宁给踢下了床，她摔疼了，走路都不方便，何况干活呢？"

余秀珍半信半疑地看向陆宁："真的？"

丁浩在余秀珍身后朝陆宁使了个眼色，陆宁会意，立刻装模作样起来："是啊！一走路就觉得牵扯到什么似的，生生地疼，不知道是不是尾骨摔裂了，好疼啊！"

丁浩立刻配合："我简单收拾一下，马上带你去医院看看，这种事可大可小，万一弄不好，还会影响生孩子！"

对儿子的话余秀珍一向都不怀疑，见他们这么认真严肃的表情，也就不再计较家务活是谁干的，一边埋怨儿子媳妇太不小心，一边撸袖子开始帮忙收拾餐厅，见儿子还傻愣着，赶紧催他们上医院。

丁浩心中有愧，骗了老妈还让她替自己收拾房子实在说不过去："妈，您回去休息吧，房子我回来收拾。"

门口突然又进来一个人，是一大早就起来，不顾老公阻拦匆匆赶来的罗淑芬。已经大半个月没见到女儿了，她在家实在坐不住，要不是昨天陆增华一直劝说，她早就连夜过来了，好不容易熬到天亮，就急急赶来看看女儿，结果女儿还没看见，却在门口看见余秀珍，心想：居然比自己还早，她一大早地过来干吗？

丁浩见岳母驾到，赶紧热情地让了进来："妈，您怎么也来了？"

罗淑芬四处打量着："没什么事，正好路过，就顺便来看看你们。"

知母莫如女，陆宁忍不住调侃老妈："妈，您上哪居然会顺我们的路？"

罗淑芬见女儿揭穿自己，没好气地白了她一眼，这个死丫头真是没良心，自己一大清早地起来，又拦了半天车才赶过来，不但没落她一句好，话里话外还明显不待见自己："你妈我这么大老远的过来，你窝在沙发里都不挪一下屁股？"

丁浩觉得早上这个谎撒得真有水平，用完一次还能用第二次："妈，宁宁早晨摔了一下，屁股痛。"

陆宁心急地瞪了丁浩一眼，这个借口在婆婆那里管用，在自己老妈这里是会起反作用的呀！果然，罗淑芬一听脸色就拉了下来："怎么回来第一天就摔了？严不严重？丁浩，你怎么会让她摔着的？"

丁浩一愣，才意识到自己犯了什么错误，本想给丈母娘

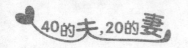

多留点面子，才谎称陆宁摔了，想不到丈母娘一听女儿摔了，立刻就把矛头指向自己。

余秀珍冷冷地看着这一切，一股怒气油然而生，凭什么你女儿摔了就要怪我儿子？如果不是恰好是丁浩的原因，她一定要和她分析分析这个道理。可是现在确实是丁浩把人家踢下了床，她只能忍着不说话。

陆宁见丁浩发愣，立刻把罪过往自己身上揽："不关丁浩的事，是我自己走路不小心摔了。"

余秀珍这才脸色好看了点，儿媳妇还知道向着自己的老公。

罗淑芬见女儿这么说，也不好再说什么，赶紧坐到沙发上，查看宝贝女儿到底摔得怎么样了？

"你个孩子怎么这么粗心啊，又不是三岁小孩了，走路还能摔倒，一定得上医院看看。"

余秀珍见有人主动来分担儿子的任务，立刻接口道："那就麻烦亲家母带陆宁去医院看看吧，我和丁浩就把家里收拾收拾，你们看完了，我叫丁浩去接你们。"

余秀珍这么做是有用意的，罗淑芬这个人特别护女儿，还不知道路上怎么埋怨自己儿子呢！让她们自己去医院，完了再去接，既免了罗淑芬的责难，又合乎情理。

陆宁在罗淑芬的搀扶下装模作样地出了门，一到外面无人处，就立刻蹦蹦跳跳起来，罗淑芬惊愕地看着女儿："你不是摔到了吗？怎么又没事了？"

陆宁偏着脑袋说："你不知道，早上丁浩在收拾房子的时候，我婆婆突然就进来了，那时候我正窝在沙发里，丁浩急中生智就说我摔了，免得他妈对我有意见啊！哪知道您也来了，我又不好当着他妈妈的面告诉你实情，否则她还不讨厌死我啊！"

罗淑芬见女儿生龙活虎的样子就放心了，忍不住嗔她："你啊！真应该改改你那懒惰的毛病，丁浩肯让你休息自己在那收拾，可见还是挺疼你的，就是他妈碍事，男人疼老婆是天经地义的，她一大早的过来视察干什么？幸亏你们不在一起住，不然还有你好日子过啊？"

陆宁没心没肺地说："你少来了，你自己还不是一大早就过来视察了啊！妈，我可告诉你哦，丁浩真的是个很好的老公，以后你看见他对他好一点，这样他才会更感激你，同时对你的女儿也就更加疼爱，你就当是看在我的面子上，也得对他好一点。"

罗淑芬想了想，答应了，女儿说得有道理，自己对这小子好一点，他才会感恩戴德地对女儿好，这笔买卖划算："好吧，只要他对你好，我不会再咄咄逼人，但是他要敢对你不好，看我不拆了他的骨头。"

陆宁自信满满地说："放心吧，你这辈子没机会拆他的骨头。"

罗淑芬点点女儿的额头："你这个鬼丫头，下次别再说摔了自己这样的谎来吓你妈知道不？你妈年纪大了，不禁吓！"

陆宁邀宠地搂住老妈的胳膊："哪有啊，您五十还不到，正是半老徐娘、风韵犹存的时候呢！"

罗淑芬作势来捏陆宁的嘴："既然你没事，那就陪我逛商场吧，你都好几年没陪我买过衣服了。"

陆宁一想，确实是那么一回事呢！罗淑芬说是叫女儿陪自己逛商场，一路买下来，几乎都是陆宁的衣服，自己只买

十二 婚后生活

了件薄薄的针织衫。

陆宁不解地问:"妈,您不是要给自己买吗？干吗都给我买呀？"

"妈都这把年纪了，再怎么打扮也就这样了，你还年轻，应该打扮得漂亮一点！"

陆宁觉得这个世界上最无私爱着自己的就是自己的父母了，不管她多么任性，多么不听话，他们总会原谅自己的，并且一如既往地爱着自己，想到这里，她暗暗发誓:以后一定要好好孝顺父母！

逛了一会儿，丁浩打来电话，问她在哪，想来接她。

一会儿后，陆宁跟老妈告别，上了丁浩的车，连连感慨今天真是有惊无险。

丁浩深有同感，这两家大人都这么喜欢搞突击检查，以后自己得打起十二万分精神才是。

因着陆宁摔了，余秀珍隔几天就来一次，帮着儿子媳妇收拾一下，一边收拾一边想:平时罗淑芬对女儿紧张得跟什么似的，怎么女儿摔了，她却没什么反应？这么一想，她似乎有点明白了，难道是儿子串通老婆来骗自己？一想到这个可能，她就气不打一处来，俗话说娶了媳妇忘了娘，儿子一向孝顺，想不到结婚没几天，就学会撒谎骗老妈了？这不是陆宁教唆的还有谁？

其实这段时间陆宁也不好过，婆婆一过来，她就得装成病人，不能随便在家里走动，好在婚假还有几天，不耽误正常上班。可是在自己家里只能坐着不动，那滋味实在难受，何况看见余秀珍在家里干活，想到自己欺骗她，内心也不好过。

一个星期后，余秀珍里里外外忙完后，捶着自己的腰说：
"人老了，不中用了。"

　　陆宁赶紧接口道："妈，我已经快好了，下星期一我就回
公司上班了。"

　　余秀珍心想，你当我喜欢上你这儿干活啊，我还不是心疼我
儿子啊！不过嘴里却说着："你真的好了吗？没好可别逞强啊！"

　　陆宁站起来走了一圈，她本来就没什么事，只是不想让
婆婆对自己有意见，才不得不继续装下去："我真的好了，本
来就是摔了一下，并不严重。"

　　余秀珍点点头，表示放心了，又给儿子媳妇买了些水果
放在冰箱里："既然你已经好了，那从明天开始我就不来了，
你们好好照顾自己。"

　　陆宁连连点头，恭敬地把婆婆送出家门。

　　余秀珍一走，陆宁大大松了口气，转身跑到书房找丁浩：
"我总算解脱了，终于再也不用装了，可以想在这个家走就走，
想跑就跑，这种感觉实在是太棒了。"

　　丁浩看着她一副放出牢笼的模样，哑然失笑："可以什么
都不用干，躺在床上休息，多好啊！"

　　"好什么啊，你不知道那滋味，不信下次换你装。"

　　丁浩拉住陆宁，在自己身边坐下，正色看着她："宝贝，
这次骗我妈是不得已，怕她对你有意见，以后我们还是要对
老人坦白诚恳，不能再像这次这样了，知道吗？"

　　陆宁笑嘻嘻地看着丁浩："知道啊！可是那谎不是你撒的
吗？只要你以后不撒谎就可以了啊，我向来不撒谎。"

　　丁浩瞪了她一眼，却反驳不了，这谎确实是自己撒的。

十二　婚后生活

123

十三　你方唱罢我登场

陆宁以为事情就这样结束了，可是她大错特错。周一到周五她和丁浩都要上班，两人确实安安稳稳地过了一周。

周六早上吃过早饭，陆宁觉得闷得慌，在房子里转了一圈，最后挪到丁浩跟前，央求他带自己去逛街。

丁浩揽住她："可是我们这段时间又度蜜月又上班，体力严重透支，我们是不是应该在家好好休息呢？"

陆宁看了看他，眼珠子转了又转，最后哀叹一声："算了，那不去了，你觉得累我们就在家好好休息吧！"

丁浩很惊讶地看着她，这可不太像陆宁的作风啊！陆宁说着勾住他的脖子，送上自己的香唇，对于这个飞来的艳福，丁浩立刻受宠若惊地接受，逛街和这事，他是二话不说绝对选后者，陆宁已经成功地挑起他的情欲。

"宝贝，我们是不是应该回房去啊？客厅里多不好？"丁浩维持着最后一丝理智。

陆宁狡黠地一笑："反正就我们两个，有什么关系啊？"

既然她都不介意，丁浩还有什么可说的呢？立刻靠近她，打算吃干抹净。

陆宁抓紧自己的睡衣领口，无辜地看着丁浩："可是刚才你不是说体力透支吗？会不会累到你啊？"

丁浩赶紧信誓旦旦地保证绝对不会让她失望。还没等他继续，陆宁已经一把推开他："既然你体力那么好，那就陪我去逛街！"

丁浩知道自己又中了这丫头的诡计，认栽地去卫生间洗了个冷水脸，去房间换衣服陪她逛街。

两人刚打算出门，门口传来门锁启动的声音，陆宁抓紧丁浩的手，紧张地问："难道是小偷？"

丁浩胆子大一些："小偷应该不会大白天上门吧？"可是门口开锁的声音又怎么解释呢？

丁浩拿起旁边的拖把，小心地凑到门边，猛地把门打开了，把门口站着的余秀珍狠狠吓了一跳。余秀珍抚着胸口说："你干什么？想把你妈吓死啊？"

丁浩狐疑地看着余秀珍手里的钥匙："妈，您怎么会有我们的钥匙？"

这个问题也是陆宁想问的，她实在没料到婆婆居然可以破门而入。

余秀珍把自己的挎包放在沙发上，很自然地说："上次陆宁摔伤的时候配的，我想还是配一把钥匙方便点，万一我过来你们人不在，我也有个地方坐坐。怎么，你不高兴？"

丁浩哪敢说自己不高兴，避重就轻地说："您配的时候怎么不告诉我们一声呢？刚才吓了我们好大一跳。"

余秀珍本来也有些心虚，毕竟没经过儿子媳妇同意就私自配了他们的钥匙，可是看他们两个表情，明显不敢跟自己

125

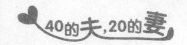
发作，也就放了心，推说自己年纪大了，事情太多就忘了把这事知会他们一声。然后又看到儿子媳妇穿戴整齐，一副要出门的模样："你们要出去？"

陆宁赶紧点点头，告诉婆婆他们马上就要出门逛街。

陆宁的潜台词是：我们马上就要出去了，您老是否先回自己家呢？对于婆婆这种擅自配钥匙的行为，陆宁相当不满，可是结婚还没满一个月，她哪好意思说婆婆什么？就算有再大的不高兴，也只能压在心里。

余秀珍的视线落在那几个早餐盘子上，又落在卧室里还没叠好的被子上，忍不住皱起了眉头："这碗也没洗，被子也不叠你们就出去逛街了啊？"伸手在沙发上一擦，"你们看，这都有灰了，住着多不舒服？我看你们先别去逛街了，留在家里打扫吧！"

陆宁试图说服婆婆："妈，这些等我们回来会做好的，您放心吧！"

余秀珍嘴巴抽搐了一下，带着明显不信："我知道你们年轻人都不喜欢干家务，可是住的地方总要像点样子，这样住着你们不难受吗？万一有个什么人进来，多难看？丁浩，我记得你以前可不是这么懒惰的人，怎么现在这么邋遢啊？"

陆宁不笨，知道婆婆这话都是冲着自己来的，她的言外之意很明白：我儿子单身的时候，东西都收拾得整整齐齐的，怎么结婚后反而家不像家了呢？

丁浩见陆宁的笑容僵在脸上，连忙打圆场："妈，以前不都是你帮我收拾的吗？你不给我收拾的时候，我比现在还邋遢呢！"

余秀珍等的就是这句话，话是冲着儿子说的，眼神却看着陆宁："是啊，男人这方面都粗心，所以做老婆的要多操心，宁宁啊！丁浩没结婚的时候，都是我这个当妈的操心，现在我就把他交给你了。"

余秀珍的话说得很软，语气中的意思可一点都不软，陆宁委屈地看着丁浩，丁浩受不了陆宁这种眼神："妈，这些我们都自己会安排的，您放心吧！"

余秀珍指了指桌上没洗过的碗，沉重地摇摇头："你们这样我怎么放心啊！"

陆宁咬了咬嘴唇："妈，我们不去逛街了，现在就收拾。"

陆宁把桌上的碗拿到水槽里，这是她生平第一次洗碗，丁浩看着她笨拙的样子，下意识地就要去帮忙，余秀珍递给他一个拖把："几个碗不用两个人洗，你要帮她就拖地吧！"

趁陆宁在厨房洗碗的时候，余秀珍小声在丁浩耳边说："儿子，我知道你心疼老婆，但是结婚和恋爱不一样，你什么都不让她学，她这一辈子都不会，万一以后你们有了孩子，你不是又要照顾孩子，又要照顾她？你可别怪妈狠心，妈这也是为了你们以后着想。"

丁浩想为陆宁说几句话，可是老妈把话说得滴水不漏，硬是找不到一丝破绽。

这一天，陆宁在余秀珍的监督下洗了碗，擦了桌子，又叠了被子，还把房间收拾了一通，连衣服都重新整理了一遍，等这些忙完的时候，她已经累得不能动弹了，这一天干的活，比她打娘胎出来的还多。

晚上，陆宁无限委屈地窝里丁浩怀里，丁浩给她揉着小

十三　你方唱罢我登场

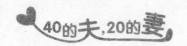

腿，拼命说些好话来哄她开心。

丁浩本来想转移她的注意力，哪知道陆宁听了，反而眼泪汪汪地看着他："老公，我这辈子从来没干过这么多活，我在家什么都不用干的，可是嫁给你后，快赶上保姆了。"

丁浩心疼地揉揉她的脸："我知道我们宝贝今天辛苦了，我妈其实也没什么恶意，她就是怕你什么都不会，以后有了孩子就手忙脚乱，她年纪大了，你别跟她计较啊！她不在的时候，家里所有活都我来干，保证不让你累着。"

陆宁撅着嘴重重地点头，伸出双手给他看："以前你说最喜欢我的手了，可是现在都变粗了。"

丁浩放在嘴边亲了亲："还是很细腻，我一样喜欢。"

从这天开始，陆宁的灾难开始了，每到周末的时候，余秀珍都会准时出现在两人面前，从一开始只是洗洗碗到后来的洗床单，虽然有洗衣机帮忙，还是累得够呛，丁浩心疼老婆，又不能得罪老妈，只能尽量帮陆宁干活，无论余秀珍怎么给他使眼色，他都当没看到。

这种情况并没有维持太久，终于有一个周末，被想念女儿的罗淑芬撞见，罗淑芬过来的时候，陆宁正在吸尘，看见女儿灰头土脸的样子，罗淑芬觉得心都揪起来了，一把夺过吸尘器："宁宁，这些事要你来做吗？"

余秀珍在旁边面无表情地开了口："亲家母，这女人家干家务不是很正常的事吗？我们不也是这么过来的吗？再说，你看丁浩不也在外面晾床单吗？"

罗淑芬朝阳台一看，丁浩确实在晾床单，心里稍微平衡了点，可是想到自己娇生惯养的女儿现在居然在干这些粗活，她的心就生生地疼，毫不示弱地说："我们确实这么过来的，但是时代不同了，我们的上一辈还吃糠咽菜呢，可我们不会再吃了是吧？现在的小夫妻，平时要上班，周末还不能好好休息，长期下来身体怎么吃得消？"

"亲家母，话可不能这么说，像丁浩和陆宁这样的还算好的，有的夫妻还有孩子，带孩子多累你我都清楚，人家不也过得很好吗？"

罗淑芬觉得自己双目都想喷火："人家那是没办法，可以穿鞋，谁愿意赤脚？如果宁宁他们有了孩子，难道我们做长辈的打算袖手旁观吗？你说的都是外地人，而且还是收入很低那种，难道你希望他们也过这种日子吗？"

余秀珍毫不退让："万一我们老的去了呢？他们怎么过？孩子长大了就要他们学习独立。"

罗淑芬气得口不择言："我看你是要别人的孩子学习独立吧？丁浩没结婚的时候，你不什么事都帮着干？那时候你怎么不说要他独立了呢？"

丁浩在阳台上听见老妈和岳母在那里唇枪舌战，直觉背上发寒，陆宁偷偷溜到阳台上，小声问他："你说怎么办？一山不容二虎，而且还是两只母老虎。"

丁浩看着陆宁，笑意慢慢爬到脸上，都这个时候了，她居然还有心情开玩笑，她不知道一个闹不好，家里就会鸡飞狗跳的吗？

见丁浩不说话，陆宁不满地扯扯他的衣服："喂，跟你说话呢！"

丁浩两手一摊："我们过去吧！好歹和和稀泥！"

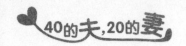

客厅里，余秀珍和罗淑芬还在为家务活是否必须亲自干互不相让，最后罗淑芬说："这个世界上还有一种职业叫保姆，你担心我们老了死了没人管他们，那我就给他们请个保姆，让他们周末的时候可以好好休息。"

一听要请保姆，余秀珍心疼地说："一个保姆开销至少两三千，他们就两个人，平时又要上班，没多少家务活，还请个保姆回来，这像是过日子的打算吗？"

罗淑芬对余秀珍斤斤计较的样子很看不上眼，冷冷地说："请保姆的钱我来出，不会多花丁浩一分钱，我就当请个保姆来帮我女儿干家务，好让她能够好好睡一睡，这大好的青春年华，不好好地享受，天天埋在家务堆里做什么？提早变成黄脸婆，老公再出轨，这账找谁去算？"

其实对着做不完的家务，丁浩也觉得很烦恼，可是老妈坚持这么做，他也不能太违逆她，既然这个问题岳母提出来了，他索性顺水推舟："妈，请保姆的钱怎么能让您来出呢，还是我们自己出吧！"

余秀珍气得鼻子冒烟，儿子这是明显偏向岳母，这么说不就是表明他赞同请保姆吗？余秀珍生气加伤心，说话都哆嗦了："你现在有钱了是吧？连收拾个房间都要请保姆了是吧？"

丁浩一见余秀珍的脸色，心知不妙，赶紧安慰她："妈，不是这样的，我觉得钱不是省出来的，你看我们周围谁家富裕也不是靠节省出来的不是？请个保姆可以让我把更多精力放在事业上，绝对是收获大于付出啊！"

罗淑芬才不理会余秀珍的情绪，得意地从挎包里掏出手机:"喂，是114吗？帮我查一下劳务中心的电话，我想请个保姆。"

陆宁看着婆婆难看的脸色，又看看老妈的脸色，觉得偏了哪边也不好，要她说不要请保姆，这么违心的话她说不出来，可是看婆婆的神情，这个保姆要是请回来的话，这个梁子算是结下了，想了想，她只好采取一个折衷的办法："妈，我觉得请保姆确实有点浪费。"

罗淑芬惊讶地看着女儿，这丫头不是脑子坏掉了吧？难道她喜欢干没完没了的家务啊，还是平时余秀珍对她很严厉很苛刻，所以现在这丫头变得这么怕事？想到这个可能，罗淑芬严厉地看着余秀珍，余秀珍只顾着自己生气，没理会罗淑芬。

陆宁示意老妈稍安勿躁："而且平时我和丁浩都不在家，就保姆一个人在家我们也不太放心，说实话，确实也没那么多活让保姆干，主要也就是周末多一点。"

余秀珍见媳妇还算懂事，脸色好看了点："我不只是出于钱的考虑，该花的地方肯定要花，但是没必要的地方，何必要花？"

陆宁怕婆婆把话堵死了，赶紧把接下来的意思表达了："我觉得丁浩说得很有道理，我们还年轻，应该多努力我们的事业，所以我觉得我们就请个钟点工，这样一来不用花太多的钱，我和丁浩完全可以承担，二来也不用觉得家里突然多出一个人来不自在，你们说这样好不好？"

丁浩第一个赞成老婆的意见："我觉得宁宁考虑得很周到，这样既把家务解决了，又把其他问题规避了，挺好！"

131

罗淑芬觉得女儿说的也不是没道理，虽然请个钟点工不能时时照应到，毕竟绝大部分家务有人代劳了，当下也表示支持。

余秀珍虽然觉得自己在这一回合里落败了，可是儿媳妇好歹算是顾全了她的面子，再争下去未必有好结果，也就冷着脸不吭声表示默认了。

家务的事就这么解决了，陆宁和丁浩大大松了一口气，陆宁深刻意识到：恋爱是两个人的事，结婚确实是一堆人的事，要让周围的人都满意好难好难啊！

晚上，陆宁躺在丁浩怀里，突然想起一件事："丁浩，你妈自己配了我们的钥匙，以后她时不时地突击检查，还不知道发生什么事呢！你去问她把钥匙拿回来好不好？"

丁浩不是不想，可是他很为难，找老妈去拿钥匙一来开不了口，二来就算开口了，等下两句话就给打发回来了，一边是老妈，一边是老婆，丁浩第一次觉得做男人真难！

"宝贝，如果我直接去把钥匙拿回来她肯定很伤心，我找机会跟她沟通一下，让她来之前都打个电话告诉我们一下，你看怎么样？"

陆宁垮着脸不说话，她知道这样会让丁浩为难，可是想到两人世界里随时都会闯进第三者，她就觉得这把钥匙是个定时炸弹，所以她得努力说服丁浩："你好好跟她说嘛，现在我们已经请了钟点工，她也不用来盯着我们了，你就把钥匙拿回来嘛！"

丁浩在陆宁期盼的眼神里，不忍心拒绝她："那我去试试吧！"

第二天，丁浩鼓起勇气给余秀珍打电话，问候完身体问精神，电话打了半小时还没进入正题，丁浩实在不知道应该如何表达老妈才不会生气。余秀珍见儿子东拉西扯了半天却说不出什么来，干脆主动挑明了："你都跟妈扯了半天了，是不是有什么事？"

丁浩吞吞吐吐地说："其实，也没什么大事，就是有个小事想跟您商量一下。"

"什么事？"余秀珍不动声色地问，儿子这么吞吞吐吐的，肯定不是让自己高兴的事。

丁浩小声说："妈，那个……我们最近老睡不好，门口有点响动就惊醒，又怕是您突然来了，也怕是小偷开门撬锁，您看这钥匙？"

余秀珍语气沉了下来："是陆宁叫你来拿的吧？怎么？嫌我手里有你们的钥匙？"

丁浩赶紧澄清："不是的，妈，宁宁怎么会这么做呢？是我们老疑神疑鬼的，晚上休息不好。"

余秀珍不相信儿子的话，肯定是陆宁叫他这么做的，嫌自己妨碍了他们的自由，既然她备了钥匙，就不可能这么轻易还给他们："如果你们是担心这个的话，以后我过来提早告诉你们一声。"

丁浩还想再做最后的努力："妈，那您来了我们再给开门不是一样吗？我们不在，您过来也没什么意思啊！"

余秀珍打断了儿子："万一有个什么重要的事呢？难道我还会做什么对你们不利的事？我知道，妈老了，被你们嫌弃了，不招人待见了。"

133

　　丁浩一听这话，一个头有两个大，赶紧安慰她："妈，我不是这个意思，钥匙您拿着，您喜欢就好，就当我从来没说过，您千万别多心。"

　　丁浩匆匆挂了电话，这一次，算是彻底失败了。

　　余秀珍得意地看着被挂断的电话，自己的儿子自己清楚，想叫丁浩来讨价还价？门儿都没有。

　　晚上陆宁知道丁浩无功而返，满脸失望，丁浩抱着她耐心地解释自己的母亲年纪大了，话说重了她伤心，说轻了又没效果，只是一把钥匙而已，喜欢就让她拿着，最多以后有机会的时候告诉她，过来之前先知会他们一声。

　　陆宁重重地叹了口气，丁浩的苦衷她明白，也唯有体谅，只是提了一个要求，如果婆婆以后还像昨天那样破门而入的话，就一定要把钥匙拿回来。

　　丁浩连连答应，老妈和老婆，哪个肯让一步，他都感激涕零。

十四 冷暖自知

　　自从请了钟点工后，余秀珍在第一个星期过来后，就没有再来过了，陆宁是这么安排他们周末的:周六晚上回自己父母家吃，周日去丁浩父母家吃，这样安排后，倒也相安无事。

　　不过他们的二人世界很快就被打破了。

　　周四上午，陆宁接到一个电话，是苏天佩打来的，接到久违的姐妹电话，陆宁非常高兴，连连问她是不是嫁入豪门就忘记自己了。

　　苏天佩的声音不像陆宁这么开心，显得很沉稳:"怎么会呢，这不是联系你了吗？你婚后的日子还好吗？"

　　陆宁一听苏天佩问这个，就打开了话匣子:"婚后生活真是一言难尽啊，有开心的也有不开心的，不过总体来说也还可以。"

　　"丁浩对你还像婚前一样吗？"

　　"嗯，他倒没什么太大的差别，你呢，一定过得很好吧？都不联系我们，肯定是过得特别开心，想不起我们来了。"

　　苏天佩无奈地笑笑，真是如人饮水冷暖自知，在别人眼里，自己可是风光无限地在豪门里享受生活，谁又知道自己

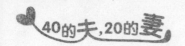

的苦楚呢！她支支吾吾地提出想在陆宁家里住几天。

陆宁诧异，不过姐妹有求，她想也不想就答应下来。

挂了苏天佩的电话，她总觉得哪里不对，天佩怎么好端端的要住到自己家里来呢？是不是发生什么事了？她跟夏宁清吵架了吗？

陆宁打了个电话告诉丁浩，丁浩见陆宁的同学过来，自然满口答应。丁浩心思缜密，立刻觉得这次苏天佩过来似乎不那么简单，提醒陆宁应该先问问缘由。

陆宁为难地说：“我也想问她，可是不知道怎么问，反正马上就见到她了，我看情况问问她呗！”

半年多不见，陆宁觉得苏天佩瘦了。杭州已经进入初冬季节，苏天佩穿着一件米色的风衣，头发卷成大波浪披着，显得比以前更成熟更清瘦。丁浩在旁边看着，觉得这两人明明差不多，可是陆宁感觉要比苏天佩小好几岁。苏天佩手里提着一个拎袋，里面随手装了几件衣服，本来她只想安安静静地去陆宁那里待几天，哪知道陆宁非得郑重其事地过来接她。

苏天佩淡淡笑着：“想不到你还过来接我。”

陆宁理所当然地说：“当然要来接你了，不然你多难找啊！”

苏天佩心里微微感动，口中却说：“不就杭州这么大点地方吗？你又不是住在山旮旯里。”

陆宁撒娇道：“那你就当我想你了，想早点见到你嘛！”

丁浩见两人久别重逢，很识趣地当好自己的车夫。

晚上，陆宁笨手笨脚地拿出结婚时买的床上用品铺着，苏天佩见她做得吃力，索性自己动手了：“看到你连个床都铺不好，可见你过得很幸福。"

陆宁惊讶地问："怎么说？"

苏天佩笑着解答："说明你平时不怎么干家务啊，不然怎么会连这点事都做不好呢？丁浩对你很好吧？"

陆宁甜蜜地点点头："他对我确实很好，很少叫我干什么。"想了想，又忍不住矫情了一把，"可是一辈子那么长，以后他怎么样，谁都说不好！"

苏天佩铺完床，坐在床沿上发愣，陆宁小心翼翼地推了她一把："对了，我一直都没机会问你，怎么突然跑出来了？你是不是跟老公吵架了？"

苏天佩沉默了一会儿，抬起头定定地看着陆宁："我离家出走了。"

陆宁睁大眼睛，有点不敢相信自己的耳朵，怎么还闹了离家出走呢？事先一点预兆都没有。她小心翼翼地问苏天佩是否在闹小性子。

苏天佩长长地叹了口气，开始了漫长的诉说。

自从夏宁静回家越来越晚后，她使出百般解数还不凑效，索性破罐子破摔，她也去外面玩。起先她不敢玩得太过分，晚上十一点前必然回家，她只是想引起婆婆的注意，通过婆婆的口让夏宁清知道自己的不满。一开始婆婆是对她的行为横加指责，苏天佩不服，凭什么你儿子可以玩到半夜一两点你都护着，我稍微出去放松一下就犯了十恶不赦的大罪？所以苏天佩依然我行我素，甚至以为刺激到了婆婆而变本加厉。果然，婆婆没有辜负她的期望，叫儿子管教自己的老婆。夏宁清因为回得晚，根本不知道苏天佩也在外面玩，听母亲一

137

说，就暴跳如雷。指责苏天佩不守妇道，甚至还对她动了手，后来知道她只是在外面散散心，也没有内疚的表现，只是叫她最好安分守己，否则不会有她的好果子吃，苏天佩一气之下就跑了出来。

陆宁不知道她婚后的生活竟是这样，她本以为天佩嫁给年纪比自己大那么多的男人，对方一定视她如珠如宝，锦衣玉食风光无限，想不到过得如此不顺心。她甚至以为天佩一直没怎么联系以前的姐妹，是因为嫁入豪门有了不同的圈子，而她作为姐妹也理解她，不去打扰她。现在才知道她是因为好胜，不愿意让大家知道自己的事，更不想在姐妹面前演一场自己非常幸福的戏，索性就很少联系了。如果这次不是闹得严重，恐怕她还会继续扛下去。想到这里，她忍不住深深地叹了口气。

苏天佩见自己的事影响到了陆宁的情绪，有些抱歉："这几天我想了很多，我一直在想为什么我的婚姻会变成这样，后来我终于想明白了，没有一种婚姻是十全十美的，两个完全不同的人要走到一起，不可能样样都和谐，可是爱可以包容一切，磨合一切。而我的婚姻中正好缺少这种可以相互包容迁就的爱，所以他不肯包容我，我也不肯迁就他，所以我的婚姻就出了问题。可是你和丁浩不一样，他爱你，你也爱你，你们会幸福的。不会像我这样，到头来镜花水月一场空。"

陆宁心疼地握了握她的手，不知道怎么安慰她才好。

苏天佩自嘲地笑笑："现在我快成豪门弃妇了，只好来投奔你了。"

陆宁嗔怪地拍拍她的手臂："我这里你爱住多久就住多久，

跟我还这么见外啊？"

苏天佩有些失落地看着陆宁，她想收留一个朋友都不用去问老公的意见，如果换做自己，必定要看夏宁清和他妈妈的脸色行事，这差别何其大！

苏天开玩笑道："你是没关系，丁浩看见我这个不速之客突然打破了你们的二人世界，指不定多讨厌我呢！"

"接下来你有什么打算呢？"陆宁关心地问。

苏天佩往床上一躺："看他表现吧！如果他对我还有一丝丝情谊，也许我们还有救，毕竟哪个女人都不希望自己成为离异的女人，可是如果他对我真的铁石心肠，我也不想就这么憋屈地过一辈子，也许我们的婚姻就走到尽头了吧！"

陆宁和她并排躺在床上，这种情景让她想起了大学时代，也是躺在床上，聊着彼此的秘密，充满了期待和少女情怀。如今时隔不久，话题却已经沉重地变成了婚姻，以后是否会变迁到孩子呢？

聊到后来，陆宁有些睁不开眼睛了，苏天佩推了推她，叫她回去陪丁浩。

陆宁迷迷糊糊地说要留下来陪她聊天。

苏天佩却执意推了推她："我可还要在你家住几天呢，别让丁浩觉得我来了，老婆就被人抢走了，回去吧！"

陆宁没有再坚持，又宽慰了她几句，回到自己房间。

丁浩本来已经作好晚上独守空房的准备，看见陆宁回来，喜出望外地问："怎么不陪你同学呢？舍不得老公？"

陆宁啐道："臭美，是天佩叫我回来陪你的啦，她不想影响我们，对了，她要在我们家住几天，你不会有意见吧！"

十四 冷暖自知

139

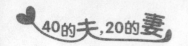

丁浩信誓旦旦地保证:"你的朋友过来,我一定都热情招待,给你撑足面子。"

陆宁开心地捧着丁浩的脸,重重地亲了一口:"老公你真好!"

丁浩一把拉过她,蛊惑地说:"只是这样吗?"

陆宁嘻嘻一笑,钻进被子中,房间里顿时充满了旖旎的味道。

而在隔壁房间,苏天佩却一直瞪着天花板出神,对于未来的路,她充满了茫然,脑子里塞满了各种各样的想法,却不知道哪种才是自己需要的,想到后来,终于沉沉睡去……

第二天,苏天佩是被陆宁推醒的,叫她起来吃早饭。苏天佩走到餐厅,看见丁浩正把买来的早餐摆放到桌上,她突然很羡慕这种相亲相爱的生活。有爱的婚姻是天堂,无爱的婚姻简直是坟墓,以前自己怎么就没有想到这一点呢?

吃完早饭,苏天佩嚷嚷着要去逛街,要把自己打扮得漂漂亮亮。其实她是想刷爆信用卡,以此来向夏宁清证明自己的愤怒。

于是,丁浩载着她们直奔杭州大厦,因为苏天佩说女人必须要高贵精致。

女人买东西和男人不同,男人基本上直奔目的地,拿上自己喜欢的东西直接刷卡走人,女人连逛几小时都未必会买下一件东西是常事!所以,陪女人逛街曾在网上入选男人最痛恨的三件事之一,不过这次完全不同。

陆宁算是见识到了女人花钱买快乐了,苏天佩看中什么就二话不说刷卡买下,不一会儿,苏天佩手里就拎了七八个袋子，陆宁和丁浩手里也替她拿了不少东西。

陆宁小声在她耳边提醒："你打算开店吗？别把钱都花光了。"

苏天佩面露苦笑，除了花钱，她还真不知道该干些什么了。

陆宁这次一反常态，几乎没买什么东西。看着苏天佩手里大袋小袋，丁浩怕陆宁觉得委屈，一直鼓励她看中什么就买，陆宁只是笑着摇摇头，最后还是丁浩做主买了一条冬天的背心裙。

苏天佩看着丁浩眼里流露出来的疼惜之情，突然觉得买这些死物失去了意义，现在她才明白，金钱物质固然好，可是这些东西只有在爱的基础上才会锦上添花，女人心里最需要的还是一个疼爱自己的老公，否则拥有再多财富也是枉然。

对于苏天佩突然低落的情绪，陆宁理解她。想到三个人已经逛了半天，又累又饿，就提议先吃点中饭。

正在这个时候，丁浩的手机响了，以往让他很痛恨的周末电话，今天突然觉得很亲切，虽然他无怨无悔地当了车夫和搬运工，但是这样的场合其实他并不喜欢，觉得自己完全是个被排除在外的人。拿过手机一看，是公司里的同事，通知他回公司开紧急会议。

陆宁一听丁浩要回公司，老大不情愿："一定要去吗？可不可以请个假啊，就说家里有重要的事。"

丁浩看着她期盼的眼神，耐心地解释道："我这也是没办法，身在职场，必须遵守游戏规则！周六通知开会一定是有什么重要的事，我不去不太好，最近公司的人事变化挺大的。"

陆宁一听，担忧地看着丁浩："那会影响到你吗？"

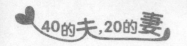

丁浩不愿她的情绪受自己影响，安慰地握了握她的手："放心吧，我向来做好自己分内的事，应该不会影响到我。"

丁浩中途要走，陆宁虽然不情愿，还是叮嘱他公事为重，结束后早点回来。丁浩认真地答应着，可是心里却没底。

赶到公司，会议室里已经坐了不少人，有的翻着自己的手机，有的低声交谈着，丁浩坐到一个不是太显眼也不是太角落的位置，休了一个月婚假，公司里有些事情他也不是太清楚。坐在丁浩身边的赵德伟用手碰碰他："喂，你小子沉醉在温柔乡里，公司里的事一点都不关心了是吧？"

丁浩不好意思地推推眼镜："哪的事，我横竖也就一部门总监，有多少事能让我有关心的余地？还不是老板说怎么做就怎么做？"

赵德伟用无比同情的眼光看着他："你娶的老婆可是九零后！你就不想再升升？现在可是一个好机会！"

"这跟九零后有什么关系？"丁浩有点不舒服，可能网上贬低九零后的言辞太多，以致他一听到九零后，都觉得这是个带着轻视的词。

赵德伟往丁浩这边挪了挪："这关系可大了，你老婆又年轻又漂亮！"这句话让丁浩听了备觉自豪，赵德伟继续说，"这么年轻漂亮的老婆，你要是不在事业上干出一番大成就来，你管得住这样的老婆？"

这话让丁浩听着特别不舒服，难道自己一落魄，陆宁就会迫不及待地离开他吗？这点自信他还是有的。

见丁浩没答茬，赵德伟继续说："我说话直你别见怪，现在是什么社会？老实说我觉得你老婆完全可以找个比你更有钱的！"

丁浩见赵德伟贬完陆宁又贬自己，心里憋了一股子气，粗声粗气说了句我老婆不是这样的人，就不想再理赵德伟。

赵德伟撇了他一眼："但是女人爱名牌衣服爱漂亮首饰总是事实吧？如果她想要什么你却给不了，别说是她了，你心里能没挫败感？"

今天逛杭州大厦确实让丁浩产生了钱永远都不嫌多的感觉，但是当着赵德伟的面，他死都不会承认，何况他相信在物质和爱情中，陆宁永远会选择爱情，何况他也没穷到养不起老婆，再说陆宁自己也有工作，并不是一味追求奢侈品的人。

赵德伟碰碰他："我是叫你未雨绸缪，这次是个好机会，别错过了！人说成家立业，你已经有了娇滴滴的老婆，下半辈子就好好拼事业吧！"

丁浩心里一动，明白他的意思，半开玩笑地说："你不怕我真这么想，你多了竞争对手？"

赵德伟动作大了一些，拍拍丁浩的手："我们是盟友，怎么会是竞争对手呢？我你还不了解吗？年纪比你大，学历比你低，不用你跟我争，我都会输给年纪！你可不一样，男人最好的年华，要是这么默默无闻地做一个部门总监，实在太屈才了！"

丁浩心里已经活动开了，面上不露一丝痕迹，呵呵笑着打马虎眼，赵德伟见他这样，知道自己的话已经起了作用，也就不再多说什么了。

开会的内容很聚焦，就是应对公司新聘的执行总裁作出的一系列调整，无非是希望丁浩他们摆明立场！这样的会议

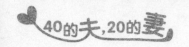

最让人郁闷却也让有些人沸腾，升迁在此一举。

会议一直开到傍晚，从公司出来，丁浩突然很想念陆宁天真的笑颜，如果一切能像她那么简单就好了！

掏出手机，拨通她的电话："宝贝，你们在哪？"

陆宁软软的声音传了过来："我们正在吃饭呢，你开完了吗？开完过来跟我们一起吃啊，省得我们打车回去了。"

丁浩心想，女人一有了姐妹，男人的作用就只是司机了吗？

到了苏大妈私房菜，看见那堆横七竖八的包装袋，丁浩心想，幸亏自己过来了，否则这两个小女人怎么拿回家啊？脑海中突然浮现出赵德伟的话，虽然不中听，倒还真有几分道理。现在两人没什么负担，自然相亲相爱，万一有一天要什么没什么的时候，感情还能像现在这样吗？

陆宁显然不知道丁浩在想什么，自顾自地说着一天的见闻。

几天后，苏天佩的母亲生病住院，她接到电话的时候心急如焚，她打夏宁清的电话，可是对方根本不接，再打就转到了移动秘书台，陆宁赶紧和丁浩把她送到车站。

看着苏天佩一个人孤孤单单地上了车，陆宁心有凄凄焉，情不自禁依偎到丁浩肩上："老公，你永远都不要这么对我，如果我们的婚姻里出现了什么问题，一定要坐下来好好解决，千万不要相互伤害，好吗？"

丁浩伸手揉揉她的长发，郑重答应。

正说着，陆宁的手机响了起来，是余秀珍打过来的，陆宁一愣，以前不管有什么事，婆婆都是打丁浩的电话，他再转告她。今天是周末，婆婆清楚自己和丁浩在一起，怎么反而打自己的电话了呢？

陆宁不敢迟疑，赶紧接起电话："妈！"

余秀珍的语气超乎寻常地热情："宁宁啊，你跟丁浩怎么不过来吃饭呢？"

陆宁这才想起是周日，以前这个时候都上婆婆家吃饭，最近忙着苏天佩的事，就不想两边跑了。连忙对婆婆解释为什么没有过去吃饭的原因，免得婆婆又不高兴了。

余秀珍没像以前一样挑刺，反而亲热地说："那你们现在忙完了吗？妈做了很多你们爱吃的菜，今天过来吃饭吧！"

婆婆难得如此热情，叫陆宁如何拒绝？虽然忙了一天她很想随便吃点就回家休息，可是婆婆的面子不能不给，只好答应下来。

"那妈等你们开饭。"余秀珍愉快地挂上电话。

丁浩随口问道："岳母找你啊？"

陆宁把手机伸到他面前："不是我妈，是你妈叫我们回去吃饭，我觉得她很反常，电话里特别热情，跟平常判若两人！"

丁浩一听非常高兴，男人在这方面向来迟钝，是不是跟平常判若两人不要紧，只要老妈喜欢自己的媳妇，高兴都来不及了，哪还有心思想那么多为什么呢？

"我妈以前那是故作严肃，怕你不拿她当回事，现在估计觉得你是个懂事的人，自然对你和颜悦色了，也许再过一段日子，家里就没我什么地位了。"

陆宁却不怎么相信这种可能，任她再年轻，基本的判断力还是有的，婆婆突然变得殷勤，肯定是有什么事。想到这里，陆宁有种赴鸿门宴的感觉。

十五　婆婆的殷勤

　　刚到婆婆家，陆宁还没来得及叫妈，余秀珍就迎了上来，嘘寒问暖，与平时判若两人，连丁浩都觉得老妈和以前大不一样。只不过丁浩和全天下的儿子一样，为老妈对老婆态度的转变而高兴，根本没往其他地方去想。

　　余秀珍欲拿陆宁的包挂好，陆宁连忙说："妈，我自己来吧！"

　　余秀珍也不强求，转身又进了厨房。陆宁四处打量了一下，感觉客厅比以前温馨干净，桌上甚至还插了一支香水百合，陆宁偷偷跟丁浩说："我觉得妈很反常，她现在的状态和我刚跟你恋爱时差不多。"

　　丁浩嗔怪地捏了捏她的脸："别胡说，小心被妈听见。"

　　陆宁吐吐舌头不再说话，眼神落在餐桌上，发现上面的菜都是自己喜欢吃的，心里的疑问更重了：婆婆这是怎么了？

　　陆宁觉得在客厅等吃饭容易招惹婆婆的不满，脱下外衣走到厨房里。可是一只脚还没跨进厨房，就被余秀珍轰了出来："去客厅坐着，厨房里油烟味重，别熏到你，马上就好了，还有一道你喜欢的椒盐虾，妈一大早就去菜市挑的，个个都活蹦乱跳，等下多吃点！”

陆宁重重地点点头，她突然觉得如果可以和婆婆关系永远这么好，一家人开开心心的，那该有多好啊！陆宁被自己的憧憬陶醉了。

余秀珍又忙碌了半小时，才将所有菜做齐，丁浩朝房间里张望了一下："妈，我爸呢？"

正说着，丁起松开门进来，手里还牵着一个小男孩，长得极为俊俏。小男孩闻到菜香，挪动着肥肥的小身子，往椅子上爬。

陆宁见到孩子的可爱模样，忍不住过去帮他，想不到小男孩伸手摸了摸她的脸，奶声奶气地说："谢谢姐姐，香香！"说罢，叭嗒一声在陆宁脸上印下一吻，留下口水无数。

陆宁擦了擦脸上的口水，开心不已，索性和小男孩玩了起来，见小男孩的眼睛一直盯着食物，干脆帮他拿了。余秀珍含笑看着这一切，不动声色地问："宁宁，他叫奇奇，好玩吧？"

陆宁正逗得开心，心想余秀珍改变这么大，可能是因为这个孩子吧！毕竟对着这么可爱的孩子，哪个大人都会变得耐心起来，所以想也不想地说："妈，这是谁家的孩子啊，实在太可爱了！"

丁浩见陆宁逗得开心，忍不住加入了他们，他早就到了做爸爸的年纪，内心对孩子并不是没有渴望，只是还未从心里彻底作好准备。

"这是你姨奶奶的小外孙，你一直忙工作，没见过他，小家伙特别机灵可爱。"

147

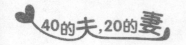

丁浩逗他，要他喊人，奇奇眨巴着眼珠子，看了看陆宁，又看了看丁浩，最后脆生生地喊："叔叔。"

陆宁差点笑翻，丁浩郁闷地捏着奇奇的小手："你是不是搞错了辈分？你叫她姐姐，叫我叔叔？"

陆宁护着奇奇，把他抱到怀里，理所当然地说："他也没叫错啊，他哪知道什么辈分不辈分，见我长得像姐姐，你像叔叔喽！"

奇奇不知道自己做了什么让人发笑的事，见陆宁护着自己，甜甜地说："就是姐姐说的这样。"

余秀珍见火候差不多了，从厨房里拿出一叠碗，边盛边说："我看宁宁似乎很喜欢小孩子，你们结婚也好几个月了，有没有想过自己要一个呢？丁浩年纪也不小了。"

陆宁一愣，没想到余秀珍突然提起这个，她看着满桌的菜肴和小奇奇，顿时明白余秀珍的用意了，婆婆这是变着法子催自己生孩子呢！对于孩子她有自己的打算，她不会不生，可是她不想过那种一毕业就被催着找工作，一工作就被催着结婚，结婚后又被催着生孩子的生活。她想趁着年轻，好好过两年二人世界，然后等自己很渴望做妈妈的时候，再生一个可爱的宝宝。所以，在这点上她很坚持，不想在这种重大的决定上去讨婆婆的欢心。

"妈，我们结婚还不到半年，不想这么早就要孩子。"

余秀珍夹菜的筷子停在半空中，她知道突然提出要儿子媳妇生孩子，他们不会立刻答应，但是好歹应该考虑自己的意见，想不到自己做了这么多准备工作，儿媳妇直接就拒绝了，甚至不说一句让我们一起商量一下，想到这里，余秀珍觉得胸口憋得慌，脸色更是难看到了极点。

丁浩一见气氛不对，连忙圆场："妈，生孩子这种事靠缘分，哪是我们想生就生的？否则这世界上怎么会有这么多不能生育的夫妻呢？缘分到了，孩子自然就来了。"

"什么叫缘分？天天避孕怎么会有孩子？难道等着避孕失败的意外吗？丁浩，不是妈说你，你都三十七了，老大不小的年纪了，如果结婚早的，孩子都念完小学了，生得太晚的孩子，容易出毛病，别老想着自己玩，等以后年纪大了后悔。"余秀珍的脸色丝毫没有好转，对着儿子说话就没必要客气了，当然，她这话更多是说给陆宁听的。

陆宁脸色也不太好看，婆婆的话她听得懂，婆婆要她别只顾着自己玩乐，要考虑丁浩的年纪。可是她就不明白了，只听说过高龄产妇，什么时候听过高龄产夫？男人年纪大还是小有什么要紧？自己才二十二岁呢，难道要这么快当妈妈？

"妈，男人五十岁生孩子都没关系，从遗传学上讲，生得晚的孩子都聪明。"陆宁尽量让自己的情绪不表露出来。

余秀珍不高兴地说："什么遗传学的我不懂，我只听说过生得晚的孩子身体差。"

陆宁还想说什么，被丁浩一个眼神阻止了，她抿了抿嘴，低头吃饭，只是菜吃到嘴里，索然无味。

丁起松也很想抱孙子，可更希望家里其乐融融，所以笑着打圆场道："丁浩，宁宁，你们别急，你妈这都是为了你们好，生怕有些事情你们不懂，所以就提醒提醒你们，她一点干涉勉强你们的意思都没有，生孩子的事呢，你们回去慢慢商量，爸的态度先摆在这里了，如果你们想生呢，我非常支持，孩子交给我们带就是,保证不影响你们的生活,如果你们想晚一点生,我也理解。"

余秀珍想了想,觉得生孩子这种事情不能用逼的,如果惹恼了儿媳妇,她坚决不肯生也拿她没办法,总不能来硬的吧!这么一想,余秀珍换了副语气:"你爸说得对,我不会表达,我知道宁宁你怕有了孩子,影响了你们的二人世界,不过这点完全不用担心,妈身子还不错,把孩子带到小学一点问题都没有,什么抚养费啊教育费啊全部我们负责,你们负责生就是了。"

陆宁觉得婆婆把生孩子看得太简单了,她目前不想要孩子,何况如果真的有了孩子,她也做不到完全扔给公婆,孩子如果自己不带怎么会跟自己亲,何况教育这种事情怎么可以假手于人?她目前不想生就是因为这些事情都还没准备好,并不是不想负责,相反,她要为自己的孩子负责,不能因为婆婆想要孩子和一番许诺就稀里糊涂地生个孩子出来。可是再说下去显然会和婆婆起冲突,所以选择什么都不说。

余秀珍见陆宁不吭声,以为自己的话说动了她,脸色好了很多:"我知道孩子不是说有就有的,你们回去也好好准备准备,妈给你们买了很多叶酸,丁浩你也跟着一起吃,以后你们就知道感激妈了,女人孩子生得早,恢复得快。你们看《夫妻那些事》了没?那电视剧演得多好,本来不想要孩子,最后想要就是要不了,受了多少罪?"

丁浩见老妈说起来没完没了,陆宁的脸色越来越难看,赶紧阻止了老妈,现在他终于体会到了婚姻中的男人有多不容易,老妈那里得顺着,老婆那里得哄着。

150

晚饭后，丁浩怕老妈围着自己和陆宁继续进行说服教育，赶紧带着陆宁开溜，余秀珍也不阻止，把一袋叶酸塞给儿子，偷偷在儿子耳边说："陆宁爱你，要是你很想要孩子，她不会不生。"

丁浩不敢违逆老妈的意思，只得敷衍着点点头。

路上，陆宁嘟着嘴不说话，丁浩有意活跃一下气氛："奇奇那小东西真是没眼神，居然叫我叔叔，叫你姐姐，难道我们差着一辈吗？"

陆宁还是没有说话，只是伸出手握了握丁浩的手，丁浩知道她这个动作的意思：她不是生他的气。

丁浩小心翼翼地开了口："宁宁，其实我妈说的也不是没有道理，你想啊，现在他们还年轻，可以帮着我们带带孩子，以后他们都老了，我们两个又没经验，怎么忙得过来啊？"

陆宁见丁浩不跟自己站在同一阵线，没好气地白了他一眼："孩子是我们生的，干吗要你父母帮着带啊，忙不过来可以请保姆啊！"

丁浩脱口而出："你跟岳母一样，不管什么事就想着请保姆，保姆能跟自己人比吗？现在新闻里到处都是虐待孩子的保姆，甚至还给孩子吃安眠药，你放心？"

"请保姆怎么了？这样的事毕竟是少数，那你吃饭噎着难道就不吃饭了吗？新闻里天天都在报道车祸，那你怎么还开车啊？"陆宁不高兴地说，晚上在婆婆那里压抑得够戗，本来指望着丁浩可以安慰自己，哪知道他还跟自己抬杠。

丁浩被陆宁一顿抢白，也有点不高兴："你这就强词夺理了，不吃饭会饿死，不开车影响办事效率，这些都是没办法，

151

可是保姆并不是必需品啊!"

陆宁恼火地说:"算了,我不想跟你研究这个。"说着把头转向窗外。

丁浩见她真的动气,立刻软了下来:"瞧你,我就随便说两句,你就生气了。"

陆宁死鸭子嘴硬:"我才没有。"

"没有就笑一个给我看看!"

陆宁咧了一下嘴。

回到家里,陆宁看了看丁浩手中的那一袋叶酸就郁闷得慌,随手扔到冰箱里。丁浩叹了口气,拥着陆宁回了房间,老妈的叮嘱他没忘记,但是置之不理显然不是好办法,更会成为婆媳矛盾,不管他愿不愿意,他必须得解决这个问题。

"宁宁,我妈的心愿,你真的一点都不考虑吗?"

陆宁严肃地说:"丁浩,我知道你很孝顺,我也很想跟你一起孝顺他们,但是做人不能愚孝,我们的人生应该由我们自己决定,如果为了哄父母高兴,我们就要和自己不喜欢的人结婚,为了让他们满意,我们就要违背自己的意愿让他们抱孙子。"

"那难道一点都不考虑父母的感受吗?他们把我们养这么大,容易吗?"丁浩觉得以前很欣赏陆宁的思想独立,可是现在他发现这种思想很自私。

"我没有说不考虑他们的感受,更没说不生孩子,但是我希望由我们自己做主,你觉得我们上半辈子应该为了父母的感受而活,下半辈子就应该成为孩奴,这样的人生你才觉得是负责的吗?我告诉你,其实想为一堆人负责的人,最后只会失去自我，同时也无法为任何人负责。"

丁浩按捺地说："宁宁，我承认你说的有一定的道理，但是我们是社会人，我们不能只考虑自己，这样很自私你知道吗？"

陆宁扯过被子，摆出一副"拒绝和你沟通"的样子，丁浩见了她孩子气的模样，又好气又好笑，伸手想抱抱她，陆宁挣扎着不让他抱，丁浩坚持，陆宁软化，撅着嘴问："你还跟我针锋相对吗？"

丁浩笑着摇摇头，陆宁得意地钻入丁浩怀里，她就知道他会妥协，两人亲热过后，陆宁沉沉睡去，丁浩却了无睡意，看着陆宁熟睡的脸庞，重重地叹了口气。

十六　阳奉阴违

第二天丁浩一上班，余秀珍就打电话过来问情况，丁浩不敢说实话，只好支支吾吾地说还得做做陆宁的工作，但是陆宁已经被自己说动了。余秀珍一听儿子把儿媳妇说动了，非常高兴，要儿子再接再厉，还许诺只要孩子一出生，名下的房子就转到孙儿名下。丁浩诺诺地应着，挂上电话却无限惆怅，老妈根本不了解陆宁，她岂是因为一套房子就动心的人？何况自己是独子，父母的房子不就是自己的房子？就算陆宁喜欢房子，也不会想不明白这个道理，老妈是想孙子想糊涂了。

一头是老妈强烈要抱孙子，一头是老婆死活不愿意生孩子，丁浩觉得自己是腹背受敌，艾伦进来的时候，丁浩还愁眉不展。

艾伦忍不住开玩笑道："是什么事让你这么烦恼，难道是公司的人事改革？"

自从上一次的预算教训后，丁浩对艾伦说话极其小心，免得又传到董事长的耳朵里："怎么可能，是一些琐事，和公司无关。"

艾伦半真半假地说："上班时间想和工作无关的事情，这

154

算不算渎职啊？"

丁浩一愣，被问得哑口无言，看来以后和艾伦说话不是应该小心，最好是不说话，这女人又尖锐反应又快。

见丁浩发傻的样子，艾伦忍不住笑了起来："好了，跟你开玩笑的，公司难道连职员的思想也要控制吗？说说看，你因为什么琐事烦恼啊？"艾伦说着，索性用手支着下巴，一副打破沙锅问到底的架势。

丁浩看了看她，忍不住笑了起来："我没想到你还挺八卦的呢！"

艾伦不以为然地说："八卦是女人的天性好不好？试问这个公司里哪个女人不八卦？"

丁浩心想，人家八卦都是偷偷地八卦，哪像你这样明目张胆地八卦啊，不过想到艾伦之前的行为，觉得这一切都符合她的作风。见艾伦一副不问出个所以然来决不罢休的样子，丁浩只好告诉她："我妈想抱孙子，可是我太太却不希望这么早生孩子，所以我烦恼。"

艾伦瞪大了眼睛，一副完全难以置信的模样，丁浩被她的神情弄得一头雾水，是自己哪里说得不对吗？怎么她是这副反应呢？

丁浩试探着问："你怎么了？是不是我哪里说错了？"

艾伦终于反应过来了，激动地说："太太？什么太太啊？你不是单身吗？你什么时候结的婚？董事长不是说你单身吗？"

丁浩终于反应过来了，可是他不明白自己已婚她这么激动干什么，她不是董事长的情人吗？不过这样的话丁浩可不敢说，只好回避地说："我结婚没几个月，估计你问董事长的

155

时候我确实还没结婚，我觉得结婚是私事，所以也没在公司里搞出太大动静，主要也是怕同事们破费。"丁浩觉得奇怪，虽然自己在公司里很低调，但是该分的喜糖都没少，基本上应该都知道自己结婚了吧？随即想到，可能公司里时不时地有人结婚，很多人就看到了喜糖，至于谁结婚了反而不太清楚，而艾伦跟部门里的人合不来，没人告诉她也正常。

艾伦定定地看着丁浩，然后从鼻子里哼了一声，转身走出办公室，并且把门狠狠地摔上。丁浩错愕地看着艾伦的举动，不知道她为什么突然这么生气，难道是气自己不告诉她结婚的事吗？可是丁浩想不出来自己结婚和她有什么关系，知道艾伦的行为向来无法用常理来分析判断，索性就不理会了。

到下班的时候，丁浩脑中灵光一闪，忍不住为自己想到的点子叫绝。丁浩兴奋不已，打电话给陆宁去接她下班。

陆宁看着一脸兴奋的丁浩，感到莫名其妙，难道是婆婆决定暂时放过他们？丁浩神神秘秘地告诉她已经想到两全其美的办法了。

陆宁忍不住好奇，摇着丁浩的手臂要他快说，丁浩心情极好，忍不住卖起了关子："宝贝，我们好久没在外面浪漫一把了，今天我订了烛光晚餐，我们边吃边聊。"

陆宁想到结婚后，他们被一堆事务折腾，确实好久没有好好享受两人的浪漫世界了，听丁浩这么一说，回想到恋爱时期的甜蜜，觉得似乎已经很遥远了。

五星级酒店的西餐厅里，丁浩给两人倒上一杯红酒，看着烛光中的陆宁，充满感情地说："宝贝，婚姻中会遇到很多困难和矛盾，但是我相信只要我们一直携手同心，一定可以白头到老。”

陆宁被丁浩的话感染，重重地点头，拿过酒杯一饮而尽，催促丁浩赶紧说那个两全其美的办法。

“我妈那么希望抱孙子，如果直接告诉她不想生，她一定不会接受，可是生孩子这种事又不是想有就有了，所以我希望你不要一口拒绝她老人家，至少给她一个希望，告诉她我们会生，但是至于我们什么时候要孩子，你做主。”

陆宁觉得这个主意不错，可是又有一丝担心：“可是这样就是欺骗妈了，如果她知道的话，还不恨死我们啊？再说，我总觉得骗人不太好。”

丁浩叹了口气：“我当然也不想骗她了，可是善意的谎言总比让她生气好，只要我们都不说，她怎么会知道呢？”

陆宁想了想，嫣然一笑：“以前你还老跟我说对父母要怎么样怎么样，现在教唆我欺骗他们的可是你自己哦。”

丁浩又何尝想骗老妈，可是如果实话实说会引起家庭矛盾，他宁愿说谎。

在丁浩的授意下，陆宁第二天就跟婆婆打了个电话，说自己已经想清楚了，决定要个孩子，余秀珍听到这个消息，笑得合不拢嘴，一连声地说了好几次太好了，同时又叮嘱了好半天怀孕禁忌。

陆宁从来没受到过婆婆如此真心真意的关爱，当下也甩开了欺骗婆婆的内疚，生活中谁没撒过几个善意的小谎呢？

周六，余秀珍为了让他们加快脚步，带着儿子媳妇去逛商场，顺便提前买些婴儿用品。陆宁和丁浩战战兢兢地跟着，

十六　阳奉阴违

余秀珍拿起一件婴儿衣服，满心喜欢，看了看又放下了。

陆宁赔笑道："妈，这衣服挺好看的，您要是喜欢的话，我们就买下吧，反正迟早得买。"陆宁心想，小孩子的衣服以舒服为主，反正过几年也打算要孩子，做戏就做全套吧！

余秀珍转头嗔怪着说："你这孩子，之前说不要孩子，现在比我还急，衣服当然要买，可是小男孩和小女孩的衣服还是有区别的，等你真怀上了，检查出性别了，妈再给买，一定把我的孙儿打扮得漂漂亮亮的。"

陆宁不敢再随便插嘴，余秀珍继续自言自语道："不过要是你生个龙凤胎，那怎么买都用得上了。"

陆宁听得背脊发麻，婆婆的要求真是一日三变啊！

丁浩见陆宁如此不自在，忍不住打岔："妈，这种概率太小了，您还是别期望了。"

余秀珍一想也是，嘴里却不愿意承认："这种可能性是小了点，不过万一我们运气好呢？"

丁浩想的和老妈完全不同，两个孩子负担得多重？光教育费就是一笔庞大的开支，下半辈子可真的要为孩子做牛做马了，想到这里，丁浩觉得后脑勺发凉，好像那种情景已经摆在跟前了。

三个人各怀心事继续逛着，陆宁突然不走了，丁浩狐疑地拉了拉她。陆宁指了指不远处，丁浩顺着她的视线看去，看见一男一女："你认识吗？要不要过去打个招呼？"

陆宁小声说："那个男人叫夏宁清，是天佩的老公，可是他挽着的女人我不认识。"

听陆宁这么一说，丁浩不由自主地又打量了几眼，男人大概五十岁的样子，一身奢侈品，身边的女人看起来二十出头，两人状态非常亲密，丁浩不确定地说："也许他们是亲戚呢！"

陆宁也希望他们是亲戚，可是心底却不怎么相信，想到苏天佩前段时间说的话，更加觉得这里面有问题。这么一来，顿时失去了继续逛的兴趣。

直到晚上，陆宁还在想这件事，犹豫着应不应该告诉苏天佩，想来想去，最后求助丁浩："老公，你说我要不要问问天佩呢？"

丁浩想了想说："我看还是不要吧！首先你也不能确定人家到底是不是那种关系，别到最后好心办坏事，再说就算真的有什么事，那也是人家夫妻间的事，我们最好还是不要掺合了吧？"

陆宁不高兴地撅了撅嘴，她突然想起之前和办公室里的同事聊过这个话题，结果所有男同事都说会选择当不知道，女孩子的回答就五花八门了，难怪男人之间会结伴干些出格的事，用 丘之貉形容他们真是一点都不过分。

丁浩见老婆脸色不对，赶紧拿了衣服去浴室洗澡，等他出来的时候，陆宁还拿着手机纠结不已，丁浩便说："你想打就打吧！我看你今天要是不打这个电话，是睡不着觉了。"

陆宁见丁浩这么一说，不再犹豫，拨通了苏天佩的电话。

苏天佩接到陆宁的电话很意外，忙问她这么晚了是不是有什么事。

陆宁从上次两人分别开始聊起，最后实在没话题可聊了，才旁敲侧击地问："你可以和我聊这么久，你老公不在家吗？"

十六 阳奉阴违

苏天佩幽幽叹了口气："他现在经常彻夜不归，就算回来也很晚了。"

陆宁惊讶地说："那你不管管他吗？"

苏天佩反问："怎么管？脚长在他身上，反正我也想通了，只要他给我钱花，他爱做什么我管不着。"

陆宁急了："可是万一他要是在外面和其他女人好上了要跟你离婚呢？你也不担心？"

苏天佩沉默了，她知道自从结婚以后，夏宁清和她的感情一直不太好，但是她从来没有想过夏宁清会跟自己离婚，在她的观念里，自己名牌大学毕业，长得又漂亮，还小夏宁清二十多岁，何况他已经离过一次婚，所以上次回来后她就暗暗抱定主意，夏宁清是个孝子，只要婆婆在一天，自己就不可能是这个家里的主人，可是婆婆已经七十多岁了，身体又不是太好，自己就跟她比命长喽，这么一想，倒也想开了。现在突然被陆宁一问，她觉得事情可能不如自己想象的那么简单。

"宁宁，你是不是在暗示我什么？"

陆宁一惊，下意识地否认："不是，我只是关心关心你，上次你主动回去了，我也没继续问，毕竟这是你的家事，可是我们是好朋友，你的情况我一直都很挂心。"

苏天佩真诚地道了谢，挂上电话却睡不着了，总觉得哪里不对劲，她知道陆宁关心自己，可是大晚上打电话给自己还是有点突兀，何况她又不是老公出差找自己闲聊，苏天佩隐隐有了不好的预感。

凌晨一点的时候，楼下传来了汽车声，苏天佩跑到阳台上，看见夏宁清回来了。想到陆宁的话，她主动跑到楼下去迎接他，问他是否需要吃点宵夜。

对于苏天佩的殷勤，夏宁清有些错愕，夏宁清知道苏天佩拜金，可是又有一些傲气，所以两人关系冷淡已经很久了，可毕竟他们也有过美好的时光，想到这些，夏宁清不自觉地温和起来。

"你每天都这么晚回来，都在外面干些什么啊？"

夏宁清边换西装边说："管着这么大的公司，应酬多，你知道在我这个层次的时候，白天工作怎么样不要紧，晚上的交际应酬才是重点。"

苏天佩柔声说："记得我们恋爱的时候，你都有很多时间陪我的，现在结婚后，你又不希望我工作，我一个人在家也挺闷的，以后你能早点回来的话，就尽量早点回来吧！"

夏宁清皱了皱眉，却没有拒绝："我尽量吧！如果我回来晚，你也可以陪我妈说说话，和她关系搞好一点，我也省心不少。"

苏天佩在心里翻白眼：我都恨不得你妈消失，老太婆对我管头管脚，还要叫我侍奉她？门儿都没有。可是这样的话她不敢表露出来，只是违心地应承着。

夏宁清去洗澡了，苏天佩却在他换下的西装上闻到一股香水味，她不禁开始胡思乱想起来了：难道他每天晚上这么晚回来都和女人在一起？随即又安慰自己，应酬场合难免会有女人，偶尔碰撞间沾染上香水味也不奇怪。可是联想到陆宁那个电话，她总觉得似乎有事要发生。可是这一夜，夏宁清似乎特别热情，激情过后，夏宁清沉沉睡去，苏天佩觉得自己多心了，伸手关掉了床头灯。

十六　阳奉阴违

十七 贫贱夫妻百事哀

时间过得很快，转眼春节将至，余秀珍特地打电话给儿子媳妇，提醒他们叶酸差不多快吃了三个月了，可以取消避孕措施了。余秀珍计划着，年初的时候儿媳妇能有好消息，那么年尾自己就可以做奶奶了，想到这里，余秀珍觉得做梦都想笑，丁起松见老伴这段时间经常笑口常开，对自己也比以前和颜悦色，希望陆宁尽快怀上孩子，到时候老伴恐怕再没时间去挑他们的错了，家里可就其乐融融了。

陆宁可就觉得压力山大了，前几个月因为要吃叶酸，婆婆并没有怎么过问他们，毕竟把身子调理好了才能怀上健康的宝宝，所以余秀珍不催，可是接下来的日子，恐怕婆婆就跟个符咒似的跟随自己了，一想到这个，她就觉得以后的日子无限恐怖，虽然丁浩跟她说就一个字:拖！可是真的能拖那么久吗？陆宁没有信心。

正在胡思乱想的时候，田佳打电话过来，陆宁忍不住大倒苦水，田佳却并没什么心情聊天，陆宁感到了她的异样:"佳佳，你找我有什么事吗？"

田佳吞吞吐吐了很久，却没说出个所以然来，陆宁急了:

"佳佳，我们是死党，有什么话这么吞吞吐吐的？"

田佳觉得难以启齿，但是陆宁的再三追问下，她才支支吾吾地说："宁宁，我……我想找你借点钱。"

陆宁释然，笑着说："就这事啊？值得你磨叽这么半天吗？说吧，要多少？"

见陆宁这么干脆，田佳有些感动，可是想到自己要借的数目，还是有点忐忑："我……我想跟你借十万。"

陆宁吓了一跳，以前念书的时候，她们偶尔看上什么东西懒得取钱的时候也会这样，可是那都是几百几百，工作后基本就不再相互借钱了，她本以为田佳就借个几千，最多不会超过一万，她也打算慷慨解囊了，可是没想到田佳一开口就是十万。她怎么会需要这么多钱呢？

"佳佳，你要做什么用呢？"

田佳很久没有吭声，借钱这事她犹豫了很久，以前数目小，又在学校里，她不觉得有什么，可是工作后相互有了另一半，想到自己的经济状况远远不如死党们，她反而不愿意有经济往来，也许这就是穷人的自尊吧！可是眼看着自己过年后就二十六了，家里父母开始催，她和康辉却连个房子都买不起，怎么结婚？

"宁宁，我和康辉打算结婚，可是我不想租房结婚，最近我看中了一套两居室，首付五十万，不过我们只有二十几万，父母也支援不了我们多少，可是如果这次还不买的话，房价越来越高，以后就真的买不起了。"

陆宁考虑了一下，关心地问："我跟丁浩说一声，问题应该不大，可是你差二十多万呢，剩下的十几万怎么办？"

163

田佳小声说："我打算找天佩帮帮忙，她老公很有钱，应该不是问题，康辉应该也会想想办法，我想应该凑得齐。"

陆宁想到苏天佩上次诉说的近况，有一丝担心，天佩自己不赚钱，她能做主吗？果然，当田佳找到她，委婉地表达了这个意思的时候，苏天佩犯难了，从感情上她很想帮帮死党，可是她没有把握，夏宁清让她支配的是信用卡，根本没给她多少现金，而她为了撑足面子，平时的开销也不小，根本没有什么余钱，所以她只能支吾地说先问问夏宁清再给田佳答复。

挂上电话，田佳心里很不舒服，这些同学里，老公最有钱的就是苏天佩了，陆宁他们又结婚又装修，还毫不犹豫地答应借自己十万，可苏天佩却有些不太情愿，在她眼里，十万对苏天佩而言，只是少买一两个包包的事而已。唉！看来还得自己有钱，可是男友能力有限，她又能怎么办呢？

康辉见她脸色不好，小心翼翼地问："怎么了？借钱遇到困难了？"

田佳看着康辉的样子，忍不住动气："房子是我们一起住的，你就不能找你的朋友想想办法？为什么要我一个人操心？"

康辉为难地说："平时大家都是一起玩的兄弟，突然找人开口借钱，我抹不下面子。"

田佳一听，声音提高八度："你抹不下面子？那我就不要面子了？找你父母你说不想他们以为你过得不好，找你朋友又觉得没面子，那结婚没房没钱你怎么就不觉得没面子呢？"

康辉见田佳动怒，不敢再吭声，默默拿起一本书翻着，心里却翻江倒海，念书的时候觉得有才华就行，到了社会上才知道钱最重要，才华不能换房子，不能换婚礼，可是钱就可以。在学校里时，田佳对自己的才华倾慕不已，可是工作后，田佳更多的是不满和怒火，想到这里，康辉觉得人生真是悲哀。

田佳见康辉不吱声，更加来气，一把抽掉康辉手中的书，扔得老远，指着他的鼻子说："我不管，买房子不够的钱，我们一人解决一半，我不管你是找你家里人也好，找朋友帮忙也好，反正我只要看到钱。"

康辉皱了皱眉头，捡起地上的书，依然不吭声，田佳觉得自己就跟对着一个木头人似的，如果康辉和她吵一架，她的怒火也就下去了，偏偏康辉闷不吭声，这让她火冒三丈："你是死人啊，就不会说句话？碰到问题你就会不吭声，你能不能像个男人一点？拿出点解决态度来？"

康辉被她逼问得不得不回答，更被她的态度击伤，曾几何时，自己在她眼里是最优秀的人，想不到现在竟然不像个男人了，难道没有钱就没有了尊严吗？

"房子是你非要买的，如果你不买房子，这些问题就都不存在了。"

田佳想不到康辉说出来的竟是这么一番话，气得眼泪都出来了："你的意思是我在制造问题？女人想买房子有错吗？女人都需要一个家，房子就是家的载体，四处租房能有家的感觉吗？我们一年来已经搬了三次家了，我受够这种日子了，我想安定下来。如果今天我要豪宅名车那是我虚荣，可我只想要一个属于自己的小房子，这个要求过分吗？"

165

康辉见田佳哭了,想到她跟着自己吃了不少苦,更是一心一意想和自己生活,心里的内疚占了上风:"佳佳,别哭了,是我不好,让你跟着我过苦日子,但是我发誓,以后一定会好好努力,让你过上好日子,钱的事我会想办法的。"

田佳见康辉妥协,擦了擦眼泪:"我不是想逼你,可是现在房价越来越高,如果现在不下狠心买房的话,越到后来就越买不起,没有房子,以后孩子念书都成问题。"

康辉点点头,两人在眼泪中和好。

苏天佩特地吩咐保姆做了宵夜等夏宁清,直到十二点多,夏宁清才回到家里。苏天佩端着宵夜迎了上去:"老公,我有件事想跟你商量。"

夏宁清一边吃着宵夜,一边漫不经心地说:"又想买什么东西了吧?我给你办了信用卡了,只要你别太过了,想买什么你自己决定好了,关键是你要哄我妈开心。"

又是你妈?苏天佩觉得婆婆越来越麻烦,越来越碍事,恨不得她早点归西才好!想到自己有更重要的事情,不敢把情绪丝毫表露在脸上:"不是的,我不是想买什么东西,我想问你拿十万块钱。"

夏宁清停了下来,狐疑地看着苏天佩:"我不但给你办了卡,每个月还给你家用,你还要钱干什么?"

苏天佩解释道:"我有一个好朋友想买房,可是首付差了二十几万,所以问我借十万,她是我最好的朋友,我很想帮帮她。"

夏宁清不耐烦地说:"没钱买什么房子?救急不救穷,你要是借了这个,明天就会冒出很多同学朋友找你借钱,这个口子不能开，你随便找个理由打发她吧！"

苏天佩一听夏宁清拒绝，心中着急："不会的，我跟你结婚后，和以前联系的同学不多，保证不会出现你说的那种情况，这十万对你而言根本不是大数目，你就当给我一个面子吧！"

夏宁清不愿意在这个话题上继续纠缠，他是有钱，但是有钱不代表就会当散财童子，他的每一笔钱都会让它产生价值，钱生钱是他的原则，银行都只会贷款给运营良好的企业，哪个银行会把钱借给资不抵债的公司？所以他也一样，见苏天佩还不死心，他干脆去了书房。

苏天佩坐在床上发呆，老公不肯借钱，恐怕自己再说什么也无法改变他的主意，唯一的办法看自己能够凑多少钱。她清点了一下自己的财产，只有四万多块，不禁发了愁，后悔自己以前为什么不想办法多存点私房钱呢？又恨夏宁清太过薄情寡义，想着想着，歪在床上睡着了。

第二天，苏天佩还想再做最后的努力，她话还没说完，夏宁清就不高兴地放下了筷子："这个话题，昨天就说好了，怎么今天又提？你以后少跟那些找你借钱的人来往。"

夏母出来听到最后一句，忍不住帮儿子："不是我说你，人家做老婆的都是想办法给老公减轻烦恼，你怎么老拿这些鸡毛蒜皮的事情烦宁清？"

苏天佩两头受气，气得甩下饭碗不吃早饭了，夏母看着她上楼的背影，不屑地撇了撇嘴。

苏天佩无计可施，只好打电话给田佳，词不达意地说了很久才勉强把意思表达清楚了。她不想说是自己老公不肯借

十七　贫贱夫妻百事哀

167

钱，她觉得嫁了一个亿万富翁的老公，却连十万块钱自己都不能做主，一来很没面子，二来也让人难以置信，她只好说最近生意不景气，所以帮不了好友。

田佳嘴里说着没关系，心里却很悲凉，什么好朋友，什么好姐妹，在金钱面前都不值一提。如果今天自己借一千万，他们说生意上要周转，她无话可说，但是今天她豁出脸去只借十万，看来自己从此要少一个朋友了。指望不上苏天佩，田佳只好把希望寄托在康辉身上，可是康辉只筹到五万，田佳指责他没有尽心。康辉为难地说："我那几个朋友你又不是不知道，年纪都跟我差不多，有些自己买了房子，按揭都很吃力了，哪还有钱借给我？"

田佳知道他说的是实情，可是活人不能被尿憋死，她还是认为康辉没有尽全力："平时你说得你那些朋友多么义气，要真跟你关系那么好，就算砸锅卖铁也会帮你，我看要么就是你一头热要么你那些朋友都是些小气鬼。"

康辉见田佳侮辱自己的朋友，忍不住反唇相讥："我那些朋友本来就不是什么有钱人，你的朋友倒都嫁得不错，平时你不也跟人家姐妹情深呢，为什么连这点钱都不肯借给你？"

这句话戳到了田佳的痛处，她恼羞成怒地说："借借借！你能不能有点出息？要是你有出息，我需要找人借钱？早知道这样，当初我还不如嫁个有房有车的老头儿呢？好过活得这么没尊严。"

康辉也生气了："嫁个有房有车的老头儿你就觉得有尊严了？你要是后悔了，现在还来得及，我不耽误你傍富。"

田佳只是借这句话发泄，并不是真想去找有房有车的老头儿，只要康辉哄哄她，她也就算了，可是康辉不但不哄她，甚至还拿话刺激她。她越想越气，索性跑了出来，身后传来一句"这么晚了你上哪去，"她不想理会。

田佳没跑多远，虽然她在杭州有不少同学，可是大晚上去找人家，原因还是因为钱引起的矛盾，这让她觉得很丢脸。跑了一会儿，她朝身后张望着，希望康辉突然出现，紧张地说自己一直跟着她，可是身后除了行人没有那个熟悉的身影。

冬天的杭州清冷彻骨，尤其是晚上，田佳是突然跑了出来，身上穿的衣服不多，刚才在奔跑没觉得冷，现在一停下来，觉得周围的风都朝着自己的身体灌，不到几分钟，她觉得牙齿都在打战，她看着周围的路灯，悲从中来，忍不住大哭起来。哭了一会儿，身子越来越冷，她想再继续下去很有可能会感冒，如果生病了还得请假，一想到这些，她不得不向现实低头，一步步地朝着租房走去。

走过一处小区，她看着那些错落有致的灯光，心中无限羡慕和感伤。

离租房还有几百米的时候，一个熟悉的身影正在焦急地张望着，田佳一阵委屈，眼泪再次泛滥。康辉发现了她的身影，立刻三步并作两步地奔到她面前，发现她已经冻得发紫，赶紧把她搂到怀里。田佳感受到温暖，眼泪却掉得更凶了。康辉替她擦掉，一叠连声说道："以后就算要离家出走，也要记得带手机。"

田佳负气不说话，康辉继续说："我一回过神来，你就跑了个无影无踪，我出来到处找你，可是就不见你的身影，本

十七 贫贱夫妻百事哀

想找远一点，又怕你回来进不了门。"

听到这里，田佳的心开始软化，嘴里却不愿意承认，把头撇向一边。康辉叹了口气："我知道，你跟着我吃了很多苦，和你一样的同学，很多过上了有房有车的生活，再差一点也在父母的资助下贷款买了房子，可是我却什么都给不了你，你也不比你那些同学差，有的时候你心里不平衡我应该多体谅你，你放心吧！我们还年轻，一切都会好起来的。"

田佳本来就软化了，听到康辉这一番肺腑之言，看见这个高大男儿在生活面前被磨得心力交瘁，她很心疼，说话也不再咄咄逼人："康辉，我的要求真的不高，我只希望能在杭州这个城市住上自己的房子，不用多大，只要属于我们的就好。"

康辉重重地点头，拥紧了她，两人在这场风波里紧紧地抱在一起。

康辉知道田佳对房子的渴望，开始四处奔波，连父母那三万块棺材本都拿来了，可是离首付还有十万缺口，田佳叹息地看着这一切，如果天佩把那十万借给了他们，过不了多久她也是有房一族了，虽然会背负很多债务和贷款，可是生活有了奔头，她相信一切都会好起来的。

康辉看着她，不敢随便开口，生怕一个不小心又点着了她的火线，田佳犯难地看着他："还差这么多钱，怎么办啊？"

"陆宁那十万会不会也出问题？"

田佳不确定地说："不会吧，宁宁跟我说应该没问题。"

正说着，田佳的手机响了起来，是陆宁打来的，告诉她已经把十万汇到她卡上了，田佳很激动，连声感谢着，陆宁关心地问她房子怎么样了。

田佳本不想告诉她跟苏天佩借钱的事，可想到陆宁这么帮自己，完全就是自家姐妹，也没什么不能说的，当下把跟苏天佩借钱被拒的事说了一遍。

陆宁听了沉默不语，她想告诉田佳天佩的真实情况，可是又觉得讲人家的私事不好，实在左右非常为难。

田佳叹了口气说："宁宁，借你的钱我会尽快还的，通过这件事我也看清楚了谁才是真正的好姐妹。"

陆宁见田佳对天佩的误会甚深，想为天佩说话："佳佳，事情也许不是你想的那样，天佩的老公虽然有钱，可那钱毕竟不是天佩赚的，她也得听她老公的，我们关系那么好，你可别因此对她有了意见哦。"

田佳却不这么想，尤其是现在很可能买不成房子，她心里无法没有芥蒂。

一个星期后，田佳和康辉绞尽脑汁，可以借的几乎都借遍了，离首付还有八万缺口，已经借过的朋友那里实在不好意思再开口，两个人在房间里按了半天计算器，钱也没有多出一分来。田佳抱着最后的希翼问："我们还有什么没想到的人吗？"

康辉无奈地摇了摇头，能想的办法都已经想了，除非去借高利贷，否则真的没什么法子了。

田佳重重地叹了口气，不甘心地盯着计算器里的数字，只差八万了，自己就能买上梦寐以求的房子。也许是病急乱投医，田佳拿出一百块钱叫康辉去买彩票，要是中了，两人就开开心心地买房子，要是不中，就把这些钱都还回去，房

171

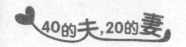

子的事以后再说。

康辉第二天就去买了彩票，可是却一分钱都没中，田佳叹了口气，看来是天意如此！

陆宁收到十万块钱非常惊讶，这还得也太快了吧？田佳告诉她暂时不买房子了，不想欠这么多钱。陆宁理解地点点头，其实她内心不怎么赞成田佳买房子，如果他们可以自己拿出首付，那两个人的钱用来还贷也可以，可是首付有一半是借的，以后又要还首付，又要还贷款，这日子过得该有多紧啊！

还完大家的钱，田佳想买房子的愿望就更强烈了，就好比一个人没成功过，对成功不会那么渴望，但是如果有过很接近成功的经历，那种潜在的想法会被完全激发，田佳就属于这一种。

十八　好景不长

　　临近过年的时候，杭州下了第一场雪，罗淑芬打来电话，要女儿带着女婿回娘家过年，余秀珍也打来电话，要儿子媳妇过去，一家人团团圆圆地过个新年。这可让陆宁和丁浩犯了难，去了男方家过年，女方父母冷冷清清，去了女方家，男方家里就形单影只了。丁浩提议不如上半场去自己父母家，下半场去岳父岳母家。陆宁不愿意这么奔波，过个年嘛，这不是折腾自己吗，索性让两家父母都来自己这里过年不就得了，人多还更热闹。丁浩觉得这也是个主意，就是怕老妈和岳母等卜一语不和，那这个年就精彩了。可实在没有更好的办法，也只有如此了。

　　大年三十下午，双方父母都早早过来了，手里提着大包小包，恨不得把自己家里那些东西都搬过来。

　　陆宁得意地在丁浩耳边说："我就说我们不用出去买吧，我太了解我妈了，她肯定提早过来准备。"

　　丁浩看了下自己的老妈，丝毫不敢松懈，两家大人一起过年，这是第一次尝试，处得好其乐融融，要是一个不慎，那就鸡飞狗跳了，所以他不断在老妈和岳母间出现，名为关

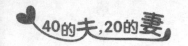

心，实为监控。陆宁看着他的样子觉得好笑，有必要这么草木皆兵吗？

虽然在老妈面前娇纵惯了，在婆婆面前，陆宁还是不敢放肆，主动走过去想帮婆婆一起干活。

余秀珍亲热地往外推她，不让她沾手："这些事你不擅长，去沙发上看电视吧，我还买了很多吃的，你去挑挑你爱吃的。"

罗淑芬惊讶地看着这一幕，没有说话，等余秀珍不注意，立刻走到女儿跟前，小声问她："你婆婆中邪了？怎么对你那么好？"

陆宁斜睨了老妈一眼，嘿嘿笑着，罗淑芬着急，没好气地拍了女儿一下，陆宁说："我婆婆没有中邪，她最近对我好着呢！"

罗淑芬不相信，盯着女儿问："她干什么突然对你这么好？无事献殷勤，非奸即盗。她有什么企图？"

陆宁惊讶地看着老妈，姜还是老的辣，想不到老妈一下就看出中间的门道了，可她不敢把事情的原委告诉她，要是告诉了她，等下她一个不小心说漏了嘴，那就惨了："瞧你这小人之心的样，我婆婆就不能对我好吗？丁浩说以前我婆婆严厉点，是怕我们不当她回事，不尊重她，现在她慢慢地了解了，所以态度就好了嘛，其实我婆婆人不错的。"

罗淑芬将信将疑地看着女儿，又看看在厨房忙碌的余秀珍，心里犯起了嘀咕：一个人的变化真的可以这么大吗？可是看余秀珍的模样又不像演戏。

陆宁摇摇自己的老妈，开始撒娇："妈，我婆婆现在对我真的不错，你可别老是跟她针锋相对的，你要是知道你跟她不和的话，为难的都是我和丁浩。"

罗淑芬想了想，爽快地说："只要她对我女儿好，我保证对她客客气气的。"

陆宁笑着抱抱老妈，一家人和和气气地吃了顿年夜饭。丁浩看着在沙发上聊天的老爸和岳父，又看看在一边拉家常的老妈和岳母，心满意足地笑了，这个年算是过得相当圆满。丁浩知道，要维持这种圆满，除非陆宁肯心甘情愿给他生个孩子，这一刻，他前所未有地希望家里有个孩子。

为了让陆宁渴望孩子，丁浩可谓煞费苦心，张罗着要陆宁陪他看《夫妻那些事》。

丁浩假意感慨道："想不到要个孩子还这么麻烦，如果他们知道后来会受这些罪，当初肯定就要了。"

陆宁不以为然地说："以前你跟我说过要少看这种电视剧，这些电视剧把很多矛盾集中在一家上演，大多家庭几辈子也遇不上这些事。"

丁浩恨不得打自己两巴掌，没事跟她说这些干吗，没想到她都听进去了。一计不成，丁浩又施一计，约了几对有孩子的同事周末去郊外玩，他心里盘算着：陆宁要是看见这么多可爱的孩子，母性大发，说不定回家就想要孩子了呢！所以他嘱咐这些同事，一定要大谈有孩子的好处，陆宁看着别的家庭圆满幸福的样子，肯定会心生羡慕。

果然，陆宁看见那几个粉雕玉琢的孩子，爱不释手，孩子们也喜欢她，姐姐长姐姐短地跟在她身后，俨然成了孩子王。

丁浩给几位同事使了个眼色，同事会意："陆宁这么喜欢

175

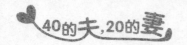

孩子，干脆自己要一个吧！"

陆宁想也不想地说："我是很喜欢孩子啊，可是和孩子偶尔玩玩很开心，天天带着累死人了。"陆宁话音未落，一个孩子哭了起来，原来是尿到了身上。

陆宁得意地对丁浩说："看到没有，他们已经成了孩奴了，幸亏我们没这么早要孩子。"

丁浩暗暗叫苦，这次不但没有成功，反而使陆宁更加坚定了晚要孩子的决心。

相比丁浩而言，余秀珍显得更加着急，怕烦到儿媳妇，几乎天天给儿子打电话，问孩子的进展，到后来，丁浩一见到余秀珍的电话，就得了恐惧症。

余秀珍不满地说："你们结婚都半年多了，怎么还没动静？楼下你王叔叔家的儿媳妇第二个月就有了，你说人家命多好？"

丁浩只好安慰老妈，心里抑郁得不行。

余秀珍打了几个月电话后，觉得不放心，儿子媳妇这么久没怀上不会是身体有问题吧？她把这一担心跟老伴说了，丁起松劝她不要这么杞人忧天。余秀珍想来想去，还是不安心，跟老伴商量："要不让他们上医院检查检查？"

丁起松想也不想地反对："我说你这个老太太真是没事找事，他们结婚还不到一年，又不是结婚七八年了还没怀上，再说他们结婚的时候不是婚检过了吗？两个人都健健康康的，好端端地又叫他们去检查，你真是体谅你儿子儿媳妇。"

余秀珍被老伴这么一说，也觉得自己荒唐，可是眼看丁浩已经三十七岁了，她能不着急吗？要是丁浩四十多岁才生孩子，等孩子大学毕业，他都快奔七十了，不知道的人还以为是爷爷呢！她绝对不允许这种事情发生。

为了让儿子媳妇养好身体，每到周末余秀珍就变着花样地给他们进补，希望他们尽快传来好消息。陆宁喝着婆婆煲的浓汤，心里七上八下的。每次看见婆婆在厨房里忙碌，她心里都觉得很内疚，骗人的感觉真不好受。可是她又不能因为这个原因就生个孩子给婆婆，这样是对自己对孩子的不负责任。只有自己完全作好准备了，才能迎接孩子的到来，这是她一直以来的设想。为了避免这种内疚时时作祟，她索性开始找借口不去婆婆家，就说自己累，不想动，余秀珍怕她来回奔波累到身体，也不勉强，陆宁大大松了口气。

这天下班，陆宁和丁浩刚刚到家，就看见余秀珍坐在沙发上，连忙热情地招呼："妈，您来多久了？怎么不告诉我们一声呢？"

余秀珍从鼻子里哼了一声，冷冷地说："告诉你们一声？你们好立刻准备，来欺骗我老太婆是吧？"

陆宁一愣，婆婆这是怎么了？这段时间一向不都好好的吗？难道是丁浩和自己的把戏被婆婆看穿了？可丁浩肯定不会出卖自己，她也一直小心谨慎，婆婆没道理会发现啊，除非她有读心术。想到这里，陆宁定了定神，小心翼翼地赔笑道："妈，您说什么呢？我听不懂。"

余秀珍冷哼一声，把头转向一边，丁浩见势不妙，赔笑道："妈，您这是怎么了？是不是我爸惹您生气了？"

余秀珍把一包东西扔到茶几上，唬地一声站了起来，怒瞪着陆宁："你不想生孩子就直接跟我说，没必要欺骗我老太

177

婆,一边享受着我的照顾,一边暗度陈仓,觉得自己很高明是吗?"

陆宁被余秀珍逼得后退两步,结结巴巴地说:"妈,我没有……"

余秀珍逼近她:"没有?那这避孕套是怎么回事?"

丁浩看了一眼茶几上的杜蕾斯,立刻解释道:"妈,您别误会,这是我们以前买的,没用完。"

余秀珍见儿子还想欺骗自己,忍不住怒火中烧,难怪准备了半年还没有动静,自己在那天天担心,他们倒好,一次次地欺骗自己。

余秀珍愤怒地抓起那个杜蕾斯的盒子:"你还想骗我?以前买的话会印着今年的日期?当我是老糊涂了还是瞎了眼了?"

陆宁恍然大悟,原来是日期上露了马脚,真是百密一疏,想不到婆婆心思如此缜密,她知道事已至此,再辩解什么只会令婆婆更加生气,所以她走到余秀珍面前,愧疚地说:"妈,是我们不好,您别这么生气,别气坏了自己的身子。"

余秀珍直直地盯着她,盯得陆宁毛骨悚然,心想婆婆不是想对自己动手吧?余秀珍一字一顿地说:"别气坏自己的身子?我看你巴不得我早点气死,没人来干涉你才满意吧?"

陆宁瞪大了眼睛,她从来没有这么想过,欺骗了婆婆是她不对,可是婆婆怎么可以这么想自己,她怎么会是这么心肠歹毒的人呢?

丁浩见事情要闹大,赶紧挺身而出,揽下所有的过错:"妈,您别怪宁宁,主意都是我出的,都是我教她这么做的,您要骂就骂我好了，她不是有意的。"

丁浩不说话还好，余秀珍见他一开口就是句句都护着老婆，不禁悲从中来，抹了把眼泪哭诉道："以前你没结婚的时候，一直都是最孝顺听话的儿子，自从你结婚后，对我的话都置若罔闻，现在竟然还欺骗我？你说，你怎么会变成这样？"

陆宁见婆婆句句都在指责自己，认为是她教坏了丁浩，觉得自己很冤枉，忍不住想开口，丁浩给她使了个眼色：我妈现在在气头上，你说什么都是错的。陆宁瘪了瘪嘴，终于什么话都没说。

余秀珍见儿媳妇立在一旁不吭声，更加得理，指着陆宁的鼻子说："你怎么不说话了？有点什么事就知道让丁浩替你担着，你不想生孩子就直说，这么欺骗一个老人家，你心里过意得去吗？"

陆宁本来心里挺内疚，毕竟是自己欺骗婆婆在先，见余秀珍一直不依不饶地在那里指桑骂槐，心里那点内疚迅速消散，取而代之的是委屈和怒气。从结婚后，看在丁浩的分上，不管余秀珍怎么挑刺，她都笑脸相迎，在自己家里，她何曾过得这么低眉顺眼过？陆宁越想越委屈，终于忍不住还击："您以为我不想直说啊？可是在这个家里谁敢跟您说实话？要是我们直说不想生孩子，您那脸比茅坑还臭，天天得看您的脸色，我们是撒谎了，为什么您不想想是谁逼得我们撒谎？"

余秀珍见儿媳妇做错了事情还一副理直气壮的样子，加上她在家里一向是说一不二的，现在这个小女子竟敢挑战她的威信，她像一头发怒的狮子，胸口剧烈地起伏着，丁浩担心地看着老妈, 怕她血压升高, 连忙对陆宁说: "宁宁, 你少说两句吧! "

陆宁见婆婆说了那么多丁浩没吭声, 自己才辩解了一句, 丁浩就忙不迭地要自己少说两句, 心里的委屈更加汹涌。不等她说什么, 余秀珍按着胸口说: "你叫她说, 今天就让她把所有的不满都说出来, 省得别人以为我这个做婆婆的多么专制霸道。刚才你说你们不敢直说不想生孩子, 今天我倒要听听我儿子是不是那么讨厌孩子, 丁浩, 你来说。"

丁浩见老妈点名, 又见陆宁眼泪汪汪地看着自己, 真觉得一个头有两个大, 这场孩子引起的战争, 无论是谁伤了心他都不忍心, 余秀珍怒喝一声: "说! "

丁浩见老妈真的动了怒, 只好嘟嘟囔囔地说: "妈, 我不讨厌孩子, 可是生孩子的事也得双方都情愿不是? "

余秀珍怒极反笑, 连连点头: "我就知道我儿子是不会逆我的意, 看来只是你不想生孩子而已, 你不想生孩子结什么婚? 生孩子是女人天经地义的事。"

丁浩见自己的话起了反作用, 暗暗着急, 陆宁见婆婆咄咄逼人, 也豁出去了: "你也是女人, 什么叫生孩子是女人天经地义的事? 女人也是人, 不是母猪, 更不是生育机器。丁浩, 你娶我就是为了生个孩子吗? "

丁浩见战火又烧到自己身上, 看着陆宁梨花带雨的模样, 不免心疼, 连忙安慰她说: "当然不是了, 我是因为爱你才娶你的。"

余秀珍把丁浩扯到一边, 对儿子下了最后通牒: "养只母鸡还会下蛋, 女人不肯生孩子要她何用? "

陆宁见婆婆把话说得如此难听，也爆发了，怒吼道："我就不生孩子，你能拿我怎样？我这辈子都不生孩子。"

余秀珍冷笑道："终于说出心里话了？你不生我是不能拿你怎么样，但是我们丁家不需要不会生孩子的儿媳妇，你有多远给我滚多远！"

陆宁失控地大叫："这个是我的家，要滚也是你滚。"

余秀珍此时显得相当冷静，一字一顿地说："这是你的家？买这房子的钱你出了吗？装修的钱你出了吗？你没看现在的婚姻法，谁买的房子属于谁，老婆谁都可以当，老妈只有一个。"

丁浩着急了，老妈这些话太伤人了，他焦急地看着陆宁："宁宁，我妈现在在气头上，你听过就算了，别往心里去。"

陆宁边哭边后退："我知道了，难怪我怎么做你妈都看我不顺眼，在她眼里，我就是个不劳而获的寄生虫。好，那你就给她找个自己买房，自己装修，生个孩子自己养的女人当儿媳妇吧！"

陆宁说完，转身往外面跑去，丁浩想追，被余秀珍拉住了："你让她去，你一追，她就得意了，先是欺骗老人家，现在又对婆婆出言不逊，这种女人惯不得。"

丁浩焦急地说："妈，这个主意真的不是宁宁出的，是我教唆她这么做的，她本来也不同意我这么做。你有气冲着我发就行，她是无辜的。"

余秀珍从鼻子里冷哼一声，如果不是她，儿子会欺骗自己？自己养的儿子自己清楚，今天自己要是不好好给她点颜色瞧瞧，下次还不知道她要干出什么瞒天过海的事呢！

丁浩看了看外面越来越暗的天色，想出去寻找，余秀珍冷声说:"这么晚了,她一个成年人不懂得照顾自己?我年纪这么大了,你要我大晚上的自己回去吗?"

丁浩不吭声了,只好先送老妈回家。余秀珍又拉着他说了很多,等他终于脱身的时候,已经晚上九点多了,丁浩连忙拿出手机拨打陆宁的号码,却被告知对方已经关机。丁浩在大街上漫无目的地开着车,心里火烧火燎。无计可施之下,只好先打电话去岳母那问问情况,所幸电话是陆增华接的,丁浩怕他们担心,推说是陆宁叫他打的,他想如果陆宁真的回了娘家,岳父一定会奇怪地询问自己。结果陆增华和平常一样,只是关心地问了问他们的情况。也就是说陆宁没有回娘家,那她去哪了呢?

陆宁哭着跑出家门,本想回娘家的,但是老妈肯定不会善罢甘休,以老妈的性格一定会闹得天翻地覆,所以她不敢回家。陆宁一边走一边哭,不时拿出手机看看,希望丁浩打电话找她,可是等啊等,手机就跟死了一样,毫无动静。陆宁越想越难过,觉得丁浩一点也不紧张她,这还是那个对自己信誓旦旦的人吗?

不知走了多久,陆宁觉得自己两条腿越来越沉,也许哭久了,脑袋也开始发胀,她朝四周看看,已经是完全不熟悉的地方了。春天的夜里还有些寒凉,她抱紧身体蹲在路边。

一辆车在她面前停了下来,陆宁惊喜地抬头:是丁浩来找她了吗?

眼前的人却不是丁浩,严守业看见陆宁满脸泪痕,无比狼狈的脸,非常惊讶,知道她肯定发生了什么事,转身从车里抽了几张纸巾塞到她手里。

陆宁瓮声瓮气地道了声谢，想站起身子，可能蹲久了，脚下一个趔趄，差点摔倒，严守业眼疾手快地扶住她。

严守业看着她憔悴狼狈的样子，心中难受，她受了什么委屈吗？还是她老公对她不好？

"你怎么晚上蹲在路边哭呢？发生什么事了？"

陆宁嘴巴一瘪，想到眼前的是公司同事，又忍住了，摇摇头说自己没事。

严守业急了："你都这样了，还说没事，你不相信我吗？"

陆宁连打了几个喷嚏，严守业见状，脱下外套披到她身上："有什么事说出来会好一点，外面还是有点冷，我们找个东西喝杯咖啡吧！"

陆宁默默地点了点头，两人来到一家咖啡馆，严守业要了个小包厢。

咖啡馆里播着一首伤感的老歌，勾引陆宁的伤心，不自觉眼睛又升起了雾气。严守业也不追问，只是默默地陪着她。

过了一会儿，陆宁的情绪慢慢平静下来，不好意思地把晚上的事大概说了一遍。

严守业听后，心里很复杂，他对陆宁没有忘情，只是把这份感情埋到了心中，现在她的家庭出现了问题，这难道不是自己最好的机会吗？可是这种念头很快被压制下去了，破坏别人家庭这种事，他还是做不出来。想到这里，他叹了口气："你就这样跑出来了，你老公肯定很担心你。"

不提这个还好，一说起这个，陆宁的委屈再次泛滥："本来我也以为他很紧张我，可是今天我才知道他妈远比我重要，明明是她冤枉我、侮辱我，他都任由她这样对我。"

　　严守业本不想为情敌说话,可是看到陆宁这么伤心,还是忍不住劝她:"他也为难,毕竟他妈年纪大了,气出个好歹来就后悔莫及了,你也别太为你婆婆的话伤心了,天下亲如母女的婆媳凤毛麟角,只要老公对自己好就行了。"

　　陆宁低着头不说话,心里的委屈慢慢在消散,开始同情丁浩了,俗话说老婆和老妈吵架,男人夹在中间最为难,毕竟晚上他还是向着自己,不断为自己说话,婆婆有高血压的事她也知道。

　　严守业见她听进去了,招来服务生结了账:"很晚了,我送你回去吧!"

　　陆宁点点头,跟着严守业上了车。

　　快到家的时候,陆宁开了手机,顿时无数个消息跳了进来,有关机时的电话提示,还有丁浩十几个短信,看到这些,陆宁的气也消得差不多了。

　　陆宁下了车,又敲敲车窗,严守业摇下车窗,陆宁真诚地说:"今天晚上谢谢你,没有让我变成流浪猫。"

　　严守业温和地笑笑,催她快回去。陆宁看着他的车子消失,才转身走进小区,冷不丁从旁边窜出一个人,吓了她一大跳,仔细一看,竟是丁浩。丁浩狐疑地朝严守业消失的方向看了看:"刚才送你过来的是谁啊?"

　　陆宁冷冰冰地说:"同事,我离开这么久,你不关心我怎么过的,就关心是谁送我回来的吗?"

　　丁浩知道现在不是追问这些的时候,陆宁还负着气,问多了只会惹她不高兴,连忙讨好她:"怎么会呢,我开着车绕着满杭州城一个多小时,打了你无数个电话,又想你可能自己回来了，一直在这里等你呢！"

为了表示自己说的都是事实，丁浩伸出手握住陆宁，让她感受到那种冰冷与心慌。

陆宁定定地看着他，两行清泪缓缓滑下脸庞，丁浩心疼至极，把她拥进怀里。

这天晚上，丁浩无限温柔，像伺候皇太后似地伺候着陆宁，他知道是自己的母亲冤枉了陆宁，可那是自己的亲妈，做儿子的还能让老妈给老婆道歉吗？唯有做儿子的把这一切承担了。

陆宁看着忙前忙后的丁浩，心疼老公的情绪占了上风，拍拍自己右边的床位，示意丁浩上床。

丁浩如获恩赐似的爬到床上，激动地问："你不生我的气了？"

陆宁长长叹了口气，没有说话，她想的是只要自己不肯生孩子，她和婆婆之间的矛盾是无法调和的，可是她更不想违心地去做这件事。孩子应该是爱情的结晶，怎么可以是讨好别人的产物呢？

丁浩看出了她的心思，握了握她的手："你放心吧！我妈那里我会想办法的。她年纪大了，有的话说得不中听，你别跟她计较，我不是愚孝，我只是不想让父母太难过。"

陆宁看见丁浩眼里是深深的沉痛，不禁动容了，把头依到他颈窝里，无声地摩挲着他。不知道哪本书上写过，事父母至孝的男人对老婆都会有情有义，可还有一本书上写过，太孝顺父母的男人会让老婆受尽委屈。陆宁不禁出了神，现在她开始明白，婚姻和恋爱真的很不一样。

十九　左边老婆，右边老妈

　　安抚完了老婆，就要去哄老妈，丁浩觉得自己简直就是个调解员。说句心里话，这次事件，陆宁的表现让他很欣慰，本来他以为需要花很多精力安抚她，没想到她这么体谅他，更令他感激的是陆宁没有惊动自己的父母，他无法想象要是岳母知道了，会不会引发家庭混战。可如何修补老妈和陆宁的关系让他头疼，他知道以陆宁的性格，如果好好地感动她，没准她就决定生孩子了，但是被这么一逼，就是打死她也不会答应，自己的老婆自己清楚，老妈不肯给自己时间，闹了这么一出，事情比原先还糟。

　　丁浩知道自己说什么余秀珍都觉得是偏袒陆宁，先给丁起松打了个电话，让老爸多劝劝她。丁起松听儿子说了经过，也觉得老伴过分了，挂上电话想了想，给陆宁去了个电话安慰她。陆宁接到公公电话，有些诧异，更多的是感动。虽然婆婆对自己挑三拣四，可是公公对自己不错，她也不想迁怒别人。

　　余秀珍这口气还没消，在厨房里叮叮当当地发泄着怒气，在这个家里，从来没人敢挑衅她，想不到竟被一个小丫头欺

186

骗，还敢对着自己说那是她的家，叫自己滚，反了天了。

丁起松为陆宁说话："宁宁这么说是不对，可是你也要想想之前你说了多少难听的话。俗话说兔子急了还咬人，你怎么能怪她呢？"

余秀珍见老伴和儿子都为陆宁说话，对她的不满更甚，她没错？难道错的都是自己吗？婆婆教训儿媳妇是天经地义的，儿媳妇对着婆婆吼那就是没礼貌、没家教。

丁起松叹了口气，问她到底想怎么样。余秀珍想了想说："要我原谅她也行，她必须给我登门道歉。"

丁起松把话传递给了儿子，丁浩打电话给余秀珍，试图做最后的努力，但余秀珍决绝地说："我没叫你跟她离婚就算对她不错了，没得讨价还价，她要不道歉也行，以后别进我的家门。"

"妈，这次真的不是她的错，主意是我出的，我给您道歉，怎么道歉都行。"

余秀珍却认定了丁浩只是抵罪，她才不相信儿子会骗自己，就算是，也肯定是陆宁教唆的。丁浩见老妈一副不能商量的样子，只好把希望寄托在陆宁身上。

还不等丁浩说完，陆宁就激动地大叫起来："我又没错，平白无故被她骂了一顿我已经不计较了，谁叫她是你妈呢！凭什么我还要给她道歉，我在自己家里从来没有受过这样的委屈。还有，我想什么时候生孩子是我的自由，她没权干涉，了不起以后不相往来就是了。"

不等丁浩再说什么，陆宁不高兴地按掉了电话。赵颖看着她激动的样子，戏谑地问："遇到婆媳问题了？"

陆宁把刚才的事复述了一遍,末了,生气地表示,这次自己绝不妥协。

赵颖挑挑眉道:"换个老公,你就什么烦恼都没有了。小严总不是对你有意思吗?考虑一下吧!"

陆宁啐了她一声,没好气地说:"一入豪门深似海,再说了换一个难道婆婆就一定好吗?丁浩平时对我还是很好的。"

赵颖了然地看了看她,就知道她是嘴硬心软,最后肯定妥协。

赵颖预料得没错,陆宁想了一上午,又看见丁浩的qq签名写着一筹莫展,她就心软了。快到下班的时候,她给他打电话,答应和他一起回家。

丁浩欣喜如狂,一下班就过来接她,陆宁说:"我都是为了你,但是只此一次,下不为例。"

丁浩连连点头,载着她回了父母家。

余秀珍见陆宁上门,眼底闪过一丝得意,这个家还是自己说了算,她冷冷地坐在沙发上,一言不发。

丁浩捏了捏陆宁的手,陆宁深呼吸几次,走到余秀珍面前说:"妈,这次是我不好,我年轻不懂事,您别跟我计较。"

余秀珍眼皮动了动,没有吭声,陆宁求助地回头看了看丁浩,丁浩赔笑地说:"妈,宁宁跟您道歉了,一家人哪那么多气呢!"

丁起松也在旁边帮腔:"老太婆,做长辈的别跟小辈计较。"

余秀珍这才点了点头:"算了。"

陆宁心里却老大不服气,趁余秀珍不注意,她在丁浩耳边说:"我必须告诉你,我道歉不代表我错了,只能说明我珍惜和你之间的感情。"

丁浩拼命点头，他哪敢说个不字，他心里也清楚，这次的事陆宁受了委屈了，为了他才这么忍气吞声的，所以他充满感激地说："我知道你都是为了我，我以后一定会对你更好的。"

陆宁撇了撇嘴，算是相信了，只要丁浩对自己好，自己的委屈也算值得，婆婆嘛，以后尽量少接触就是了。

吃饭的时候，余秀珍又提起孩子的事，丁浩一紧张，筷子掉到了地上，丁起松忙在余秀珍耳边说："现在提这个不合适，以后有机会再说。"

余秀珍看了看陆宁面无表情的脸，知道不能逼得太过，放过了这个话题。

一家人表面和乐地吃完了这顿饭，只是婆媳之间的裂痕已经造成了，并不是一时三刻可以消除的。

这天丁浩想着怎么弥补一下老妈和老婆的关系，沈曼敲门进来。丁浩见她脸色憔悴，作为领导，他觉得有必要关心下属。

沈曼叹了口气说："别提了，我家大闹天宫呢，我妈和我嫂子吵架了。"

丁浩并不八卦下属的家庭生活，可是沈曼主动说了原因，他也不好意思不问。

沈曼似乎找到了倾诉对象，一下子打开了话匣子："我妈想抱孙子，可我嫂子是一家公司的高管，她怕自己生孩子的话位置不保，所以不肯生。时间长了，两人的矛盾越来越大，

189

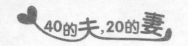

昨天狠狠地吵了一架，我劝到凌晨两点，脸色会好才怪。"

丁浩心中一动，这简直就是自己家的翻版嘛，可他又不愿意把自己家的事告诉下属，只好装做漫不经心地问："那你怎么看？"

沈曼不以为然地说："要我说啊，我妈和我嫂子都不对，现在都什么年代了，还传宗接代？你想想看，我们这代人有多少陪在自己父母身边伺候父母的？就算在本地工作，还不是要父母照顾我们？何况是我们的下代，除非自己很喜欢孩子，否则还真没这个必要。"

丁浩继续问："那这么说你嫂子应该有理啊，怎么你说她也不对？"

"哦，我是说她如果不想生孩子那就要找个很开明的婆婆，找我妈这么保守的又不想生孩子，那不是制造家庭矛盾嘛！"

这真是应了一句清官难断家务事，丁浩想起自己家的问题，真是心有戚戚焉："沈曼，你是女人，你也不想生孩子吗？"

沈曼认真地想了想："其实女人是种感性动物，喜欢孩子是天性，如果一个女人很爱一个男人，她一定会希望早日和这个男人有个属于他们的孩子，如果她不想要孩子的话，可能是她不够爱这个男人，也可能是她对这个男人没有信心。"

沈曼的话重重地敲击在丁浩心里，陆宁一直不愿意要孩子，也是这个原因吗？她不够爱自己还是对自己没有信心？丁浩觉得心里堵得慌，本来他从未对陆宁不要孩子这件事深思过，可是沈曼的话提醒了他。

沈曼见领导脸色不好，聪明地退了出来。

丁浩拿出手机想拨陆宁的电话，却不知道怎么谈这个话题，只好颓然地放下手机，可是这个疑问在他心里生了根，时不时地冒出来折磨着他。

不过丁浩没有被困扰很久，他的精力很快被公司的人事变动占据。据说市场副总要离职，丁浩没其他想法，只希望新来的副总不要太独断专行就好。

可是艾伦却一反常态，变得非常积极，频频出入丁浩的办公室，鼓励丁浩要争取市场副总这个位置。

丁浩见她这么热心，也不想太打击她，可是他清楚自己的分量。公司几位副总要么是别的大企业挖来的，要么在公司干了十几年被提升的，自己哪种情况都不是，当副总的概率太小了，所谓期望越大，失望越大，还是干好自己分内的事吧！

相比丁浩的淡然，赵德伟就显得积极多了，每到下班不是约同级别的总监联络感情，就是请一些同事吃饭唱歌，本来他担心丁浩跟自己争这个位置，现在看丁浩没有任何动作，他就放心了，所以他邀请的人里也包括丁浩。赵德伟觉得一定要在公司外调之前取得最大的筹码，错过了这次机会，还不知道这辈子有没有机会呢！他相信在自己的努力下，公司会考虑是否从内部提升。

艾伦见丁浩这副事不关己的样子，非常生气，论能力丁浩远在赵德伟之上，公司要提拔也得提拔丁浩。

丁浩笑着打趣艾伦：“以前你不是最讨厌争来争去，老说我们爱勾心斗角吗？这次我这么淡然，你又有意见，幸亏你不是老板，要不然做你下属就可怜了。”

艾伦一时语塞，想了想不服气地说：“积极争取和勾心斗

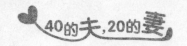

角是不一样的，你又没去陷害人家，怎么能说勾心斗角呢！反正我觉得你最有资格做市场副总了。"

丁浩真诚地说："谢谢你这么看得起我，但是我不想去筹谋这些，到时候成了还好，万一不成岂不是大家眼里的跳梁小丑？"丁浩说完就后悔了，艾伦心直口快，万一把这话传开，赵德伟以为在讽刺他就不好了。赵德伟的性格他知道，属于睚眦必报型的，万一真的当上了市场副总，非整得自己待不下去不可。

艾伦不理他，风一般地出去了。丁浩心想，艾伦不会是去找董事长吧？他相信董事长能创下这个公司，应该不会任由自己的女人胡来的。

可是让丁浩没想到的是，在公司各部门负责人的会议上，董事长竟然亲口任命他为新任市场副总，丁浩当场愣在会场，直到会议结束还不敢相信这个事实。赵德伟轻蔑地看了他一眼："开心得傻了吧？"

丁浩知道他筹谋了很久，最后却镜花水月，难免心理失衡，并不怪他："我没想到董事长会有这个决定。"

赵德伟高深莫测地笑了起来："没什么不能理解的，英雄难过美人关，当初要是董事长把人安排到我部门，那情况就不同了。不过，也不一定，你知道我这个人不太擅长搞定女人。做兄弟的提醒你一句，两虎相争，必有一伤，董事长怎么会允许自己的女人向着别的男人呢？你好自为之吧！"

赵德伟说完，拍拍丁浩的肩膀就走出会议室，嘴边不自觉地冷哼一声。丁浩咀摸着他的话，心事重重地回到了办公室。

丁浩刚进办公室，艾伦就跟了进来，对着他嫣然一笑："恭喜恭喜，丁总，以后请多多关照！"

丁浩苦笑一声，难道真的像赵德伟说的，是艾伦在背后帮了自己？否则她的消息怎么这么灵通？丁浩并没有掩饰这个疑问，他希望艾伦给他一个真实的答案，否则这个位置他觉得坐如针毡。

艾伦骨碌碌地转着眼珠子，似笑非笑地看着丁浩，丁浩被她这种眼神弄得很不自在，艾伦不再卖关子："你怎么那么不自信啊？我知道大家都在背后说我是董事长的情人，觉得你升职跟我有关系，但是你想想，如果你是男人，你的女人要你破格升另一个男人，你干不干？除非这个男人是个傻子，我说你就别东想西想的，好好干好你的副总吧！"

丁浩觉得艾伦说得有道理，这么做确实不符合逻辑，那么唯一的解释就是董事长特别赏识自己。想到这里，他有种被人欣赏的愉悦，连这段时间家事的烦恼都消散不少。

丁浩故意拿出副总的威严，"虽然我知道你很拥护我，但是也不能有特权。"

艾伦笑了，笑得很纯真，丁浩愣了一下，在他眼里，艾伦一直都是带刺的玫瑰，很少会笑得如此温和。对于丁浩的反应，艾伦很满意，冲他抛了个媚眼，像阵风似的飘了出去。

丁浩笑着摇摇头，这个女孩确实多变，难怪董事长喜欢她，也许上了年纪的男人都会不自觉地被年轻的女孩子吸引，其实未必就是贪图对方的年轻貌美，而是向往那种朝气。

丁浩迫不及待地回家把这个好消息告诉陆宁。知道自己老公升职了，陆宁也很开心，她想了想，决定晚上带着丁浩

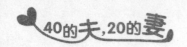

回娘家吃饭。

罗淑芬正在家里埋怨女儿没良心，嫁人后回娘家次数太少，难道自己亏待她了吗？正想指挥老公给女儿去个电话，想不到陆宁的电话就来了，叫她晚上多准备点菜，还神神秘秘地说有好消息要宣布。

罗淑芬一边喜滋滋地盘算着给女儿做点什么，一边跟老公抱怨："你说养孩子有什么用，半天想不起来你，想起你了就是折腾你。"

陆增华笑着揭穿老婆："我看你脚步都轻飘飘了，不知道多愿意被折腾呢，我劝你还是少说几句，宁宁现在回来得少，估计就是害怕你唠叨。"

罗淑分被老公一吓，真的不敢再唠叨了，心里却老大不服气。

夜幕刚刚降临的时候，陆宁亲亲热热地挽着丁浩回来了。罗淑芬想起老公的话，不敢埋怨女儿，把女儿爱吃的菜一道道做好端上来。陆宁看着满桌都是自己喜欢的菜和老妈疼惜的眼神，想到前段时间受的委屈，觉得还是亲妈好，跟着罗淑芬在厨房里进进出出。

罗淑芬一边炒菜一边问："你有什么好消息要告诉我啊？"

陆宁悄悄地看了看在客厅陪老爸聊天的丁浩，骄傲地告诉罗淑芬丁浩已经升为副总了。

见女婿升职，罗淑芬也很高兴，但是她生性挑剔惯了，习惯性地说："不就是一个副总吗？瞧把你们俩乐的，你要是听了我的安排，你现在就是总裁夫人了。"

陆宁不乐意了，老妈什么都好，就是说话呛人，典型的

194

刀子嘴。罗淑芬见女儿不高兴了，认命地说："行，行，行，是你妈我扫兴，丁浩前途无量、飞黄腾达。"

陆宁没好气地斜了老妈一眼。

罗淑芬又问起女儿这段时间婆婆对她是不是还跟以前一样好。陆宁脸色一僵，不敢说实话，只好敷衍地说还是差不多。罗淑芬见女儿闪烁的神情，不禁起了疑心。

丁浩在岳母家庆祝完，艾伦就嚷嚷着要好好给他庆祝一下。丁浩觉得自己升职应该请部门里的所有同事吃顿饭，就让沈曼和艾伦去安排。等艾伦出去后，沈曼不情愿地说："老大，你怎么把我和她弄在一起啊？"

丁浩知道部门里的人都排斥艾伦，他也是有意创造机会让艾伦融入这个集体："大家都在一个部门工作，又没什么重大冲突……"

沈曼不高兴地说："讨厌一个人有时候就是一种直觉，哪需要什么重大冲突嘛！老大，不管你高兴不高兴，有句话我还是要跟你说，你升为副总不容易，现在又在风口浪尖上，最好跟艾伦保持点距离，毕竟她是那种身份。"

沈曼出去了，丁浩陷入了沉思。平心而论，他不讨厌艾伦，甚至有点同情她，别看她天天张牙舞爪的，但是没人跟她做朋友，内心的孤独可想而知，难得她对自己愿意服从，他也不想让她太孤立无援。可是沈曼说得有道理，如果自己和艾伦走得近了，别人会以为自己这个副总的位置是靠裙带关系坐上去的，更严重一点，董事长要是知道自己喜欢的女人和下属走得太近，他会待见自己吗？权衡再三，丁浩决定跟艾伦保持距离，甚至要比对待其他下属更疏远一点。

　　晚上吃饭的时候，丁浩故意把沈曼和陈水晶安排到自己身边，艾伦几次要接近他，都被他不着痕迹地避开了。到包厢唱歌的时候，丁浩又故技重施，沈曼敏感，立刻看出了丁浩的用意，笑着说："老大，你在避开她？"

　　丁浩不自在地笑了笑，没否认也没承认，过了一会儿，又自言自语地说："这么做好像过分了点。"

　　沈曼见丁浩犹豫，叹了口气说："老大，这有什么过分的？你这么做是为了自己好，也是为了她好啊！我是觉得这个艾伦对谁都是一副不可一世的样子，可是对你却很另眼相看，如果你对她没意思，当然要及时避开了。"

　　丁浩见沈曼说得如此直白，尴尬地笑笑。沈曼心想，自己都说得这么含蓄了，老大有什么可尴尬的，虽然艾伦是董事长的情人，可是董事长年纪那么大了，艾伦怎么可能真的喜欢董事长，还不是为了钱？女人有了钱之后，一定还会追求感情，很多老男人的情妇都在外面养小白脸。老大是个不错的上司，这几年来对部门里的人关照提携，她可不希望他陷到这种风波里去，到时候没吃鱼都惹得一身腥。再说了，她实在看艾伦不顺眼，仗着有几分姿色，就不劳而获。

　　艾伦并不傻，揪准一个机会坐到丁浩旁边兴师问罪："你故意不理我？"

　　丁浩当然不会承认，掩饰道："今天是部门活动，那么多人我都要照顾到，你也可以多和其他人玩玩。"

　　艾伦半信半疑地看着他，高傲地说："我跟其他人玩不来，我就喜欢和你玩，你跟我出来。"

　　丁浩想也不想地拒绝，艾伦见丁浩拒绝，似笑非笑地看了他一眼，使出杀手锏："你要是不跟我出来，我就说你借酒占我便宜。"

丁浩目瞪口呆地看着她，艾伦毫不畏惧地和他对视，丁浩叹了口气，以他对艾伦的了解，她真的什么事都做得出来，只好一前一后跟着艾伦走到外面。

到了外面，夜风一吹，身上有了凉意，身边偶尔有人经过，好奇地看看他们，丁浩浑身别扭，压抑着情绪问："你到底想干什么？"

艾伦笑得很无辜，有些挑衅地看着丁浩："我不想干什么，但是我不喜欢你对我冷淡，你应该看得出来我喜欢你。"

丁浩听了这话，忍不住背后冒冷汗，差点脱口而出："我怎么敢碰董事长的人。"想到这句话会刺伤艾伦，话到嘴边，他还是咽了回去，心里的念头却更坚定了：沈曼说得一点都没错，艾伦是个定时炸弹，何况自己已经是有老婆的人了，可不想节外生枝。

他耐着性子说："你知道我已经结婚了，而且和我太太感情很好，你应该去寻找你自己的幸福。"丁浩说得很委婉，他希望艾伦能够明白，毕竟做情人不是长久之计，他希望艾伦能够找到一个完全属于她的男人。

艾伦定定地看着丁浩，目光前所未有地温柔："你知道我为什么会喜欢你吗？因为你是第一个真心关心我的人，别人都在我背后说三道四，可是你没有，而且你还希望我幸福，你是个好人。"

丁浩想告诉她这个世界上好男人很多，并不是只有他一个，何况他已经是有妇之夫。艾伦却不给他机会："我知道你

197

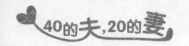

已经结婚，但是结婚能代表什么？结婚还可以离婚呢！我一定会感动你，让你心甘情愿地和我在一起。"

丁浩泄气了，他怀疑自己是不是老了，怎么这些年轻女孩子的思想自己完全不懂了呢？陆宁不想生孩子，艾伦丝毫不以当小三为耻，知道自己已婚还扬言要不顾一切追求自己。他试图做最后的劝说："我很爱我太太，你别把精力浪费在我身上，何况破坏别人家庭是不道德的。"

艾伦根本不理会他，坚定地说："偷偷破坏是不道德，我这是正大光明追求我的幸福，接不接受在你，反正我是不会放弃的。"

丁浩一个头有两个大，这个女人到底是前卫还是精神有问题，哪有人大言不惭地对一个已婚男人说自己要追求他？丁浩无计可施，只好拿董事长来说事："艾伦，你这么做不怕董事长生气吗？"

艾伦满不在乎地说："我才不管他，只要他知道我是真心喜欢你，他肯定会答应的。"

这都什么跟什么啊？正当丁浩不知道怎么办的时候，沈曼出来找他，见他跟艾伦单独聊天，不高兴地说："老大，你点的歌到了，到处找你呢！"

丁浩感激地看了她一眼，跟着沈曼进了包厢。艾伦看着丁浩消失的背影，露出自信的微笑，她相信丁浩抵抗不了多久，不是有句话说，女追男隔层纱吗？

丁浩并没有把艾伦的追求当回事，他觉得艾伦敢作敢为，只是一时兴起，只要自己不做回应，过不了多久，她就会对自己失去兴趣。

然而这次丁浩算错了，艾伦这个女孩子的主动超出了他的想象。每到下班，丁浩刚刚关上办公室的门，艾伦就如同鬼魅般地出现，笑得一脸得意："丁总，我的车坏了，你载我一程吧！"

　　只要丁浩拒绝，艾伦就会有无数个杀手锏等着他，丁浩担心影响不好，往往妥协。这样过了一个月后，丁浩心力交瘁，决定约艾伦好好地谈　谈，必须把她的念头打消才行，否则继续下去，他不知道还会发生什么更严重的后果。

　　艾伦见丁浩约她，立刻答应，露出了得意的笑容，这只是第一步，过不了多久，这个男人一定会成为自己的囊中之物。

　　丁浩选了个自助式餐厅，以显示自己对艾伦没有意思。

　　艾伦打扮一新出现在丁浩面前，丁浩一改以往的绅士风度，表现得非常自我。艾伦含笑看了他一会儿，挑衅地说："喂，我们是一个公司的，我还不了解你啊？何必装得这么辛苦呢？"

　　丁浩见这么容易就被艾伦识穿，不得不败下阵来，苦口婆心地劝道："艾伦，你这个年纪应该找个单身的男人谈正常的恋爱，我这个人没有你想象的那么好。只要你肯用心看看其他人，你就会发现周围有很多好男人。"

　　艾伦喝了一口橙汁，固执地说："我当然知道这世界有很多好男人，可是未必好男人我就喜欢，情有独钟你听说过没有？你好不好不要紧，只要我觉得你好就行了。"

　　丁浩只好再次重申："可是我已经有太太了，这个才是重点。"

　　艾伦满不在乎地说："有太太又怎么样，我有追求爱情的

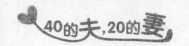

自由，要是结婚就是终点，那么高的离婚率又说明什么？"

丁浩哑口无言，艾伦的论调似是而非，可是从某一方面讲也有道理，更是目前普遍存在的社会现实，丁浩后悔约她出来谈。艾伦的口齿伶俐和内心强大根本不是他招架得住的，要是再说下去，他就要彻底败给她了。

艾伦见丁浩不说话，得意洋洋地看着他。想要说服她？门儿都没有，她认定的事没人能改变。

丁浩快速地吃完饭，打算埋单走人，他有种预感，要是再和这个艾伦纠缠下去，一定会有惊天动地的事情发生！碰见这种天不怕、地不怕的女孩真是倒霉。虽然陆宁也是九零后，好歹正常很多。

陆宁见丁浩回到家就眉头深锁，跟他说话也有一搭没一搭的，关心地问他怎么了。她搞不懂，怎么自从丁浩升为副总之后就老是愁眉不展的，晋升不是应该高兴吗？不等丁浩回答，她又恍然大悟地说："我知道了，肯定升职后要管的事情太多了，压力更大了，所以你才心事重重对不对？"

丁浩哪敢告诉她是因为艾伦的纠缠让他心烦，见陆宁自己替他想好了理由，也懒得再找借口，点了点头。

陆宁搂着丁浩的脖子撒娇："早知道这样，还不如不升职呢！"

丁浩故意说："老公步步高升不是每个老婆的心愿吗？"

陆宁想了想说："是啊！我希望你事业有成，但是你若不开心，我宁可你还像以前一样。"

丁浩苦笑了声，把她搂到怀里，第一次正面表达自己的心愿："宝贝，我的事业又上了一个台阶，家里什么都不缺了，我觉得我们是时候要个孩子了。"

陆宁惊讶地抬起头来，看见丁浩一脸的认真，她有些不高兴地说："这个问题我们之前不是已经商量好了吗？再过两年我们才要孩子。"

丁浩深呼吸了几口气，免得这几天的心烦情绪影响了聊天气氛："是，我们之前是这么说的，可是今年我已经三十七岁了，你要理解一个奔四男人想做爸爸的心情啊！"

陆宁撅着嘴说："可是我满打满算也就二十三啊，你也要理解一个二十出头，根本没有作好生孩子准备的年轻女人嘛！"

丁浩依然试图说服她："宝贝，难道你不好奇我们的孩子长什么样吗？我跟你保证，只要我们有了孩子，你一定会爱上那个小东西的。因为我们不想生孩子，搞得我妈一直都有心病，有了孩子这一切都不存在了，你不觉得这样很好吗？"

陆宁立刻从丁浩怀里坐了起来，表情严肃："丁浩，上次我去跟你妈道歉是为了你，还有就是她年纪大了，我不想她气出个好歹，我道歉不代表我就认为她什么都是对的。我老实告诉你，我对她的做法其实很反感，生不生孩子是我们的自由，她可以表达她的意愿，但是不能逼我。我想起她那次骂我，我还觉得有气呢！我长这么大，从来没有受过这样的委屈。"陆宁越说越气，眼里升起雾气。

丁浩见她这么激动，连忙安慰她："好了好了，这个事我们以后再说，好端端的你又提这事干吗啊！"

陆宁赌气地把头转向一边。丁浩看着她的样子，心里突然想起了沈曼的那番话。

二十　初现裂痕

　　第二天一大早，陆宁没让丁浩送自己上班，虽然丁浩及时停止了生孩子的话题，但是她觉得在这个问题上，丁浩完全是站在婆婆那边的。自从上次和婆婆吵架之后，又被迫低头道歉，她心里就憋着一股子气，这股气让她根本不想如婆婆的愿。所以这几个星期，每次丁浩提议回去吃饭，她总以各种理由推脱，不是说身体不舒服就说和别人有约。

　　很快又到了周末，丁浩打电话提醒她已经两个星期没回去吃饭了。陆宁没来由地一阵烦躁，她实在不想去看婆婆的脸色，更加不想陪着丁浩去演戏。明明心里已经有了嫌隙，还非得装得亲亲热热，这对陆宁来说是种折磨，她可以为了爱委屈自己一时，可是她不想因为爱失去了个性。

　　想了想她决定打电话给田佳和天佩，想拿她们来做挡箭牌，哪知道田佳本来答应得好好的，一听是三人聚会，立刻找借口推辞了。陆宁知道她还在介意之前借钱买房的事，她忍不住想：是否裂痕一旦造成就很难弥补呢？死党之间都可以因为一点事就疏离，何况是婆媳？打电话给天佩，她的声音无比疲倦，问她怎么了又不肯说。陆宁颓然地放下手机，看来除非自己游荡街头，否则就得跟着丁浩回婆婆家吃饭。

陆宁心事重重地抱着一叠文件去总裁办，因为想事情太出神，不小心就和一个人撞在一起，文件撒了一地。陆宁立刻蹲下来捡着，一边道歉："对不起，我走神了。"

"想什么这么专注呢？"陆宁闻声抬起头来，发现自己撞的人是严守业。

严守业蹲下来帮她捡文件，一边仔细看了看她："你有心事？上次送你回去后一直也没问你，怎么样？现在好了吧！"

陆宁叹了口气，委屈之情溢于言表，想到上次是严守业开导自己，心里已经把他当成朋友，忍不住把自己的郁闷告诉了他。

严守业听后，凝神想了想说："如果你真的不想见你婆婆，我倒有个办法，明天我要面试一个人，我秘书有事不能加班，你来当我的助理，算三薪。"

陆宁扑哧一声笑了："你帮我这么多，我回报一下也是应该的，可是你一上来就告诉我三薪，我在你眼里就是个这么贪财的员工啊！"

严守业也笑了，两人约定明天早上九点半面试。陆宁见问题解决，走路都轻快起来。严守业看着她离去的背影，不知道这样帮她是对还是错。

晚上丁浩再次提出回父母家吃饭的时候，陆宁告诉他明天得在公司加班，丁浩狐疑地说："上午还没听你提起，怎么突然要加班？"

陆宁撒娇道："领导临时通知，我有什么办法，明天你自己去吧！"

二十　初现裂痕

203

丁浩无奈，只得答应，他心里清楚，以陆宁的岗位而言，如果不想加班，完全可以找理由拒绝，她是为了避免和自己的老妈接触。一想到这点，丁浩就觉得心里像压了块石头似的，怎么样才能使自己生命里最重要的两个女人和谐相处呢？

第二天，丁浩独自回去吃饭，余秀珍见他一个人而来，脸色就沉了下来，倒不是她多希望看见陆宁，只是她不喜欢自己的威信被陆宁挑衅。

"你老婆呢？她怎么不来？"

丁浩赔笑道："妈，宁宁公司有事要加班，来不了。"

余秀珍冷哼一声，加班？她以为自己是领导啊，动不动就加班，公司少了她又不会倒闭，这是跟自己叫板呢！

丁浩看见老妈脸色越发阴沉，只好努力地哄着她，看着陆宁惯坐的位置空着，心里没来由地一阵发堵，这样下去老妈和老婆的关系只会越来越糟，自己夹在中间也难受无比。怎么样能使她们和好如初呢？丁浩苦笑一声，如初？以前也没见她们多亲密过，以后就更得如履薄冰了，想起恋爱时的甜蜜，真不如谈一辈子恋爱呢！

吃过饭，丁浩想帮余秀珍洗碗，余秀珍却不领情，把他赶出了厨房，虽然余秀珍很疼爱儿子，可是她心里有气，她总觉得是儿子太没魄力，惯坏了媳妇，要是他一开始就听自己的，给老婆立好了规矩，怎么还会有这些事？所以看见儿子试图讨好自己的样子，她就更来气。

丁浩在客厅里看了会儿电视，觉得百无聊赖，心里又牵挂着陆宁，跟余秀珍打了声招呼就出门了。余秀珍追到门口，早就不见了儿子的踪影，郁闷地转回厨房。

丁浩开着车子突然想去看看陆宁，老婆加班那么辛苦，老公应该去慰问一下。这么一想，丁浩调转车头，去陆宁最爱去的那家店里买了她最喜欢吃的糖炒栗子，又买了她爱吃的草莓蛋糕，想给她一个惊喜。

到了陆宁上班的公司，丁浩把车停稳，想给她拨个电话，却见陆宁正从一辆卡宴上下来。丁浩浑身的血液都凝固了，那个男人他认识，就是上次送陆宁钻石耳环的男人，最让丁浩难以接受的是陆宁手上拎着一个购物袋。这个袋子说明陆宁所谓的加班只是托词，她竟然在逛街。

陆宁也看见丁浩了，脸色微微变了变，这个细微的变化没有逃过丁浩的眼睛。陆宁尴尬地笑笑："你怎么来了？"

丁浩看了看严守业，压下满腔愤怒和疑问面无表情地说："我怕你加班辛苦，特地来给你送吃的。"丁浩故意把加班两字咬得很重，他想看看陆宁的反应。

果然，陆宁有些心虚，她看到丁浩手里的糖炒栗子和蛋糕，夸张地说："好久没吃到了，老公，你对我真好！"

丁浩没有像以前一样宠溺地揉揉她的头。

严守业感觉到了他们夫妻之间诡异的气氛，识趣地说："上午工作忙完了，你们聊吧！"

严守业刚走，丁浩勉强维持的平静就土崩瓦解了："我以为你真的要加班，还在我妈那里百般替你隐瞒，想不到你为了不陪我去吃饭，不但撒谎，还和别的男人出去逛街。"

陆宁从来没有看见丁浩这么严峻的神情，从他们认识以来，丁浩一直都是温柔体贴，从来不曾这么疾言厉色地跟她说过话，她不禁有些伤心，委屈地解释道："我是不想陪你去

二十 初现裂痕

吃饭,但是我没撒谎,上午有人面试,面试完了守业就说请我吃饭,同事之间吃个饭有什么了不起的,我没跟他去逛街,只是路过时买的。"

丁浩的怒气却无法平息:"既然你只需要加一会儿班,明明有时间陪我回去吃饭,为什么要推辞,我知道你不待见我妈,可是那毕竟是你婆婆,难道你打算一辈子不见吗?"

陆宁也爆发了:"到底是我不待见你妈,还是她不待见我啊?你知不知道我处处讨好她很累的?还要我委曲求全地去认错,就因为她是长辈就什么都对吗?我受够了!"

丁浩定定地看着她,一字一顿地问:"你说受够了,你不想再过这样的日子了,是吗?"

陆宁鼻子一酸,眼泪滴滴答答地滚落下来:"从我们相爱那天开始,我就希望和你甜甜蜜蜜地过日子,可是结婚后我才发现,想怎么恋爱我们两个自己就可以做主。可是婚姻生活完全不是,谁都可以来干涉我们的日子,而且我还不得反抗,必须隐忍,否则就是不孝,就是制造家庭矛盾。这些我都忍了,因为我不想跟你分开,也不想让你太为难,可是我的承受能力是有限的,我累了就想逃避。可是最让我难受的是你也不相信我,不站在我的立场上替我想想,我只有二十三岁啊,本该天真烂漫地笑,为什么要我去承担这么多压力?"

陆宁说完,把手中的购物袋往丁浩怀里一推,转身拦了一辆出租车,丁浩想去追,脚步却凝滞了。陆宁的话让他震惊,她过得真的有这么委屈吗?

丁浩打开手中的购物袋,里面是一件男式衬衫,自己惯

206

常穿的大小和牌子。心里重重一抽，陆宁的好开始在眼前逐渐放大，婚后的点点滴滴涌过心头，他想起了结婚时的誓言：彼此要不离不弃地相伴到老，让对方幸福、快乐。为什么结婚后却会变成这样呢？是自己错了还是婚姻本就如此？

正当丁浩发呆的时候，严守业过来取车，看见丁浩一个人站着，本想开了车就走，犹豫了一番还是走到他面前："我是喜欢陆宁，但是她已经结婚，我对她没有非分之想，她很爱你，只是最近为婆媳关系苦恼着！"

丁浩不置可否地看着他，他知道严守业这么做是希望自己和陆宁冰释前嫌，是一番好意。可是男人的自尊让他觉得这是一种失败，自己的老婆在烦恼什么却要别人来告诉，所以他淡淡地说："谢谢你，我知道该怎么处理。"

严守业还想说什么，嘴巴动了动，却把话咽了回去，也许自己不应该操心那么多。

丁浩开车回到家里，他以为陆宁哭着跑了，也许是先回家了。可是到了家里，冷冷清清，一点都没有陆宁回来过的痕迹，丁浩不死心，又去卫生间和阳台看了看，也是没有发现她的踪影。丁浩心想，这次她可能真的伤心了，自己也满腹烦恼无处发泄。他重重地叹了口气，拨陆宁的手机，却被提示已经关机。

丁浩试图给她发消息，却一直没有回音，天色渐渐暗了下来，她会去哪呢？最后，丁浩坐不住了，拿起车钥匙直奔岳母家。如果陆宁真的回了娘家，岳母肯定会为难自己，可是丁浩顾不得了。

是罗淑芬开的门，看见丁浩就冷冷地哼了一声，虽然岳

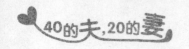

母脸色不太好看，丁浩一颗心却突然有了落地的感觉，岳母无缘无故给自己脸色看，那就说明陆宁回家了。

果然，罗淑芬没好气地质问他："我把女儿嫁给你是让你好好照顾她的，不是给她气受，我自己养的女儿我自己清楚，她是那种一根筋的人，否则当初也不会要死要活地非要嫁给你，你却还怀疑她？男女同事吃个饭有什么了不起的？"

丁浩本来已经作好被岳母修理的准备，他以为陆宁回家肯定已经把所有事情都向她妈妈摊开了，可是听岳母的语气，她似乎还不知道。丁浩小心翼翼地问："妈，宁宁是这样说的？"

罗淑芬却误会了他的意思，以为丁浩暗指陆宁说话不实，立刻声援女儿："宁宁不会撒谎的，你还有什么话说？"

丁浩连连告饶："妈，我不是这个意思，是我不好惹宁宁生气了，我现在过来就是跟她道歉赔礼的。"

罗淑芬听女婿连连认错，并且态度虔诚，心里的气顺了不少，下午看女儿红着眼睛跑了回来，可把她吓死了，以为出了什么大事，在自己百般追问下，女儿才说丁浩看见她和男同事吃饭逛街不高兴了。她觉得女儿这事做得不妥，可是当着丁浩的面，她可不会数落自己的女儿，长他人志气。

"她在房里，你去找他吧！"

陆增华惊讶地看着她，笑着打趣道："今天怎么这么好说话啊？"

罗淑芬撇撇嘴道："他气宁宁是不对，但是如果他看见宁宁和其他男人吃饭逛街还无动于衷，这还是男人吗？他吃醋也说明在乎我们宁宁，那我小小地告诫他一下也就是了。"

陆增华笑着冲老婆竖了竖大拇指。

丁浩进来的时候，陆宁歪在床头看书，在房间里她就知道丁浩过来了，本来她想把房门锁起来，不让他进来，可终究还是狠不下心来。

丁浩温柔地坐在床头看着她，目光缱绻，陆宁故意当做没看见，她怕自己一见就立刻随他回去了。丁浩不说话，坐过去把她揽进怀里，温柔地摸了摸她的头，陆宁鼻子一酸，眼里就开始发潮。

"跟我回去吧！"丁浩轻轻地说。

陆宁叹了口气，慢慢地推开了他，丁浩又说："今天是我不好，不该随便跟你发脾气。可是一边是我妈不断地给我压力，一边是你一直不肯配合，我真的是两头为难，心力交瘁。"

本来陆宁已经软化，可是听到丁浩那句不肯配合，所有的委屈又涌上心头，她只想按照自己的意愿生活，只想自己可以决定自己的人生，怎么就那么难呢？如果结婚就意味着很多人可以名正言顺地干涉自己的生活，强迫自己的意愿，她宁愿谈一辈子恋爱。

"丁浩，以前我一直觉得我们两个是最和谐的恋人，我一点也没有觉得我们有年纪上的代沟，可是我现在发现是我想得太简单了，也许我们的喜好很相近，我们的爱也很深，可是我们的观念却有着很大的区别。可能你比我孝顺，比我顾及长辈的感受，你希望他们开心。可是我跟你不一样，父母是父母，他们有他们的人生要过，无法为我们负责一辈子，我们也有我们的人生要过，相互都是独立的，如果一辈子都要按照别人的意愿生活，你不觉得这样的人生很可悲吗？"

二十 初现裂痕

209

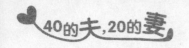

丁浩长长地叹了口气，陆宁的意思他明白，也许现在的年轻人都比较自我，从某一方面讲，也未必不是好事。像自己这一代，都是为了老人和孩子活着，很多人甚至连自我是什么都没有搞明白。他不知道是社会给了他们很多压力和责任，还是自己就是受这种教育长大的。父母那一辈，夫妻再不合适，也极少会有人选择离婚，一辈子也就这么过来了。可现在的小夫妻，可以为了谁先用卫生间而吵得离婚。他认为人不能独立生存在这个社会上，要考虑的东西很多。可是陆宁认为首先要自己开心了才去考虑其他东西，也许这个观念就是他们最大的分歧吧！

"宝贝，我们不要谈这些沉重的话题，你一直以为我是为了我妈才要你生孩子，其实我自己也渴望当爸爸。我真的很想拥有一个我们俩的孩子。"

陆宁默默地低下了头，她何尝不知道丁浩想要孩子，也许这又是他们之间思想的不同吧！丁浩和他父母总觉得家里有了孩子才是一个完整的家，可是她却认为孩子只能是双方都想要了的爱情结晶，而不是为了维持表面上的圆满就得生一个孩子出来。

"我们一直都在为这个孩子吵架，这段时间的矛盾几乎都是因为这个，我们都好好想一想吧！你想想你是不是现在非要这个孩子不可，我也想想我是否愿意提早要这个孩子，否则我们会一直没完没了地闹矛盾，最终走向分手……"

丁浩阻止了她继续说下去，几乎不用想，他就知道她远远比孩子重要，不要说分手的事实摆在他面前，光是想一想他就觉得难以承受失去她之痛。

"宝贝，孩子和你之间如果一定要选择的话，我要你！"

陆宁欣慰，却依然坚定地推开了丁浩："我们真的要想想清楚，今天你自己回家吧！我睡我妈这里。"

丁浩不愿意，自从他们结婚后，除了出差，从来没有这样分离过，甚至他有种不好的预感，如果这次他们分开了，似乎预示着他们真的会分离。陆宁却非常坚决，没有商量的余地，丁浩虽然很希望她跟自己回去，可是哄了她几次也就作罢了。他可以疼她宠她，但是作为男人，骨子里还是有大男子主义情结的，过分去求老婆这种事他做不出来。

陆宁看着丁浩离去，立刻奔到窗前，看着熟悉的车子开走，还舍不得转身。天气已经渐渐热了起来，晚上却还有一丝凉意，回想去年这时候，她和丁浩分头做着双方父母的工作，只为了可以顺利在一起。时间过得真快，转眼已经一年了，婚后的日子却和原先预期的有着天壤之别。她认为，只要相爱什么事都可以解决，可是她没想到其他的事情多了，终究还是影响到他们之间的感情了。陆宁看着小区里错落有致的灯火，渐渐失了神。

罗淑芬进来就看见女儿一副失魂落魄的样子，不免心疼："那么舍不得，怎么不跟他回去？"

陆宁闻声转过身子来，幽幽地说："我不想和他以后老是有矛盾，所以想先冷一冷。"

罗淑芬欣赏地看着女儿："不愧是我女儿，学聪明了，就应该这样，让他知道你的重要性。"

陆宁见老妈又想歪了，懒得理她，把她轰出自己房间。

二十 初现裂痕

二十一　车祸

　　第二天是星期日，丁浩一醒来就习惯性地伸出手臂，枕边却空空如也，他愣了一会儿才想起陆宁昨天没有跟他回来，心里一阵失落。经过昨天晚上，他已经想得非常清楚，在他心里，陆宁始终比孩子重要。他已经决定，等这次陆宁回来，他就带她去父母家，把自己的态度说清楚，也许一直以来的矛盾都是自己优柔寡断、态度不够明确所致。

　　想到这里，他迅速起来洗脸刷牙换衣服，然后准备清清爽爽地去接陆宁，他们好不容易才结了婚，有一辈子要相守，他不能放任关系这么疏远下去。

　　丁浩开着车疾驰在路上，他从来没有这么一刻迫切地想见到陆宁，他想把自己的心里话都说给她听。

　　砰的一声巨响，丁浩觉得车子撞上了什么东西，差点自己的身子都飞了出去，还没明白怎么回事，身体传来一阵剧痛，他失去了知觉……

　　陆宁早早就醒了，没有丁浩睡在身边，她一晚上都没睡好，心里懊悔了无数次，人家都认错道歉了，何必还要矫情一下？果然是死要面子活受罪。罗淑芬看见女儿一反常态起得那么早，就知道她心里惦记着丁浩。

陆宁在家里没头苍蝇似的转了两圈，发现实在无事可干，磨磨蹭蹭地挪到了厨房。

罗淑芬夸张地叫道："哎呀，你出生到现在，进厨房的次数十个手指就够用了吧？"

陆宁没好气地瞪了老妈一眼，脖子却不断往窗外伸着。

罗淑芬见状，说起了风凉话："早知道现在牵肠挂肚，昨天何必死鸭子嘴硬呢！"

陆宁郁闷，顶道："还不是得了你的真传？真是好的不遗传给我，净把你那些毛病遗传给我。"

罗淑芬闻言气结，谁说女儿是妈的贴身小棉袄，简直就是自己的克星啊！陆宁笑嘻嘻地冲她扮了个鬼脸，罗淑芬伸手想敲女儿的头。房间里传来一阵音乐，娘俩停止了瞎闹。两人仔细听了一下，是陆宁的手机铃声。陆宁心中一阵狂喜，肯定是丁浩的电话，她飞奔出厨房去接。

电话是医院打来的，陆宁听着听着就傻了。丁浩出了车祸？这个词她怎么都没有想到会发生在她和丁浩身上。仿佛周身的血液都凝固了，她想哭，可是喉咙里发不出一丝声音来，脑海里已经被恐惧填满，她想到了天人永隔，想到丁浩再也不能抱着她哄她，这种感觉将她打入了十八层地狱。过了一会儿，她才反应过来，哇地一声哭开了。

罗淑芬见女儿突然放声大哭，顿时乱了方寸，一边喊陆增华过来，一边追问女儿到底发生了什么事。

陆宁浑身发抖，只是不停地哭，罗淑芬焦急万分，束手无策地站在一边，女儿从来没有这样哭过，这不是要她的命

二十一 车祸

213

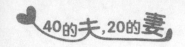

吗？

陆增华意识到事态严重，吩咐罗淑芬给女儿倒了杯热水。过了好一会儿，陆宁才回过神来，激动地说："爸，我要去医院，丁浩出了车祸，呜呜……"

罗淑芬一听就慌了神，女儿哭成这样，一定很严重，万一丁浩有个好歹，自己的女儿怎么办？她心急地连连追问："车祸？严不严重？现在人在哪里？电话谁打来的？"

陆增华摆摆手，示意她别再追问这么多，他握住陆宁的手说："宁宁别怕，爸爸带你去医院。"

陆宁吸吸鼻子，呜咽着说："如果丁浩死了，我也不活了！"

罗淑芬连呸三声："什么死不死的，也不怕晦气。"

陆宁哇地一声又哭开了："如果昨天我跟他走就没事了，我却非要矫情，是我害了他，呜呜……"

罗淑芬见女儿过于自责，忍不住说："跟你有什么关系？这都是命运。"

陆宁却不理会，只是一味地哭。陆增华吩咐老婆简单收拾了一下，带着老婆女儿奔向医院。

医院门口，丁起松和余秀珍差不多同一时间赶到。余秀珍看见陆宁在父母的陪伴下过来，心里就生了疑窦：难道她昨天晚上没回来？儿子莫名其妙出了车祸，是不是跟她没回家有关？余秀珍小声把自己的猜疑告诉了老伴，丁起松难得发了怒："都什么时候了，你还在这里想这些有的没的，不管你多不满意你儿媳妇，她都是你儿子爱的人，看丁浩的伤势最要紧。"

余秀珍被老伴一吼，没了言语，当她看见陆宁哭得没了形状的脸，心里一紧：难道儿子伤得很重吗？可丁浩电话里只说被震晕了，没有大碍，留在医院观察一下而已，难道是儿子担心自己承受不了，故意隐瞒了伤势？

这样一想，余秀珍不敢再耽误，更没工夫再想其他事，赶紧冲在前头寻找儿子的病房。

见到丁浩斜靠在床上那一刻，陆宁才觉得自己活了过来。从来没有一刻让她这么害怕，什么矛盾，什么分歧，此刻都不重要了，一路上她只有一个念头：只要丁浩没事，她什么都可以答应。

陆宁奔到床头，不敢去碰丁浩，唯恐弄疼了他，眼睛却一眨不眨地盯着他看，然后，眼泪就扑簌簌地落了下来。丁浩慌了，赶紧去擦："别哭，医生说我不严重。"

陆宁却不相信，她接到电话的时候，几乎以为医生是让她来见最后一面。

余秀珍担心儿子，前前后后检查了一遍才稍稍安心了些，想了想又不放心了，扳过丁浩的头左右瞧着，嘴里碎碎念道："看得见的伤口好处理，有暗伤就严重了，你被震晕过去，肯定脑部受了刺激，不知道会不会有脑震荡，这事可马虎不得。"

陆宁被婆婆一吓，刚回落的心又提了起来，正好医生过来检查，余秀珍放开儿子，奔到医生面前焦急地问长问短，直到医生反复保证并不严重她才作罢。陆宁委屈地说："你为什么不自己打电话给我，快把我吓死了！你讨厌！"

丁浩心疼地揉揉她的长发，叹了口气："如果我自己打，

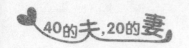

我怕你觉得我故意骗你不肯来，所以才让医生打给你。"

陆宁委屈地吸吸鼻子："我怎么可能不来，就算你再没事，你进了医院，我肯定第一时间赶来了。"

余秀珍在旁边听得真切，看来儿子出车祸真的跟陆宁有关。可是看见陆宁的父母此刻站在一边，她也不敢质问陆宁，只好压下满腔怒气："什么肯不肯来的？老公进了医院，有哪个老婆不是第一时间赶来的？你们吵架了？"

罗淑芬想开口，被陆增华拦住，对着她摇了摇头，见老婆一副不甘心的样子，干脆半拖半拉地把她拉出病房。

陆宁低着头不说话，余秀珍明白了：看来是儿子媳妇闹别扭才导致儿子出车祸进了医院。她强忍着怒气说："夫妻之间有什么事不能商量的，还闹得要回娘家？"

这一次，丁浩没有默不作声，他握了握陆宁的手，传给她安心的力量，认真、恳切、祈求地对余秀珍说："妈，我和宁宁是闹了点别扭，都是由什么时候生孩子引起的，我知道您想抱孙子，这种心情我完全理解，甚至我自己也想当爸爸了。可是强扭的瓜不甜，既然宁宁还没作好要孩子的准备，我决定尊重她的意见，希望您不要再给我们压力，我希望我们什么时候要孩子，您能让我们自己决定。"

余秀珍不敢相信地看着儿子，这是儿子第一次正面拒绝她的要求，一种即将失去儿子的恐慌占据了她的心头，她凌厉地看向陆宁，如果不是因为这个女人，儿子敢跟自己叫板吗？

陆宁在婆婆凌厉的眼光中低下了头，可是心里的喜悦是无法形容的，丁浩终于拿出了自己的态度，不再对长辈盲从，这使她在这场婚姻里又看到了希望，以前所受的委屈都烟消云散了，她只想以后可以按照自己的意愿生活。

丁浩见老妈如此受伤的表情，心中不忍，柔声对余秀珍说:"妈，您放心，我们不是不想要孩子，我们只是希望作好充分准备的时候再要，您就当多照顾我们两年，等以后有了孩子，您肯定就顾不上我们了。"

余秀珍想反对，丁起松拉了拉她。陆宁见丁浩为了自己这么跟婆婆争取，心里的别扭终于解开，真诚地看着余秀珍:"妈，因为孩子我们闹过很多不愉快，更欺骗了您，但是请您相信，我没有恶意，只是不想您伤心。在我心里，真的从来没有想过要挑衅您，孩子一旦有了就永远都有了，我们要过那么多年有孩子的生活，所以我想和丁浩多过两年为自己而活的日子。可能您无法理解我的想法，但这是我真实的想法。以前种种不愉快，希望您能原谅。"

余秀珍没有说话，儿子媳妇的话她需要消化，媳妇提出要为自己而活，这在自己眼里是自私的做法，人活在世上，哪能为自己而活呢? 应该为责任，为亲人而活，难道时代真的变了吗?

丁起松知道老伴在想什么，又见儿子媳妇一脸真诚地看着自己，觉得不能再默不作声了:"你们的想法我们了解了，就按照你们自己的想法过吧!"

余秀珍见老伴这么爽快答应了，下意识地想反对，丁起松立刻说:"现在丁浩人在医院，最重要的就是好好休息，我们就不要打扰他了，让宁宁陪着他吧!"

余秀珍看了看躺在床上的丁浩，怕影响了他的心情，终

二十一 车祸

217

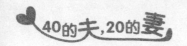

于不再说什么，跟着老伴出去了。

二老一出去，陆宁定定地看着丁浩，眼里盛满柔情，盈盈楚楚。丁浩捏捏她的脸，温柔地凝视着她。然后，陆宁就扑到他怀里，小声说："真好，我还可以被你抱着，我好怕就这样失去你。以后我们再也不闹别扭了，好好地生活在一起，好不好？"

丁浩没有说话，只是紧紧地拥住了她。心中感慨：终于雨过天晴了，但愿阴霾真的过去了。

丁浩只在医院观察了两天，医生就宣告他可以出院，陆宁前前后后地忙着，虽然她是独生女，从小娇生惯养，可是她学着照顾丁浩。丁浩心疼她，不让她做，可是她固执地做着，照顾自己爱的人一点都不辛苦，那是一种幸福，现在她终于体会到了这句话。余秀珍看见她这么用心地照顾着儿子，对陆宁慢慢地有了一丝笑脸。丁浩看着这一切，心里充满感动和希望，他开始感谢这场车祸，让他和陆宁走出了困局，更让自己最爱的两个女人握手言和。

丁浩出院后，陆宁执意要他在家多休息两日，她也跟公司请假在家里照顾他，两人朝朝暮暮地陪伴着，陆宁觉得这样的生活才是自己向往的，踏实温馨而静谧。

很快，这种静谧就被打破了，苏天佩满脸憔悴地出现在陆宁家里。陆宁看见她的时候愣了一下，过了一会儿才认出是苏天佩，连忙把她让到沙发上，关心地问："你怎么了？病了吗？怎么脸色这么难看啊？"

苏天佩哇地一声哭了出来，陆宁手足无措地拍着她的背，连声问她怎么了。

苏天佩哭了一会儿，渐渐平静下来，陆宁倒了杯热水给她，好一会儿，她才从牙缝里挤出几个字来："夏宁清要跟我离婚。"

陆宁知道他们夫妻感情不太和谐，但是没料到已经闹到要离婚的地步，那次商场里的一幕突然闪过脑海里："你们是不是吵架，他一时冲动才说离婚的？"

苏天佩悲愤地摇摇头："他早就在外面有女人了，我和他结婚后，他妈妈一直都看不上我，他对我也越来越冷淡，现在更提出了离婚。"

陆宁有些内疚，要是上次她直接把看见的告诉天佩，也许现在事情会不一样。想到这个，她开始闷闷不乐起来："天佩，那你会离婚吗？"

苏天佩想也不想地说："我绝对不离。"

陆宁惊讶地看着她："你很爱夏宁清吗？"

苏天佩眼中闪过一丝阴鸷："爱？我本来就不爱他，何况现在他做出对不起我的事？但是我不甘心，我牺牲那么多找了一个年纪这么大的男人，最后还被他抛弃。所以，他想离婚？门儿都没有。"

"那你打算怎么办？"

苏天佩恨恨地说："我要拖死他，宁宁，你不是认识一个老中医吗？我和夏宁清结婚到现在都没有孩子，我怀疑是不是我太瘦了？我想找他开点药调理一下，你带我去好吗？"

陆宁为难地看着她，带她去看老中医不是问题，陆宁阿姨多年不孕，就是那个老中医调理好的，现在孩子已经上小学了。可是为了绑住一个男人硬是去怀他的孩子，这样对孩

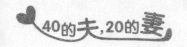

子，对自己负责吗？

陆宁试图劝她，苏天佩却一句都听不进去，只要陆宁带她去看老中医。陆宁推辞不了，只好答应下来，心里却无比沉重，不知道自己做得是对是错。

两天后，苏天佩拿到中药，好比捏住一份希望一样，陆宁心事重重地看着她。苏天佩发狠地想：只要我怀了孩子，看你怎么跟我离婚，到时候看那贱人等不等得及。

陆宁幽幽地问："天佩，要是你怀不上孩子，你打算怎么办？"

苏天佩顿时黯然了，这个问题她不是没有想过，结婚一年来都没有怀上孩子，靠这些中药真的能怀上孩子吗？她没有把握，可是这是她最后的机会，不管结果如何，她都要试一试。

陆宁见她这么执著，轻轻地叹了口气，不再劝她。

从那以后，夏家开始弥漫了一股中药味，苏天佩按时喝下苦不堪言的汤药，她不断鼓励自己，这不是药，是希望。自从夏宁清提出离婚后，就不曾再碰过她，但是身为女人，她知道女人的两个武器：眼泪和身体，只要好好利用，她相信男人都禁不起诱惑。所以，她仔细地计算着排卵期。果然，在她的精心策划下，夏宁清没能把持住。

可是，向来准时的例假依然如期而至，这让苏天佩很挫败，开始怀疑自己的身体是不是有毛病，甚至偷偷跑去医院检查。结果却显示她的身体完全可以受孕，至于迟迟怀不上孩子，医生告诉她孩子是靠缘分的，有时候越着急越迟迟不来，也许不经意间，孩子就在肚子里茁壮成长了。苏天佩明白这个道理，可是她没有时间慢慢等待孩子的到来。虽然夏宁清偶尔也有把持不住的时候，对于离婚却始终没有松口。万般无奈之下，苏天佩只好把希望寄托在夏母身上，对婆婆百般讨好。夏母却不领情，只淡淡地说她希望儿子快乐，无论儿子怎么做都不会干涉，一如当初她接受苏天佩成为自己的儿媳妇一样。苏天佩听后，恨得几乎咬碎一口贝齿，却又无计可施。如果跟婆婆闹出点什么，夏宁清就会更加义无反顾地和自己离婚。

这段时间，陆宁成了她的倾诉对象，可是陆宁涉世未深，根本无法给她出谋划策，也只能安慰安慰她。

"天佩，既然你根本不爱夏宁清，何必这么苦苦纠缠呢？你还年轻，有没有想过重新追求自己的幸福？"

苏天佩不敢相信地看着陆宁，重新追求幸福？苏天佩本能地抗拒这个提议，自己才二十四岁就成为离异女人，条件好的男人恐怕不会娶一个离过婚的女人吧？如果条件差的，自己又怎么甘心？

陆宁见她这么执著，知道这种事情除非自己想开，否则别人再怎么劝都没用，心里却为她的未来担心起来，男人已经提出离婚，这个婚姻还有维持的必要吗？也许她不在其中，想得过于简单吧！

二十一　车祸

二十二　最难消受美人恩

丁浩在家养了两天就去上班了，虽然他很留恋和陆宁你侬我侬的日子，可是自己毕竟不是老板，无法随心所欲。

丁浩悠闲地行驶在路上，初夏已经到来，他缓缓摇下车窗，暖风迎面扑在脸上，如婴儿的小手，身上的每个毛孔都舒展开来。路边草木茂盛葱郁，丁浩放慢车速欣赏着初夏的早晨，心情无端地飞扬起来，但愿这样的日子和心情可以一直持续下去。

几天没有上班，部门里的下属依然井然有序地工作着，丁浩欣慰地点点头，回到自己办公室，还没坐下一个人影就冲了进来，委屈地质问丁浩："你出了车祸为什么不肯告诉我在哪家医院？"

丁浩抬头看了看艾伦焦急的脸，避重就轻地说："我伤得不严重，你没必要专门来看我，其他同事我也都没让他们去，何况我现在已经好了。"

"我跟他们怎么能一样？"艾伦怒瞪着丁浩。

丁浩心想，你跟他们确实不一样。他心里明白，要是艾伦一来，医院里肯定要上演一出六国大封相，他怎么敢冒这个险？

　　丁浩见艾伦还想说什么，赶紧以几天没有上班，必须立刻处理公事为由打发了她。待艾伦一走，丁浩长长地松了一口气，最难消受美人恩，古人诚不欺我也！

　　一连几天，丁浩都小心谨慎地避着艾伦，部门里几个女孩子看出丁浩的意图，也乐得配合丁浩，对于艾伦平时的嚣张，她们早就有诸多不满。几天下来，艾伦连跟丁浩单独说几句话的机会都没有。丁浩心中暗喜，照这样的情况看来，也许过不了几天，艾伦就会知难而退了。好不容易家里的矛盾终于解决了，丁浩不希望再出事端，想不到要一段平平静静的婚姻生活也是这么不容易。

　　每当看见艾伦受伤的表情，丁浩心里就有几分内疚，但是他告诫自己千万不能当断不断，强迫自己不去理会艾伦的反应，何况自己这么做也是为了她好。他心里一直有个疑惑，如果艾伦真的是董事长的情人，她怎么会这么高调地追求自己呢？难道董事长身在高位，对艾伦在公司的所作所为真的一点也不知道？很快，丁浩就知道了答案。

　　丁浩对艾伦的疏远持续进行着，起先艾伦还想方设法地接近丁浩，可是后来渐渐地也不这么做了。本来意气风发的一个女孩子，突然变得安静了。丁浩看在眼里，微微叹息，他这么做是希望她去寻找自己真正的幸福，但愿艾伦有一天能够明白。

　　这天，丁浩刚给部门里的下属开完会，董事长秘书就请他过去。丁浩不敢耽搁，立刻往董事长办公室赶去。自从他当了副总后，和董事长的接触比以前多了一些，可一般都是他主动去汇报工作，董事长很少找他。他心里隐隐有着不好的预感，莫不是艾伦这段时间动静太大，惊动了董事长，所以兴师问罪？

丁浩满怀心事地走进董事长办公室，果然，董事长脸色阴沉，丁浩暗暗告诫自己没有做亏心事，正常应对就行。

"你知不知道艾伦很喜欢你？"董事长缓缓开了口。

丁浩头皮一麻，果然还是来了，他吸了两口气，不卑不亢地回答："董事长，我知道，艾伦年轻冲动，我想她只是一时兴起，我对她也并无意思。"

"你对她没有意思？"董事长直直地盯着丁浩，盯得他心里发麻。丁浩吃不准董事长有多喜欢艾伦，也吃不准董事长打算怎么对待自己。

"董事长，我知道艾伦跟您关系匪浅，我对她没有非分之想。"丁浩断然不敢说艾伦是您情人，我哪敢招惹她之类的话。

董事长胸口剧烈地起伏着，似在不断按捺怒气："你知道艾伦那丫头有多喜欢你吗？为了你她不断跟我说市场部在你的领导下有多好，你有多正直。这次的副总晋升，她比你还在意，你居然对她一点意思都没有？"

丁浩听着总觉得哪里不对，听董事长的语气，似乎根本没有把艾伦当成情人，他更不知道艾伦背着他做了这么多事。

"董事长，我不知道艾伦为我做了这么多事，但是我已经结婚，并且和太太感情很好，关于这点，我也从来没有瞒过她。"

董事长愣住了，不敢相信地看着丁浩："你结婚了？你不是一直单身吗？这丫头到底在搞什么啊？"

丁浩明白了，自己进公司的时候还没有结婚，所以在董事长印象中自己一直是个单身的人，平时董事长在公司的时间少，又身居高位，自然没人跟他去八卦自己是否结婚这种事。

丁浩想了想，终于斗胆问出心中疑惑："董事长，您好像很希望我接受艾伦？"

董事长叹了口气说："我这个宝贝女儿向来任性，我也只能由着她，本来我以为你还是单身，虽然年纪比她大不少，但是只要她真的喜欢你，我也就默认了，所以她一定要我升你当副总，我也答应了。不过现在你是已婚身份，我就不希望她趟这趟浑水。"

原来艾伦竟是董事长的女儿，所有的一切都有了合理的解释，丁浩想狠狠拍自己的脑袋，怎么就没想到这个可能呢？也许是太多人传言艾伦是董事长的情人，自己也就深信不疑了吧。他终于知道谣言的厉害了，说的人多了，假的也成了真的。

可是董事长的话还告诉了他一个信息，升他当副总不是董事长看重他的能力和人品，竟是因为不想艾伦失望。想到这里，丁浩觉得这个副总简直如芒刺在背，辞职这个念头在脑海中一闪而过。

不等丁浩开口，董事长又说："我就艾伦一个女儿，虽然我希望你不接受她，但是我也不想看她太伤心。丁浩，现在我不是以一个董事长的身份在跟你说话，而是以一个父亲的身份请求你，不要伤害艾伦。"

丁浩看着董事长略显苍老的脸，心中一软，答应下来。

二十二　最难消受美人恩

可是出了董事长办公室，丁浩就犯难了，这根本就是个不成立的命题，要艾伦开心不受伤害，除非自己接受她的感情，要拒绝艾伦，势必让她伤心一阵子。董事长爱女心切丁浩明白，可是既要艾伦开心，又要她放弃这段感情的办法，丁浩还真是想不到。除非……丁浩又想到了辞职。

事业是男人的生命，这话同样适用于丁浩，自己在这个公司里干了六七年了，从经理做到副总，和下属关系融洽，就这么辞职，丁浩还真的下不了这个决心。可是一想到自己的副总之位竟然是如此得来的，这又使他难以接受，以前赵德伟讽刺他的时候，他可以不屑一顾，甚至理直气壮地反驳，可是现在呢？自己还有这个底气吗？想到这里，丁浩觉得进退两难。

回到家中，丁浩也是闷闷不乐，陆宁不解，这段时间两人的感情特别好，怎么丁浩反而不开心呢？

丁浩不想把公司里的事告诉她，尤其涉及到艾伦，他更不想说。

晚上，丁浩躺在床上辗转反侧，陆宁悄悄握紧了他的手，向他传递自己的关心。

很久，丁浩才轻声说："宝贝，如果我要辞职，你会怎么样啊？"

陆宁朝他怀里偎了偎，柔声说道："不管你作什么决定，我都支持你。"

丁浩心里感动，拥紧了她："可是我现在的职位和待遇都不错，你赞成我辞职？"

陆宁轻声说："如果你想辞职肯定有你自己的理由，非要你留在那工作，你也不开心，何况我对物质生活要求不高，开心最重要。反正日子总过得下去。"

丁浩叹了口气，吻吻她的额头，就因为陆宁是如此体谅和在乎他的感受，他更觉得自己身上责任重大。她可以不要求物质，可是他不允许老婆跟着自己受苦挨穷。

过了一会儿，陆宁小声问："你真的想辞职吗？"

丁浩感受到了她的不确定，用力抱了抱她："暂时还没这个打算，随便聊聊。"

董事长找过丁浩没几天，艾伦就风风火火地跑来找他了。这几天艾伦没在公司上班，丁浩也没过问。艾伦进来的时候，沈曼正在丁浩办公室里汇报工作，艾伦不像以前那样愤愤不甘地走开，而是对着沈曼下了逐客令。沈曼不甘示弱，正想回敬，丁浩示意沈曼先出去。

沈曼见老大发话，不情不愿地起身，走过艾伦身边的时候，狠狠地瞪了她一眼，艾伦一副无所谓的姿态。

沈曼刚出去，艾伦就迫不及待地说："我爸找过你是不是？这老头真是多事，我跟他说我自己会处理，他非得插一脚，你别理会他。他居然还把我和他的关系告诉你，我就想谈一次纯粹的恋爱嘛！"

丁浩想起董事长的请求，不知道说什么好，之前艾伦喜欢他，他还能理解。可是自从知道艾伦是董事长的独生女儿后，他真不知道自己到底哪里吸引她了，为什么放着那么多门当户对的未婚男人不交往，偏偏对自己这个大她十几岁还结了婚的男人情有独钟。

"艾伦，我听董事长说是你极力要求我做副总的？"

艾伦眨巴着眼睛，郁闷地看着丁浩："是啊！你想啊，我喜欢你，以后我们在一起后，你就要帮着我爸打理公司，本来我想让老头子升你当总裁的，可是他不答应。"

丁浩听了这番话，不知道是该哭还是该笑，这世上怎么会有思想如此单纯的人？同时他也觉得自己受了侮辱，也许这个社会很现实，找个有钱有势的岳父可以少奋斗几十年，但是他还不屑干这种为了利益出卖感情的事，所以他顾不得董事长之前跟他说了什么，激动地说："你想买我这个人？之前要是我知道这个副总是这么来的，我绝对不做。另外，我对你家的企业没兴趣，我很早就跟你说清楚了，我有太太，并且很爱她，麻烦你不要再纠缠我了。我知道你是董事长的女儿，所以，我会辞职！"

艾伦愣愣地看着他，怀疑自己是不是听错了，他要辞职？自己一片炙热感情，他竟然这么嫌弃？

丁浩冲动之下说出辞职二字，但是他一点也不后悔，如果自己拒绝了艾伦，还留在公司的话，他实在不知道该如何面对董事长父女，就算他们无所谓，自己心里也会不自在，那么换工作就是最好的选择。想到这里，丁浩竟觉得一身轻松，自己还不算太老，又有工作经验，再找一份合适的工作想必不是难事。

艾伦看着丁浩严肃的表情，知道他是认真的，顿时慌了："你干吗要辞职啊，不是干得好好的吗？你不喜欢我帮你，我以后不插手就是了。"

这个时候，丁浩辞职的决心却更加坚决了，他无法把目前这个问题处理得皆大欢喜，那么辞职就是最好的选择。

艾伦见劝说不了丁浩，转身就朝外面跑去。

下午，董事长又请丁浩上去，丁浩心想，干了这么多年，现在自己打算辞职，确实应该当面向董事长提出来。和以往每次去见董事长时忐忑的心情不一样，这次丁浩觉得浑身轻松，他越发觉得自己这个决定是正确的。

董事长背对着他站在落地窗前，背影显得有些苍老，丁浩心中一紧，以后自己有了孩子，会不会也是这样有操不完的心？小的时候要操心孩子的吃喝健康，大一点要操心学习教育，就算念完了大学，还要操心孩子的婚姻大事，难怪很多人形容中国父母都是孩奴。到底是社会把他们变成了孩奴，还是中国的父母造成了这样的社会现状呢？丁浩不得而知，也许陆宁不想这么快要孩子是正确的。

"艾伦说你要辞职？"

丁浩点点头，董事长看了他一眼，长长地叹了口气："是不是我的话让你产生了辞职的念头？"

董事长的话确实使丁浩产生了辞职的念头，但是他清楚自己辞职的最大因素还是无力解决目前这一现状，另外一个重要因素便是他不想接受非常规的任命，这个副总让他觉得受之有愧。

"董事长，您别多心，主要还是因为我自己，如果我还在公司，艾伦肯定不会死心，我想我离开是最好的办法。"

董事长点点头，苦笑道："你说得没错，不过这丫头认为是我掺和才让你辞职，在家对我大发脾气呢！我也不知道该放你走还是该留你。"

丁浩并不迟钝，多年的职场经验让他迅速判断出董事长内心赞成他辞职，只不过摄于爱女娇缠。

"艾伦只是暂时的，等我离开后，她一段时间见不到我，也就死心了。"

董事长沉默了一会儿，终于说："我尊重你的选择，不过也不用那么急，安排好再走也不迟。"

丁浩默默地点了点头，这些场面话他岂会当真，何况他急着走也是为了摆脱目前这个状况，当丁浩起身的时候，董事长说了一句："丁浩，我知道你表面温和，内心是个心高气傲的人，你也不用为副总之位耿耿于怀，我任命你做市场副总确实因为艾伦，但是艾伦只是让我更加清楚地认识到你的能力，我并非盲目任命。"

丁浩回过头来，第一次平视着自己的上司，难怪他是董事长，一眼就看出自己心里在想什么，这也算是临别的一种肯定吧！至少可以让他不用带着心结离去。他由衷地向董事长表达了谢意。

晚上回到家里，丁浩一直寻思着怎么跟陆宁解释自己辞职的事，之前给她打过预防针，她应该不会觉得太意外吧！

陆宁坐在梳妆台前往脸上抹着护肤品，丁浩走过去环住她的身子，陆宁凝视着镜子里两人依偎的身影，冲他扮了个鬼脸。

"宝贝，我有件事要跟你说。"

陆宁看见丁浩凝重的神色，收起笑脸："怎么了？"

"我真的辞职了。"

陆宁松了口气，可能她年轻吧，所以没有把事业看得很重，换工作对她而言从来不是什么了不得的大事。

"辞了就辞了吧！"陆宁转身拍拍丁浩的脸，并没有因为听到辞职而有任何波动。

过了一会儿，陆宁突然想起什么似的："你怎么会突然就辞职了呢？是不是有人挖你啊？"

丁浩失笑地看着她，心中微微自豪，在老婆眼里，自己是个抢手的人才。可是想到自己突然辞职，连外面的行情都没有了解过，他心里又没了底气。陆宁倒是乐观，听到丁浩根本没有找好下家，也不以为意，抱着他的腰撒娇道："我老公是最棒的，明天你求职的消息一放，我保证很多公司抢着要你。"

丁浩笑着揉揉她的长发，为了不让她失望，自己必须找个比现在更有发展前途的工作。

离职手续办得很快，丁浩最不舍的要属部门里一起工作的兄弟姐妹，只有当真的决定离开了，那种不舍才会汹涌而来，才发现留恋的东西竟然不少。

沈曼几个女孩子眼睛红红的，她们怎么也没想到老大会突然离职，事先一点迹象都没有。渐渐地她们听到风声，老大是因为艾伦而选择了离职。她们并不知道艾伦是董事长的女儿，只以为是董事长不容情敌，所以逼他离职，私下里不知骂了艾伦多少次祸水。

丁浩办理离职那几天，艾伦一直没在公司出现，丁浩觉得这样也好，虽然自己辞职多少是艾伦导致的，可是一个女孩那么炙热地喜欢自己，即使他并不需要这份感情，也无法再去责怪她。

丁浩抱着一个箱子走到车库，塞到后备箱里，阴影中发

二十二　最难消受美人恩

现旁边蹲着一个人，丁浩警惕地慢慢走近。

蹲在车边的艾伦抬起头来，气急败坏地说："你为什么要离职？我爸说是你非要离职的？"原本她想冲到办公室里去，可是这样会让丁浩更加排斥她，所以她选择在他的车边等候。

已经选择辞职，丁浩心中一片坦然，把后备箱关上，走到艾伦面前："艾伦，谢谢你的错爱，但是你真的不应该把感情寄托在我身上，希望你能自己想明白。"

丁浩不给她开口的机会，转身钻进车里，急驰而去。过往的一切，都离自己远去了。

艾伦看着丁浩远去，狠狠地一跺脚，从小到大，她要什么有什么，第一次对一个男人动心，想不到对方仓皇而逃，自己是瘟疫吗？艾伦不甘心。

丁浩带着私人物品回到家里，陆宁没有太大的反应，两人甚至去外面吃了一顿，庆祝丁浩恢复了自由身。早上丁浩送她去上班，傍晚去接她下班，陆宁娇嗔着说待遇一下提高了，开玩笑让丁浩别去上班了。

丁浩也顺着她说以后就在家洗衣做饭带孩子了，陆宁娇柔地举双手赞同。

玩笑归玩笑，丁浩不可能真的如此生活，辞职第二天，他就找了猎头公司，将自己的求职方向和要求待遇整理了一下发给对方。事实上，丁浩的内心不像他表现出来的那么平静。在等待消息的这段时间里，他很焦急。

这天下班，他照常去接陆宁，等了半小时却不见她下来，打她手机也打不通，丁浩心里有一丝不好的预感，陆宁虽然任性，却不是个这么没交代的人，难道她出什么事了？

丁浩顾不得面子，下了车一路问到陆宁的办公室，赵颖认识他，主动说:"宁宁下午没有回来过，有个女孩子来找她。"

女孩子？丁浩脑海里立刻浮现出田佳、苏天佩，赶紧给她们打了电话，对方却说没有见过陆宁。丁浩无计可施，只好先回家里，再作打算。

刚开门，丁浩赫然发现陆宁正坐在沙发上，便半是埋怨半是关心地问:"宝贝，怎么自己回来了？手机也不开，我只差报警找你了。"

陆宁抱着抱枕不说话，丁浩觉得异样，小心地坐到她身边问:"怎么了？不开心？"

陆宁终于抬起头来，直勾勾地盯着丁浩:"你到底因为什么离职的？艾伦是谁？"

丁浩脑袋嗡的一声，艾伦的执拗超出了他的想象范围，自己都离职了，她还不肯死心，他怎么也没想到艾伦会去找陆宁。丁浩没有做贼，却偏偏心虚，小心翼翼地问:"她跟你说了什么？"

陆宁低头拨弄着自己的脚丫子，对丁浩的问话充耳不闻。

丁浩意识到事态严重，把她的脚丫子扯开，扳正她的头，严肃地说:"宁宁，你听我说，艾伦是我部门里一个女孩子，当初是董事长直接指派的，大家都谣传她是董事长的情人，但你知道我对人向来不会戴着有色眼镜。不知怎么的她就看上了我，我无数次拒绝了她，可她就是不听，不知道现在的九零后是不是都这样。"丁浩长长地叹了口气。

陆宁不高兴地拍了他一下:"别动不动就拿九零后说事，我也是九零后。"

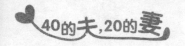

丁浩惊喜，激动地抱住她："原来你没有生气，故意诈我呢？"

陆宁眼珠子骨碌碌乱转："我得看看你说的是不是实情。"

丁浩举起右手："我可以对天发誓，你想啊，如果我要是对她有什么的话，我还用辞职吗？我辞职就已经说明我的态度了。我不想在感情上跟别人有什么牵扯让你伤心。"

陆宁不说话，手脚并用地爬到丁浩腿上，勾住他的脖子，吧唧亲了一口，娇嗔着说："这次我知道你没问题，但是你要保证以后次次都要坐怀不乱哦。"

丁浩喜欢看她娇媚的模样，这让他觉得自己特别男人，自从孩子问题暂时解决后，陆宁又露出了孩子气的一面，丁浩叹了口气，揉揉她的头，她自己还是个孩子呢！

为了奖励丁浩的忠贞，陆宁决定亲自下厨，当她把这一奖励计划告诉丁浩的时候，他想也不想地说："你下过厨吗？"

陆宁娇媚地白了他一眼，心想：没吃过猪肉还没见过猪跑吗？做顿饭会比高考难吗？陆宁信心百倍地从网上下载了很多菜谱，不过她有自知之明，那种太复杂的菜式估计不适合她这种菜鸟，所以她找的都是最寻常的菜式。

进了厨房陆宁才知道自己这个老婆是多么不称职，结婚一年多了，居然第一次使用厨房，难怪装修的时候她对什么都有要求，唯独对厨房达到了无欲无求的境地。

丁浩见她兴致勃勃的样子，不忍心打击他，眼睛却在四处寻找着类似方便面的充饥物，他觉得晚上吃方便面的可能性几乎是百分之百。不过陆宁可不这么想，她坚信自己这么聪明，一定会做出一桌色香味俱全的丰盛佳肴，再不济也能做个几荤几素吧！

因为甚少用厨房，很多网上需要的材料，家里根本没有，陆宁不断指挥丁浩出去购买。当丁浩跑完第四趟的时候，陆宁的准备工作差不多了。

陆宁第一道做的是西红柿炒鸡蛋，她不爱吃皮，就想把皮都剥了，半个小时后，丁浩看见一个卖相奇丑的半去皮西红柿和一脸恼怒的陆宁："我现在才知道做饭很不容易，要是做个家庭主妇，估计一天做三顿饭时间就过去了，你看，这个西红柿去个皮就这么慢！"

丁浩提醒她用热水泡了再剥，陆宁一试，果然那皮一撕就掉，不到一分钟，西红柿的皮都去完了。

陆宁满脸崇拜地看着丁浩："想不到你懂的东西这么多。"

被老婆崇拜，让丁浩倍觉自豪，可再一想，不就是剥了个西红柿的皮吗？陆宁喜滋滋地拿着去了皮的西红柿进了厨房，丁浩亦步亦趋地跟了进去。一来他对陆宁的厨艺超级没信心，二来他担心厨房发生灾难，万一有个什么，他也好及时把她救出来。

陆宁一看丁浩跟了进来，不停地把他往外推，嘴里不住地嚷着："讨厌，讨厌，不许看，我们要以结果为导向。"

陆宁的决定是正确的，她在厨房里无比狼狈，顾了这头就顾不上那头。尤其还要分心应付丁浩。丁浩几次想进去看看情况，都被她推了出来，到最后索性把门给关了。

丁浩在外面喊："宝贝，别关门，油烟太重了。"

陆宁隔着门喊："你别来捣乱我就不关门。"

丁浩哑然失笑，自己竟成了捣乱的？怕陆宁恼羞成怒，

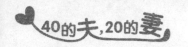

他只好坐在沙发上看电视。时间指向了七点，陆宁依然在厨房里叮叮当当地忙着，还伴随着大呼小叫，丁浩问了几次，陆宁都说快了快了，这一快了持续了将近一小时。

到最后，丁浩索性不问了，开始跟她开玩笑："宝贝，你慢慢来吧！我就当吃明天的早饭了。"

话音未落，厨房的门终于开了，陆宁的出现简直可以用粉墨登场来形容，丁浩努力憋着笑，最后实在憋不住了，拿来一条毛巾替她擦着："你这是下厨呢还是上战场啊？"

陆宁气鼓鼓地说："不准再取笑我，谁学走路的时候不摔两次？别说了，赶紧吃饭，我饿了。"

丁浩帮着她把菜端到桌上，那菜比陆宁的脸还精彩，焦的焦，糊的糊，丁浩忍不住缩了缩脖子，小心翼翼地建议道："宝贝，我们出去吃吧？"

陆宁双眼一瞪，负气地说："你还说可以为我生为我死呢？吃顿我做的饭都不肯，那你凭什么说爱我呀？再说了你还没吃呢，就否定我一晚上的劳动成果？"

丁浩连连求饶，抖抖索索地拿起筷子，戳了戳那盘排骨。丁浩觉得为她生为她死简单，可是要吃下这些东西，确实需要勇气。陆宁吸吸鼻子，一脸委屈地看着他，丁浩受不了她这样的目光，心一横，眼一闭，夹起一块骨头就送进嘴里，陆宁窜到他身边，把他的嘴捂起来，生怕他吃下立刻吐出来。过了一会儿，见丁浩没有反抗才松了手。

丁浩哭笑不得地说："就算你希望我吃，也别捂我的嘴啊，难道要我把这么大一块骨头吞下去吗？"

丁浩吃完骨头又去吃西红柿炒鸡蛋，一边吃一边说："宝贝果然是内在美，别看这些菜看着卖相不太好，不过味道还挺不错的，假以时日，你一定能烧出色香味俱全的佳肴来。"

陆宁不敢相信地看着那桌菜，难道自己竟然这么有厨艺天分？可丁浩的样子也不像撒谎，当丁浩品尝到第四道菜的时候，陆宁坐不住了，拿起筷子尝了尝。然后，不到两秒钟，立刻吐到在桌上，冲到饮水机前猛灌两口。

丁浩看着她笑得不可抑制，陆宁张牙舞爪地扑上来："你怎么这么幼稚啊！不好吃也不实说。"

丁浩心想，我要是实话实说你会放过我吗？丁浩拿起桌上的车钥匙，决定带她去外面吃。

陆宁一路上都很沮丧，虽然她没想过能做得多好吃，可做得这么失败也挺让她难受的。万一以后丁浩遇见个烹调高手，不知道会不会被人抓住了胃，然后就抓住了心呢？她下厨可不是一时兴起，下午艾伦找她说要公平竞争的时候，她就想各方面表现一下，让丁浩发现自己才是最好的。哪知道扬长没成功，藏拙都失败了。丁浩见她这么闷闷不乐，不时握握她的手，摸摸她的脸，陆宁还是不开心。

丁浩带陆宁去了一家海鲜馆，点了平时她最爱吃的菜，可陆宁没动几筷。他不明白只是做失败了几个菜而已，陆宁怎么会这么在意呢？于是拼命想办法逗她，可陆宁还是郁郁寡欢，丁浩伸手握住她："宝贝，是不是你还有其他不开心的事啊？"

陆宁不说话，过了好久才说："如果有其他女人做得比我好，而且也很喜欢你，你会不会移情别恋啊？"

丁浩一听就明白她在想什么了，他不知道艾伦跟她说了

二十二 最难消受美人恩

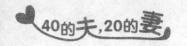

什么，想来多少还是刺激到她了，他绕到桌子那一头坐到她身边，揽着她的肩说："我喜欢你就因为你是独一无二的你，你不用有任何担忧，更不用做任何改变，我们在一起就是要相互接纳和包容，如果要你处处来取悦我，你做得累，我看着也累，做你自己就好，那是我最喜欢的。"

陆宁闻言，慢慢笑逐颜开，她并不是不相信他，只是女人都会犯小心眼，不过通过这件事，她发现她家老公还是挺有市场的，这点发现又让她得意起来。连她自己都鄙视自己：女人呐！

二十三　求职

　　天气热得很快，早晨醒来的时候已经渐渐感受到暑气了。辞职后，丁浩每天起床后第一件事就是查看邮箱和浏览各大招聘网站。虽说陆宁不在乎他什么时候上班，可作为大男人老在家待着像什么样子？光自己心理这一关就过不去。

　　原本以为在偌大个杭州城找份合适的工作不是难事，可渐渐地，丁浩就不这么乐观了。大部分企业对一些普通岗位需求量确实很大，但是自己做过副总，怎么也不可能去应聘这些岗位，就算自己不挑剔，别人一看自己的履历也会以为自己开玩笑。对于一些高职位和年薪几百万的岗位需求也有一些，丁浩有自知之明，这些岗位自己不足以胜任，也不做考虑。所以他希望应聘的岗位，需求量就小得可怜了。丁浩分析了一下，这样的岗位有些公司选择内部晋升，还有些公司喜欢去五百强挖人，俗话说：外来的和尚好念经。好不容易找到个合适的，工作地点又不在杭州。丁浩从心里抗拒夫妻两地分居，何况陆宁也不见得答应，所以去外地工作根本不在他的打算之内，这样一来，选择面就更加窄了。

　　这样等了一个星期后，终于等到猎头公司的电话，有个跟他求职意向接近的岗位,虽然公司不大,但是待遇方面还不错,问他是否有兴趣一试。如果换做以前,丁浩肯定会拒绝,即使不跳槽到知名大公司上班,好歹也不能比原先公司规模小。可这一星期下来,他认识到形势的严峻,然而要去小公司上班丁浩内心多少有些不情愿。想了想,他决定先不拒绝猎头公司,自己再等一个星期,如果确实没有其他合适的岗位了,就去那家公司看看,实在不行就先干一阵,遇到好的再换。要是一直等在家里待业,怕心态都弄糟了。

偶尔接到原先部属的慰问电话,问他现在在哪高就,丁浩更觉得有一种紧迫感,男性的自尊让丁浩无法告诉他们自己还在家待业,只好含糊地敷衍着。

对于丁浩这一系列的心理变化,陆宁浑然不知,她觉得自从丁浩辞职后,两人的感情更黏糊了。丁浩有苦难言,以前忙于工作,公事就占去一大部分精力,现在自己无所事事,花在她身上的时间自然大增。年轻就是年轻,只管享受痴缠,一点都不考虑以后的生活。要是自己娶个三十几岁的女人,估计这会儿都像热锅上的蚂蚁了。

陆宁娇媚地爬到丁浩腿上,邀宠地问:"老公,你是不是觉得你家宝贝特别有先见之明啊?幸亏我们没要孩子,不然你失了业,肯定内心压力巨大。所以啊,听老婆的男人最聪明了。"

丁浩听了,脸上的笑意消失了,他知道陆宁说话有口无心,可他听了就是觉得特别刺耳,有哪个男人愿意接受自己养不起孩子呢?本来还犹豫不决的丁浩,突然下了决心,先去那家公司面试,总好过在家无所事事。现在陆宁不觉得他失业有什么，万一以后生活拮据了，她还能像现在这么无所谓吗？

丁浩翻出那个猎头公司的电话，手心微微冒汗，之前他甚至希望那个岗位早就招到合适的人，自己就不用两难了，现在他又希望还没招到，果然，心境不同想法完全不同啊！

"喂，是长江人才公司吗？上次您提过的那个岗位不知道招到合适的人了没有，我想去试试。"

想必对方还没招到人，态度非常热情，连忙约定了丁浩的时间。

第二天，丁浩把去面试的事情一说，陆宁皱了皱眉头："小公司体制都不健全，你性格又不喜欢拉帮结派的，那里适合你吗？"

这些情况丁浩怎么会不知道？可是现在形势不容乐观，自己也是没办法，当着陆宁的面，他不想让她知道自己的无奈，也许是大男人在小女孩面前的英雄情结，他愿意让她以为自己是很强大的。

"傻瓜，公司小有公司小的好处，大集团体制是完善，可是晋升严格，到处都是人才，很容易就被晾在一边，小公司就不同了，只要你有能力，老板把你当菩萨似的供起来，升职加薪灵活。"

陆宁想了想，觉得也有几分道理，就不再说什么了。

丁浩赶到那个地方，心下有些失望，虽然是小公司，规模倒也不是特别小，可是表现出来的精神面貌不够职业，如果现在有第二个选择，他一定二话不说掉头就走。可人都来了，还是看看吧！丁浩这样安慰自己。

二十三　求职

241

老板是个五十岁左右的肥胖男人，丁浩简单地做了下自我介绍。对方连连点头，末了，问了一句："丁先生为何从原来的公司离职，却到我们这个小公司屈就呢！"

丁浩心里很排斥这个问题，加上对这个公司的初次印象不好，随便敷衍着回答了。

估计老板也看出丁浩并不是很想加入自己的公司，没有再问很深入的问题，草草结束了这场面试。

到了外面，丁浩长长舒出一口气，终归还是不愿意过于屈就，如果心里很排斥这份工作，又怎么可能有热情做得好？丁浩驾着车，头也不回地离去了。

陆宁听了丁浩的面试情况，倒没有为他不去上班失望，反而显得很高兴，她本来就不赞成他去那种分工不明确的小公司上班。

丁浩只好心急如焚地等待着下一个机会，也许对女人来说，偶尔趁机偷偷懒，在家待上几个月再去慢慢找工作，让老公养着是一种幸福。对男人而言，待在家里待业实在太难受了，丁浩甚至怀疑自己是不是太冲动了，好歹应该把工作找好再辞职。不过这种念头只是一闪而过，如果时间可以倒流，估计他依然会选择和现在一样。

好在半个月后，终于等来一个机会，那是一个家族企业，规模比以前的公司大一点，正好前任市场总监全家移民，虽然是平跳，丁浩也不再要求过高，准备一番就去面试了。双方还挺对眼，谈得也愉快，看得出来老板很欣赏自己，丁浩权衡一番，一个星期后就去上班了。

新公司和陆宁上班的地方是两个方向，丁浩无法再每天接送，陆宁抱怨好久，真心希望他在家多待业一阵。

丁浩心想，小姑奶奶，我要是再待业下去，非疯了不可。

经过这次找工作后，丁浩了解了目前就业形势的严峻，很珍惜这次机会，工作认真负责，很快博得老板的好感。丁浩意气风发，在家也神采飞扬，搂着娇妻得瑟："塞翁失马焉知非福，古人诚不欺我也！"

陆宁翻身骑了上去，双手拉扯丁浩的的脸，看着他的脸在自己手中变形，开心地大笑起来。然后，啊呜一口亲得丁浩心神荡漾："男人嘛，果然是得意忘形的！嘿嘿！"

丁浩觉得生活中有些改变也是不错的，换了新工作后，再也不用担心艾伦缠着自己，老妈最近也没再拿孩子逼迫，陆宁灿烂活泼的笑脸又重新浮现，生活变得如此美好！这才是自己期待的婚姻生活啊！

陆宁这边千好万好，苏天佩那边却是水深火热，她每天都要捏着鼻子把那苦不堪言的中药灌下去，可是这些中药没有让她如愿以偿，到最后她气得把所有药都倒进了马桶里。夏宁清的逼迫却开始升级。最后除了偶尔回来拿东西，索性不见了人影，纵使苏天佩有百般解数，也无计可施。

夏母见儿子经常不回家，把这股怨气发泄到苏天佩身上，本来苏天佩极力忍着，可看见夏宁清如此绝情，心头火起：你都不顾念我们的夫妻情分，我又何必念及你老母？索性放开架势和夏母大吵一架。夏母被气得头晕眼花，连连打电话叫儿子回家。

其实苏天佩打的就是这个算盘，自己对夏母用过软的，

243

根本不起作用，现在又见不到夏宁清，什么办法都使不出来，她可不信女人守在家里慢慢等待男人回来这一套，先不说等不等得到，就算等到了，自己也凋零了。经过这段时间的折腾，她也想清楚了，与其顶着个夏太太的头衔，却什么都享受不到，买点东西还要看婆婆脸色，不如拿笔钱干干脆脆地离婚，还潇洒自在一点。就因有了这种想法，她才敢跟夏母大吵一架。

夏宁清本来想以夜不归宿逼迫苏天佩签字离婚，想不到这个苏天佩这么不消停，竟敢跟自己的母亲吵架，他几乎是气急败坏地赶回家里。

夏母气鼓鼓地坐在客厅里，苏天佩悠闲地在房间里看电视。夏宁清一声怒吼："苏天佩，你给我下来。"

苏天佩没有理会，这段时间憋得慌，就今天最扬眉吐气，此时，她甚至有种鱼死网破的快感。

在夏宁清打算冲上楼的时候，苏天佩终于慢悠悠地走下楼梯。

夏宁清怒气冲冲地瞪着她，像要把她吃了，以前她还会软语相求，现在她觉得完全没必要委屈自己，要不然，人家还以为自己软弱可欺了。

所以，苏天佩毫不示弱地回瞪着他："你叫得这么大声有事吗？"

夏宁清见她一副无所谓的样子，气不打一处来，指着她的鼻子怒声说："我不在你就这样气我妈？你眼里还有老人吗？"

苏天佩淡然一笑，挑衅地说："你可以把你妈扔在家里不回来，是你眼里没老人。再说了你又没把我当老婆，我干吗还得伺候你妈？你这如意算盘打得可真响，不愧是成功的商人。"

夏宁清被苏天佩的冷嘲热讽激怒，斩钉截铁地说："行，我妈不用你来伺候，我保证会给她找个听话的儿媳妇，既然你这种态度，我也不用跟你讲情分，你把离婚协议签了，我们一拍两散。"

苏天佩哈哈大笑，笑得眼泪都出来了，夏宁清沉着脸不说话，好不容易苏天佩止住了笑，挖苦道："要我签离婚协议也可以，不过好歹做了一年多夫妻，财产得分一分吧？"

夏宁清一听，额头青筋暴跳，胸口剧烈地起伏着："财产？结婚一年多来你有赚过一分钱吗？何况这些都是我的婚前财产，你凭什么要分财产？"

夏母一听儿媳妇竟敢提分财产的事，气得从沙发上站起来："你这一年来白吃白住，还想分财产？我看你是脑子烧坏了吧？"

苏天佩冷哼一声："脑子烧坏的人是你们吧！好了，我把话撂在这里了，要离婚可以，拿分手费来！"

夏宁清看着她嚣张的模样，恨不得扑上去撕碎了她，当初那个活泼娇俏的女孩如今已经蜕变成一个泼妇，怎不叫他心头火起？

苏天佩嘲讽地看着他，知道他心里在想什么，她才不在乎呢，男人给了女人足够的爱和优越的物质生活，女人才会温柔可爱。男人已经绝情绝义，还指望女人优雅从容吗？天大的笑话！

夏宁清毕竟在商场上打滚了多年，不会过于意气用事，他按捺住火气说:"你要多少?"

这段时间他在外面找的女人已经怀了他的孩子，肚子渐渐大了，他怎么不着急?如今他已经年近五十，难得上天还会赐给他孩子，他怎么也要为自己孩子的将来打算，可如果苏天佩不让位，自己的孩子怎么名正言顺?他之所以不把实情告诉苏天佩，就是怕她借此要挟。夏母早就知道此事，所以不管苏天佩怎么讨好她，她都冷冰冰地对她，为了孙子，她不能心软。夏宁清知道这事对不住苏天佩，所以现在苏天佩已经松了口，只要她要得不是太过分，他就当这一年多来的补偿吧!

苏天佩看了看旁边虎视眈眈的婆婆，轻轻吐出三个字:"一个亿!"

夏宁清怀疑自己听错了，她说个几百万，自己可以理解，甚至一千万，他也愿意花钱买个干净。想不到她张口就是一个亿，当自己是世界首富吗?这么一想，夏宁清觉得几百万都是多余的，自己何必对这个女人心软?

"我没有，就算有，也不会给你。"夏宁清的语气不容置疑。

夏母在一旁帮腔:"一个亿?亏你说得出口!"

苏天佩冷笑一声，不紧不慢地开了口:"我为什么说不出口?现在是你儿子有错，错的一方当然要弥补另一方了。这一个亿我也不是信口开河，在夏家生活了一年多，虽然你们没有把我当自己人，可我对这个家的底细还是有所了解的，这一个亿，不多也不少。"

苏天佩心里明白，这一亿绝对是超出了夏家母子的承受能力，她也没指望他们照单全收，可要讨价还价必须把价钱开高了，否则吃亏的是自己。

夏宁清冷冷地说："别以为你要挟我，我就没办法了，只要我坚持离，没有离不掉的婚。"

苏天佩从鼻子里哼出一声，不再跟他废话，好歹她也是浙大毕业的，脑子不笨，夏宁清这么急着离婚，肯定有原因，既然自己已经努力挽回还是挽回不了，那就趁这个时机为自己争取最大的利益。

"那我们就慢慢耗吧！"苏天佩甩下这一句，转身又上了楼。

夏母看了儿子一眼："她不肯离婚，怎么办？"

夏宁清阴郁地说："商场上那么棘手的对手我都不怕，难道还对付不了一个女人？"

夏宁清在商场上游刃有余是没错，可是这次他错了，女人的难以对付绝对超出商场的尔虞我诈，尤其是一个女人下定决心跟你耗的时候，更是无懈可击。她不跟你玩心眼，不跟你使手段，她就摆明了跟你耗到底。换做平时夏宁清不怕，可是他离不了婚，外面的女人就不干了。

要说夏宁清外面的女人条件未必有苏天佩好，可谁让人家怀了他的孩子呢！母凭子贵在普通家庭是不盛行了，可是在夏宁清这样拥有巨额家产又无子嗣的家庭里，是最重要的砝码。

夏宁清在苏天佩那里碰了一鼻子灰后，又回到了外面的小家，女人一听他离婚受阻就不乐意了，抬起双手就往自己肚子上捶去："你不离婚，把我们母子放在哪里啊？我不生了，

247

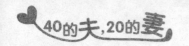

我不要以后别人指着我们母子的鼻子骂。"

这招对夏宁清特别管用，他立刻捉住她的手，柔声安抚："你不高兴就打我，千万别动我们的儿子，我这不是正在离吗？她死活不肯我也没办法啊，除非我肯给她一个亿。"

女人瞪大了眼睛，吃惊地说："一个亿？她怎么不去抢银行啊？"

夏宁清顺着她的话说："就是啊，我怎么可能给她一个亿啊，问题是不给，她就死活不离，我也没办法啊！"

女人想了想，恨恨地吐出一句话："那你就跟她起诉离婚。"

夏宁清头痛地说："如果我是普通打工的，起诉就起诉。我现在是企业家的身份，要是闹到法庭，她再添油加醋地一闹，面上不好看，能和平解决就和平解决吧！"

女人知道他说的是实情，也不敢再逼，给夏宁清下了最后通牒："反正我们母子的路怎么样就看你了，我先把话跟你说前头了，万一你要是不离婚，我是不会生下这个孩子的，我给你三个月时间，如果到时候你还离不了，我就去引产，七个月的孩子，你忍心吗？"

夏宁清一想到会跑会跳的孩子，离婚的决心立刻变得无比坚定，握着女人的手保证："放心吧！我一定会离婚娶你的，我们的孩子还要继承我的家业呢！"

女人安心地笑了，幸福地抚摸着肚子，心中得意：与其去抓住一个男人的心，还不如做男人最需要的事，孩子，妈妈就靠你了。

之后一个月里，夏宁清和苏天佩僵持着，夏宁清的焦急苏天佩看在眼里，她反而淡定了。最后，夏宁清憋不住了，开出五百万的离婚条件。苏天佩一听，直接撂了电话，气得他差点把电话砸了。

硬的不行，只好来软的，夏宁清开始跟她哭穷，从大环境不好到自己的能力渐渐不行，总而言之一句话：我实在拿不出这么多钱。苏天佩终于做出让步：八千万！

夏宁清恨得咬牙切齿，当初知道这个女人爱钱，但是没料到爱钱爱得如此痴狂。亏自己那时候还觉得她真实可爱不做作，好过那些明明爱钱，却假装清高的女人。在他埋怨这些的时候，他忘了一句话，喜欢一个人时，她做任何事看着都顺眼，厌恶一个人时，对方做什么都是错的。笑也是错，哭也是错，站也是错，走也是错，甚至连呼吸都是错，总之存在就是个不可饶恕的错误。

凌晨一点，苏天佩站在阳台上呆呆地看着忽明忽暗的夜空，天际闪烁着几颗星星，好似在嘲笑她的孤独。夏天已经来临，夜晚虽然褪去了几分暑气，依然闷热，可是她却觉得遍体生寒。没有钱的时候，觉得有钱的日子一定会快乐，至少不用为物质发愁了，可是真的过上了优越的生活，却觉得想要更多的物质，到底什么时候是一个头？现在自己还没有拥有很多钱，就开始不快乐了，到底自己的不快乐是因为拥有的钱还不够多，还是事实上快乐和钱无关？

这些关系，苏天佩想不明白，她只知道现在已经无路可退了，既然她已经选择了物质的婚姻，她就不能允许自己到头来一无所有，她暗暗握紧了双手，这场离婚战役，自己不能认输。等夏宁清开出自己可以接受的条件后，再找一个年

二十三 求职

249

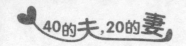

纪相当的好男人结婚，这是她之所以愿意离婚的主要原因，既然现在的婚姻不快乐，那么也许可以试着换一种生活方式。

夏宁清见苏天佩对自己开出的条件根本不为所动，气愤之余，只好加重了砝码———一千万！

可苏天佩只是淡淡地哼了一声，挂上电话。夏宁清看明白了，这个女人不拿到足够的钱，是不会离婚的。换做平时他就拖上两年，到时候叫她一无所有。

这天下班，夏宁清和往常一样，先去看女人和孩子，女人的肚子已经明显地隆了起来，满脸含笑地看着他。

"今天我去做彩超了，是个儿子，你看，儿子的小鸡鸡像个小田螺一样可爱，你马上就要有后了。"

然后女人又问起他什么时候才能离婚，夏宁清看着片子，为了儿子的将来，终于决定不计一切代价离婚。

这天晚上，夏宁清很早就回家了，苏天佩不在。夏母告诉儿子，这段时间她经常出去，夏宁清也懒得理会她去了哪里，反正这个女人是自己将要抛弃的，她再做什么都和自己无关了。

晚上十二点，苏天佩终于回来了，看见夏宁清在房中，吓了一跳，回过神来讽刺道："我道是谁呢，怎么了？想你妈了？你把她接出去不就可以了吗？"

夏宁清不理会她的挑衅，开门见山地说："我们这样拖着也没意思，八千万我确实拿不出来，你再重新考虑一下你的条件。"

苏天佩知道他是正式打算跟自己谈离婚了，也不客气，坐在床上，气势凛然地说："你觉得我要得过分，我倒不觉得，女人的青春是无价的，现在你要抛弃我，总要付出点代价是吧？"

夏宁清鄙视地说："我最后悔的就是娶了你这个爱慕虚荣的女人，这是我这辈子做得最错的事，当时我肯定脑子被驴踢了，现在就当我花钱买个教训吧！"

苏天佩被他的话刺激到，却不甘示弱："一样，我最后悔的也是嫁了你这个无情无义的男人。"

"既然彼此都后悔了，那我们趁早结束这个错误的婚姻吧！今天我不是来跟你吵架的，我是来跟你谈离婚的。"

苏天佩长长地叹了口气，静静地说："好吧！我也不想为难你，五千万，这是我的底线了。"

夏宁清被成功激怒，迫近她凶狠地说："我想请你最好搞清楚自己在做什么，我在社会上这么些年，不会怕你一个女人，你要是再这么贪得无厌，小心有钱没命花。"

苏天佩不敢相信地看着他，困难地吞了吞口水，色厉内荏地说："你想威胁我？像你这种有钱人最惜命了，你会来跟我拼命吗？把我当三岁小孩吗？"

夏宁清怒极反笑："没错，我是很爱命，你也说了我有钱，有钱可以请人做，未必要你的命，但一样搞得你生不如死，就算出了什么事，我也能摆平，你信不信？"

苏天佩毕竟是个二十几岁的女人，出了校门后就结婚，社会经验少得可怜。被夏宁清一吓，种种可怕的场景就出现在脑海中，之后的几个夜晚，她几乎晚晚噩梦缠身。

半夜被惊醒后，她就再也睡不着了，无论有点什么动静，她都吓得半死，这样过了几天后，她觉得自己快崩溃了，更

二十三 求职

251

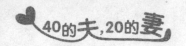

怕夏宁清真的对付自己。主动打电话给夏宁清，把离婚金额降到两千万。

这个数目还是超过了夏宁清的预算，但是想到儿子出生就能够名正言顺，虽然心痛这两千万，却也不是影响到自己根本的数目，所以他答应了。

苏天佩松了口气，与其每天这样提心吊胆地过日子，还不如拿着两千万痛痛快快地走人。

三天后，苏天佩和夏宁清协议离婚，由男方支付两千万赔偿。她拿到那两千万，百感交集，这就是自己在这场婚姻里得到的东西，为什么自己却不开心呢？

站在人来人往的马路上，她竟不知何去何从了。

二十四　再次失业

三个月后，丁浩顺顺利利地过了试用期，对工作也日渐上手。这是一个典型的家族企业，老板姓顾，各部门的头都是老板的亲信，可是亲信多了，各自争权夺利，严重影响了公司发展，所以老板下决心要进行改革。丁浩就是这次改革中招进来的。

顾老板对丁浩他们几个寄予厚望，丁浩自然也想努力让老板满意，一心扑在工作上。接连干了几件大事，渐渐取得了部门下属的信任和拥戴。丁浩满意地看着这一切，相比以前的公司，他觉得在这个公司里更有成就感。

这天，他打开电脑，照例处理了些工作邮件，然后开始写发布会的总结报告。刚写到一半，门外就急冲冲进来一个人，是丁浩的助理张婷。丁浩有些不悦思路被打断，不过他轻易不会向下属发脾气，只好把电脑移到一边，问："什么事，跑得这么急？"

看到张婷手里拿着一些报销单子，那上面自己刚刚签过字，莫非有什么错处？丁浩如是猜测着。

张婷委屈地看着他，把单子朝他面前一推："总监，这些

253

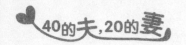

单子财务不给报销。"

丁浩拿过来仔细检查了一番，没发现有什么问题，不解地问："为什么不给报销？是否我来得不久，财务还有什么规定我不知道的？"

张婷摇摇头，丁浩狐疑地问："那是什么原因不给报销？"

张婷犹豫了一下，照实汇报："财务王总监说我们的做法不符合公司一贯的作风，说我们不把公司的钱当钱。"

丁浩一听，气上心头，自从自己进入这家公司以来，一直兢兢业业，处处为公司未来着想，这次的发布会也是自己牵头要搞的，现在被指为损害公司利益，怎不叫他气愤？

丁浩深呼吸几次，才把心头的怒火压了下去："单子你放着吧，我来处理。"想了想他又问，"是不是我们部门有什么地方得罪财务部了？"

张婷立刻摇摇头，却又一副欲言又止的模样。

"有什么话就直说吧！"

张婷就等着丁浩说这句话，当下也不再保留："本来各部门怎么花钱，反正只要在预算里的，财务部没权过问，毕竟每个部门的计划和运营，财务部不可能管得那么细。可是自从王总监管了财务部以后，很多不是她管的事情，她都要插手。"

"那老板允许她这么做吗？"

张婷撇了撇嘴道："总监，你不知道这个王总监的来头，她是老板的小老婆，所以在公司一直拿自己当老板娘看待的。"

又是情人关系？他丁浩想起之前艾伦的事，都说是艾伦是董事长的情人，结果人家却是宝贝女儿，谣言不能轻信。

他脑海里映出老板和财务总监王娜琴的样子，两人相差最多也就十岁，不至于是父女关系吧？丁浩立刻否定了这种猜测。

张婷见丁浩不信，立刻说了好几件事来佐证，证明自己不是信口开河。这次丁浩比较谨慎，没表示信还是不信，只说这件事交给自己处理。

张婷见丁浩不怪罪，乐得脱手，临走善意地提醒丁浩要跟王娜琴搞好关系，只有跟她亲近的人，她才不会为难。

丁浩入职以来跟新公司的行政总监张昭华颇为投缘，吃饭的时候不知怎的就跟他说起此事，张昭华也不避讳，单刀直入地说："这个女人是老板的那个，心眼比较小，平时最喜欢别人把她当成老板娘，我看她这次是故意针对你，我想是上次开预算会议的时候，你那些话得罪她了。"

丁浩想起来了，上次开预算会议的时候，自己进公司不久，觉得老板信任自己，就应该多为公司献计献策。所以他提出公司财务报销流程过于繁琐，预算体系过于死板，当时王娜琴的脸色就不好看了，但是他没当回事，既然老板把他请回来，不是让他人云亦云的，何况自己也是对事不对人，之后更没把这事放在心上。想不到人家只是当时不发作，过后找机会报仇呢！

张昭华好心地建议："丁浩，如果你想在这个公司立足，还是不要跟王娜琴硬碰硬了，好男不与女斗，找个机会请她吃顿饭，你刚来没多久不了解情况，我想她也不会咬住你不放的。"

丁浩闷闷地喝了口酒，心中一股浊气无处发泄，一瓶啤酒见底的时候，他又问："既然老板请我过来，就是希望我做

二十四 再次失业

255

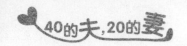

出一番成绩的，如果要受制于一个女人，是不是干得太窝囊了？老板有心改革，不会让自己的女人乱来吧？"

张昭华不确定地说："老板对公司现状是有些不满，但是他再看重你，总是自己的枕边人更亲，你如果非要坚持己见，我怕你吃亏啊！"

也许是酒劲上来了，丁浩倔强地说："我做事全凭良心，为何要为难自己去走裙带关系，王娜琴看我顺眼也好，不顺眼也好，我是为老板工作，不是为她，我相信老板也不是个是非不明的人，我照常处理，如果她还是一味为难的话，我只能去和老板沟通了。"

张昭华不说话了，他跟丁浩走得近就是因为丁浩正直，他内心也希望老板会秉公处理，也好打击一下王娜琴的嚣张气焰。同时他也为丁浩担忧，不过按照老板对丁浩的器重，也许会妥善处理此事，所以他不再相劝。

第二天，丁浩亲自带着那叠单据去找王娜琴，虽然丁浩憋着一肚子气，可他压抑住了，今天他是来解决问题的，不是来算账的。

"王总监，这是市场部这次开发布会的费用，不知道哪里不合公司的规定，以致财务部不给报销？"丁浩特定把公司的规定咬得很重。

王娜琴扫了那叠单据一眼，皮笑肉不笑地说："丁总监，我想你是误会了，不是财务部不给报销，去年我们也开过发布会，总共就花了二十万不到，今年这次竟然花了将近五十万，这个差距可是相当巨大啊！虽然这是市场部的事，可是我身为财务总监不能看都不看就照单全收了，昨天我仔细看了下单子，发现市场部花钱真是大手大脚啊！这样下去，公司怎么吃得消呢！合理支出部分我已经给报了，这些是我认为不合理的。"

　　开发布会之前，丁浩也查过之前的相关资料，确实花费很小，可是那场发布会开得无声无息，看起来为公司节省了不少钱，却没有达到应有的效果，简直把钱扔进了大海里。而自己负责的这场虽然费用多了一半，但是开得相当成功，引起的反响很大，市场部的作用不就是这个吗？之前丁浩还觉得前任总监只会省钱却不顾效果，现在看来自己可能是冤枉了人家，说不定人家也想搞得声势浩大，只是苦于无米下炊。丁浩突然想起了艾伦刚到自己公司那次，也是因为预算问题跑到自己办公室，当时自己就是这么打发了她，想不到才短短几个月，他就成了艾伦的角色。只不过艾伦是一时冲动，自己却是经过多次开会才举行了这次发布会。

　　丁浩据理力争："这次我们的发布会有那么多媒体记者采访报道，又在五星级酒店召开，费用自然比较大一些。可是随之而来的是知名度的提高，这是无形资产，无法用金钱来衡量，何况，我做之前也是按照公司预算制度来执行的。"

　　王娜琴冷笑了一声："丁总监，我查过预算，今年发布会的预算只有三十万，而你搞的这次足足花了四十六万。"

　　"我做之前请示过老板，我有权将市场部其他不必要的预算挪过来，总体预算我会控制好，这个就不用王总监操心了。"

　　王娜琴见丁浩句句针锋相对，气不打一处来，本来她故意扣着这些单子，也不是存心跟他为难，只要他向自己说几句软话，并且表示以后财务部的工作会多多支持，她也就顺

257

势而下了。说直白一点，她不过是想给他一个下马威而已，免得他新官上任，不把自己放在眼里，想不到这人不识时务，还处处挑衅自己。放眼这个公司，谁敢这么不把她放在眼里？上一次她可以当他新来的，搞不清楚状况，所以这次她打算让他搞搞清楚，没想到这人这么顽固。

"丁总监，这话你就错了，财务部有权也有责任控制各部门的预算，对于花钱大手大脚的行为应该阻止。这叠单子我不会批的，我觉得丁总监自己也要仔细看看啊，不能员工拿什么上来你都给签了。比如这三万块好处费，记者过来白吃白喝的，还要给他们好处费？"

丁浩不知道该笑她无知还是顽固了，记者那里要是不给点车马费，人家会免费给你刊登吗？每天有那么多公司在开发布会，人家干吗独独给你刊登？难怪上一次开得无声无息的，不给回报，谁替你办事啊？上班不还得拿工资吗？

不等丁浩说话，王娜琴继续说："还有这笔费用，完全是不必要的支出。市场部开研讨会为什么不能在公司里开，难道公司没地方开会吗？为什么要跑到度假村去？"

"去度假村是为了让大家不受到干扰，同时换个环境希望大家能有不同的思路。"丁浩强忍着解释道。

"就怕大家对着外面的山山水水，心里想的不是怎么开会，而是早点开完去放松吧？"

丁浩见王娜琴处处挑刺，不再跟她废话："那王总监的意思就是这些费用都不能报销？"

王娜琴瞟了一眼丁浩，不冷不热地说："丁总监，我希望你知道我是对事不对人，这些费用我确实没法批。"

丁浩憋着气站了起来："好！"

王娜琴见丁浩这么不识时务，在他出门之前又说了几句："丁总监，我觉得做事确实应该灵活点，但是市场部很多做法，我不得不说几句。现在市场竞争激烈，市场部又是公司花钱的大头，也要多替公司着想，尤其很多活动，能不搞就别搞，劳民伤财的。"

丁浩硬邦邦地说："王总监还是操心财务部吧，如果再操心市场部就太累了。"

丁浩说完头也不回地走了，王娜琴气得脸色发青，他竟然说自己没资格管市场部？她倒要看看她有没有资格管市场部，放眼这个公司，还没谁敢跟自己这么叫板呢！王娜琴知道丁浩一定会去找老板，决定先发制人。

丁浩没有立刻去找老板，他觉得要是在财务部那碰了壁就立刻找老板，那是小女人的做法，自己这个大男人是无论如何也做不出来的。他想了想，决定起草一封邮件，把这次发布会的主要作用和影响阐述一遍，干脆绕过王娜琴，他并不想跟她一般见识，显得自己睚眦必报。

第二天，丁浩和张昭华在电梯里碰到了王娜琴，虽然两人之前有过矛盾，毕竟不是二十岁的年纪了，丁浩还是跟她打了个招呼，王娜琴不冷不热地嗯了一声，丁浩也不计较，反正也没打算和她有什么瓜葛。

王娜琴得意地看了丁浩一眼，昨天晚上她已经把事情跟老顾说了，并且吹了不少枕边风，直到老顾答应一定会让她满意，她才放过了他，所以她自信丁浩会向自己低头。

王娜琴一走，张昭华关心地看着他："你们没有和解吗？

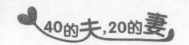

得罪谁也别得罪女人啊，何况还是老板的女人。"

"我并不想跟她过不去，但是我有我的原则，如果她仗着自己是老板的情人插手其他部门的事，我不会买她的账。另外，我也是赌一把，如果老板一味放任自己的女人在公司只手遮天，这个公司不会有前途，在公司里干的人更不会有前途，我也不可惜。"

张昭华叹了口气，不再说什么。丁浩说的话，做的事不就是自己想做的吗？可是自己的老婆是全职太太，女儿又在国外念书，如果没有很好的机会，他不敢轻易挪窝，自然比不了丁浩这么敢作敢为，讲究原则。

回到办公室，丁浩把邮件检查了一遍，发了出去，静等老板答复。刚把这一切做完，张婷进来找他，苦着脸说："总监，这一叠单子财务又不批，说吃饭的规格太高了。"

丁浩看了看金额，相比以前的公司，根本不算多，何况人家派来的是集团副总，能带对方去排档吃饭吗？自己已经尽量控制了。丁浩心里清楚，这是王娜琴故意为难自己部门呢！

张婷见丁浩脸色不好，小心翼翼地问："总监，财务不给批，怎么办啊！还说我们会议最后的那顿饭是多出来的。"

丁浩听了，再也压抑不住自己的怒气："财务部有什么资格管市场部的运作？"

张婷嘟囔着加了一句："不就是因为王总监把自己当老板娘，觉得有权管任何部门呗！"

丁浩更加生气，脱口而出："她有什么资格管？"

张婷见丁浩真的动气，不敢再说什么，她非常看不惯王娜琴的行为，可是自己领导才来没几个月，能不能和她抗衡，她没有信心。王娜琴在公司一向睚眦必报，要是事后收拾自己，她也吃不消。

丁浩不忍下属为难，重重呼了口气说："你放着吧，我来处理。"

张婷如获大赦，把单子放下就走。

丁浩看着这些单子，思考了一会儿，决定主动上去和老板谈一谈这个问题。他认为如果老板真的希望把公司搞大，就不会由着一个女人在公司一手遮天。

丁浩进去的时候，王娜琴正好从顾老板办公室里出来，头发微微有些凌乱，丁浩心里咯噔一下，王娜琴经过丁浩身边时，高傲地看了他一眼。

丁浩收敛了下心神，暗暗告诉自己：别被任何事分心。

顾老板见丁浩过来，神情如常，招呼他入座。丁浩松了口气，看来自己多心了，一个干企业的人怎么可能过于公私不分呢！

"丁浩，你的邮件我看过了，正想找个时间和你谈谈呢！想不到你先来了。"顾老板笑容可掬地说。

丁浩也不寒暄，把张婷给他的那叠单子放到老板桌上，尽量控制着自己的语气："顾总，因为这种小事找您我也觉得挺不好意思的，但是这些事情如果不解决，之后的工作不好开展。"

顾老板连连点头，这些事情他早就知道，刚才王娜琴又来找过他，站在他的立场，他无法去说谁对谁错，丁浩入职以来的工作表现他看在眼里，对他还是非常满意的，也知道

261

他是有能力的人，目前公司就缺这样的人。可是娜琴一心替自己把着财务也没错，作为老板谁都希望尽量少花钱，他就更不能说她什么了。所以他希望可以有个两全其美的办法，只是还没想好，丁浩就过来了。

顾老板什么都没说，拿过那叠单子，开始刷刷地签字，丁浩看着他一系列的动作，心里生出一种知遇之感，更为刚才揣测顾老板而汗颜，尤其是看见王娜琴微乱的头发时，他竟对顾老板起了鄙视之意，现在看来自己小人之心了。

顾老板签完字后才开始说话："丁浩啊！女人花钱和男人花钱本来就不同，男人豪气，女人计较，就像一个家一样，一般家庭都会让女人持家，就因为女人喜欢打算。你也别怪娜琴，她也是一心为了公司，她对公司的财务贡献是相当大的，我希望你能多体谅她的用心。"

丁浩听到顾老板口口声声都向着王娜琴，刚才的知遇之情荡然无存。他明白了，在老板眼里，自己是个外人，王娜琴才是自己人，是为他看门守院的自己人。老板认为王娜琴做什么都是从公司考虑，从老板的利益考虑，而自己就不可能像王娜琴那么向着公司。所以刚才老板那么爽快地签字不是因为对自己的信任，而是觉得自己还有点能力，不想闹得太难看，才安抚自己。想到这里，丁浩觉得喉咙里像梗着一根刺，不上不下，难受得紧。

顾老板还在继续说："丁浩，我知道你是个有主见有能力的人，但是公司是一个大团队，各部门之间虽然独立，也需要相互配合。刚才我也跟娜琴说了，叫她别太过问市场部的工作，但是她身为财务总监，过问各部门的预算情况也是合理的，希望你多配合她的工作。"

丁浩越听心越往下沉，顾老板的话很客气，但是话里话外都表达了一个意思：财务部有权干涉市场部的工作。他想到王娜琴的性格，绝对不是一个会公平处事的人。有了这一次的过节，她还不经常盯着市场部？想到以后处处要受制于人，丁浩觉得一种压迫感席卷而来。

顾老板还在说什么，丁浩没有注意听，听到最后一句："你们都是我的左膀右臂，相互可不能有嫌隙啊！"

丁浩没给老板肯定的答复，也没有断然拒绝，只是默默地走出办公室。顾老板看着他的背影，长长地叹了口气，他怎么会不知道丁浩是个人才呢？但是他更离不开王娜琴，王娜琴是他感情的寄托，又知道自己很多事情，就今天的情况还是他说了很多好话哄着她，才使她让了一步。如果丁浩实在不能接受，他也只好弃车保帅了。

二十五　创业

　　这一天，丁浩头一次准时下班，没再为公司免费加班加点，他想念与陆宁相处的时光，顾老板的行为告诉他一个道理:谁才是自己的身边人。

　　丁浩开着车行驶在杭州的路上，回忆着毕业后的经历。他算了一下，自己一共已经待过四个公司，有的是自己为了职业发展主动跳槽的，有的则是被迫辞职的，也许自己还要经历一次辞职。这四次经历让他心生倦怠，那种不能做主的挫败感强烈地袭击着他。突然，一个念头闯进他的脑海里:与其给别人打工，为什么不试试自己做呢？丁浩被自己大胆的想法吓了一跳，他一直是个沉稳的人，从来没有想过自己干，年轻的时候也许还迷迷糊糊有过类似的想法，可是现在都快三十八岁了，才出来创业吗?

　　丁浩满怀心事地回到家里，刚打开门，一团黑影直直地朝自己扑来，丁浩下意识地躲闪到一边，那团黑影就生生地撞到了墙上。

　　"哎呦!"陆宁揉着额头，委屈地看着丁浩。

　　"宝贝，是你啊!"丁浩拉过她，检查着她的额头。

陆宁没好气地扯开他的手："当然是我了，这是我们的家，除了我还有谁啊，你居然不接住我，让我撞墙。"

丁浩心疼地打开灯，替她揉着额头："你在家里为什么不开灯呢，这么暗我怎么知道是你啊！"

"人家想给你个惊喜嘛！"

丁浩没有像以前一样抱着她亲热，反而严肃地看着她："你这样很危险知道吗？你怎么知道进来的人一定是我呢？万一是坏人撬锁呢？"

陆宁一愣，这种可能她从来没有想过，虽然也存在，可毕竟是微乎其微的可能，要是在自己家里都活得这么紧张，这日子还有乐趣吗？

陆宁本想反驳，可是看见丁浩眉头深锁的样子又放弃了，小心翼翼地凑近他："你怎么了？是不是有什么不高兴啊？"

丁浩看着陆宁疑惑的眼神，心里内疚，自己在公司里不如意，怎么把这种情绪带回家了呢？毕竟老婆才二十几岁，孩子心性重一点也无可厚非，想到这里，他歉疚地揽过她："没什么！"

陆宁仔细地看了看他，不相信，她摇晃着他撒娇道："不行，必须说出来，我是你老婆，你必须得告诉我。"

说着，对着丁浩一通乱摇，丁浩拿她没办法，连连告饶："好了，你别摇了，我告诉你。"

陆宁这才罢了手，心满意足地等着丁浩和盘托出。

丁浩却不知道怎么跟她说，他不知道她的反应，毕竟每个女人都向往安稳的生活，如果老婆反对，自己还要不要坚持呢？

二十五 创业

265

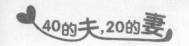

丁浩先给她打预防针："那我说了，你不能生气，好不好？"

陆宁警惕地看着他，开始猜测，从小三开始猜到私生子。丁浩没好气地扯下她的手，故作生气地说："在你眼里，我就是这种人啊？"

陆宁嘿嘿一笑，搂着丁浩的脖子，在他脸上重重一亲，以示立场。

丁浩看着客厅的吊灯，轻轻地说："如果我想辞职自己干，你会不会支持我？"

陆宁不敢相信地看着他，眼神里充满了惊讶。丁浩见她这副表情，心中泄气："算了，我也就是这么一说，自己做毕竟风险太大，万一血本无归，将来你就只能跟着我受苦了。"

陆宁突然大叫一声，抱着丁浩的脸一阵乱亲："还没开始干就说泄气的话，怎么还会成功啊！有想法是好事啊！"

丁浩难以置信地看着她，心中充满了惊喜，这个小丫头故弄玄虚地吓自己，他必须好好惩罚她。

丁浩对着她上下其手，陆宁咯咯笑得花枝乱颤，两人闹了好一会儿，还是陆宁先回过神来，认真地问道："那你想好干什么了吗？"

陆宁知道丁浩是个沉稳的人，她不想问他为什么突然想自己干了，肯定是工作不愉快了或者受了其他事情的刺激才会产生这样的念头。与其干得不开心，不如自己做老板，她开始设想丁浩开公司后，公司越做越大，然后在全国各地开无数家分公司，再融资上市。天啊！那自己不是成了董事长夫人了吗？她越想越兴奋，好似想象的一切已经变成现实了一样。

丁浩看着她眉飞色舞的样子，问她在想什么，陆宁把自己刚才想象的东西一股脑儿地说了出来，并且配上手舞足蹈的动作。

丁浩哭笑不得，心里感叹：年轻真好啊！什么事都不当一回事，给个泡泡就能幻化出五彩缤纷的梦来，难道自己真的老了？丁浩拉住她，忍不住打击她："哪有这么简单的事啊？我估计你这辈子是不可能做董事长夫人了。"

陆宁丝毫不泄气，斜了他一眼："拜托你有点想象力好不好？比尔盖茨以前有想过自己会成为世界首富吗？就我们家旁边的那豪华大饭店，人家以前还是从卖快餐起家的，当时人家也没想过能搞这么大啊！"

虽然陆宁的想法在丁浩眼里很幼稚，净往好的一面去想，可是他不得不承认，陆宁这种乐观充满想象的精神鼓舞了他，使他信心倍增起来。

丁浩激动地抱着她说："宝贝，也许你是对的，梦想有多远，人生才有多远。"

陆宁睁着无辜的眼珠子看着他，提了一个相当现实的问题："开公司需要本钱，我们结婚的时候把钱都花得差不多了，怎么办？"

丁浩对于她如此跳跃的思维有些跟不上，刚才还在眉飞色舞的做着董事长夫人梦，一下子就回到现实了。陆宁说的问题是丁浩最为头疼的，虽然自己年薪不错，可是毕竟只是打工，再高也高不到哪里去，他知道老妈那里还有一笔钱，可是自己毕业的时候没有啃老，结婚没有啃老，难道现在再

二十五　创业

去叫父母把养老钱拿出来吗？他于心不忍，更难以启齿。想到这些，丁浩不得不面对现实，长长地叹了口气。

陆宁从他身上爬了下来，飞快地奔回房间又奔了回来，变戏法似的把一张卡塞到丁浩手里："诺！"

这张卡丁浩不陌生，是岳母给她的陪嫁，陆宁几次要把钱存到他户头上，他一直没答应。在他的观念里，那是老婆的陪嫁，应该由着她自己支配，自己是一分钱都不能动用的。

丁浩感激她的慷慨支持，可是他不能用这笔钱："宝贝，这是妈给你的陪嫁，我不能用你的钱。"

陆宁假装不高兴地撅起了嘴："你就没把我当你老婆，什么你的我的，我们是夫妻，你的就是我的，我的就是你的，老公要做自己的事业，我却把自己的钱看牢，这还像夫妻吗？"

丁浩心里感动，却依然把那张卡还给了陆宁："宝贝，你的心意我明白，但是自己做风险难测，万一我要是失败了呢？这个钱你还是收起来，就算我失败了，也能保证你的生活质量不受影响。"

陆宁急了，这说的是什么话，难道老公生意失败，自己还能拿着钱吃好喝好吗？她强硬地把卡塞到丁浩手里："你这么说我很不高兴，还没开始干呢，你就张口闭口地失败失败，你这么没信心，财神都不光顾你，现在是你最需要钱做启动资金的时候，我怎么可以袖手旁观？何况这个钱在我身边本来也没有特殊用途，存在银行就是一种贬值，你就当我投资入股好了。如果你还跟我分得这么清楚，以后我再也不理你了。"

丁浩见她真的生气，忙抱着她哄，心里暗暗发誓：一定要做出一番成绩来，不能让自己心爱的人失望，更不能让她跟着自己过苦日子。

陆宁见丁浩没再推辞，才笑逐颜开地偎到他怀里："这样才对嘛！夫妻怎么可以这么见外，除非你打算以后发达了都跟我清算。"

丁浩感动地搂紧她，这一刻他心中的感动无法形容，再也没有一个女人可以使他这么心甘情愿地疼到骨子里，他愿意疼她一辈子，给她最好的生活，包容她的小性子，陪着她慢慢成熟："不会的，不管我们以后公司做得多大，我的一切都是你的。"

陆宁满足地亲亲他，钱算什么？上了年纪的女人才会把钱看得特别重，对自己来说，爱才是最重要的。

过了很久，陆宁又担心地问："我们还有多少钱？开公司需要多少钱？"

丁浩粗略估计了下，如果要把公司的门面弄得好看一点，一百万到两百万之间是最起码的。家里还有四十几万，生活费必须留出来，这么一算，缺口至少还有二十万。

陆宁一听才二十万，松了口气说："别为钱烦恼了，二十万而已，随便凑凑就有了，明天我回家找我妈要去。"

丁浩一听立刻阻止："宝贝，这个缺口我自己会解决的，你可千万别去问岳母要，你已经给了我五十万了，足够了。你听我的话，一定不能去。"

陆宁见他这么严肃认真，只好点了点头。丁浩又叮嘱了她一番，本来丁浩还犹豫着是不是要跟自己的父母开口，但

二十五 创业

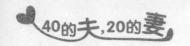

是被陆宁这么一闹，觉得必须提早去跟父母商量，否则要是她去找了岳母，这事就不好看了。哪有自己要开公司，钱都由老婆和岳母出的道理？在这点上，丁浩具有大男子主义的想法，按他自己的打算，陆宁的五十万也不能动用。可是自己现在急需资金，她又是一副特别坚决的样子，只好先收下来，等以后公司盈利了，一定要把这笔钱加倍还给她。可她要是还找岳母要钱，这就是丁浩不能接受的了。

丁浩担心的不是没有道理，这头他还没辞职，陆宁已经回了娘家。

罗淑芬见女儿回来，心里高兴，嘴巴却不饶人："怎么，好久不回来，终于想起你妈了啊！"

陆增华在旁边暗自摇头，女儿没回来的时候，老婆就跟得了相思病一样，女儿一回来，故意摆出一副无所谓的样子来，都是亲母女，何必这么在意面子呢！

陆宁难得没有跟罗淑芬顶嘴，甜腻腻地跟在老妈身后："妈，我想你了嘛，趁着出来办事，回来看看你！"

罗淑芬一听就不乐意了，敢情正经时间都是留给丁浩的，到了自己这就是趁便利才来看看？她也知道跟女婿是没什么醋好吃的，毕竟女儿已经是人家老婆了，可是道理是道理，心理是心理。

知母莫如女，罗淑芬只要鼻子一哼，陆宁就知道她在想什么，走过去摇着老妈的胳膊："本来我们想周日来看你们的，可是我想你了嘛，提早先过来看看，就是不知道周末你还欢不欢迎我们。"

罗淑芬这才喜滋滋地捏了捏女儿的脸："无事献殷勤，非奸即盗，我还不了解你？"

陆宁惊讶老妈什么时候变得这么聪明了，转身向陆增华求助："爸，你看我妈，有这么说自己女儿的吗？"

陆增华呵呵笑着，女儿和老婆他哪个都得罪不起，和稀泥就对了。

罗淑芬仔细地凝视着女儿的脸，满意地点点头："气色不错，精神也很好，看来丁浩把你照顾得很好！"

陆宁见老妈夸奖老公，心里高兴，不忘再狠狠地夸奖丁浩一番："那当然了，丁浩简直就把我当成眼珠子一样爱护，我觉得我这辈子干得最正确的事，就是找了一个疼爱我的老公。"

罗淑芬心中欢喜，嘴里却说道："一辈子长着呢，现在说这话太早了些。"

陆宁皱皱眉头，撅着嘴说："妈你什么都好，就是嘴巴太讨厌了。"

罗淑芬打开冰箱，打算做几道女儿喜欢吃的菜，嘴里继续教训她："那是因为丁浩的甜言蜜语你听多了，你妈的大实话你听着就觉得刺耳了，但是老公会不要你，你妈是永远不会不要你的。"

陆宁赌气不说话了，罗淑芬意识到自己真的扫了女儿的兴，有些懊悔，女儿难得来一趟，老泼她冷水干吗！可自己作为她亲妈，担心她吃苦受罪，所以总对她耳提面命，也是希望她别太天真。

陆宁在客厅里憋了一会儿气，转身回房上网去了，陆增华忍不住说："你老埋怨女儿回家少，你老这么刺激她，她愿

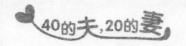

意回来才怪了。"

罗淑芬本来就懊悔，被老公一说，顿时找到了发泄的对象："我怎么是刺激她？我是她亲妈，又不是后妈，我刺激她干吗？我这不是为了她好吗？如果我不是她妈，我才懒得管她呢！"

陆增华连连求饶："好了，是我说错话了，等下吃饭的时候，你就少说她两句，他们夫妻过得好好的，你应该高兴才是。"

"我当然高兴了，问题是人生是有起有伏的，我这也是提醒她。算了算了，我不跟你说了，去把她叫出来吃饭吧！"

罗淑芬也纳闷，难道自己真的到了更年期了？自己心里明明高兴的，却非要去唠叨女儿两句，这是一种根本不受控制的行为，好像不唠叨数落女儿几句，浑身都不对劲。可见女儿不高兴后，自己还是浑身不对劲。肯定是更年期了，罗淑芬这样想着。

陆宁倒也没跟老妈生气多久，主要是她还有求于老妈，如果让她数落两句，然后慷慨解囊帮丁浩开公司，她乐意让老妈多数落几句。

罗淑芬对女儿的心理活动完全不知，见女儿还是亲亲热热地叫自己妈，觉得女儿结婚一年，真的长大不少。她听了老公的劝告，不再泼冷水，可饭桌上无话她不习惯，于是有一搭没一搭地问起女儿的工作。女儿的情况问完，开始问丁浩的。

陆宁就等着老妈问丁浩呢！陆宁夹了块排骨边啃边说："丁浩想辞职自己干。"

272

"为什么？"罗淑芬和陆增华异口同声地问。这可是大事，关系到女儿未来的生活，不能不关心。

陆宁满不在乎地说："具体我也没问，这点我完全没有继承我妈的缺点，男人想说自己就会告诉你，不想说啥也别问，否则时间长了迟早嫌你烦。"

陆增华连连点头，差点热泪盈眶地看着女儿，二十多岁的女孩子，居然这么有悟性，难得，难得啊！接触到罗淑芬警告的眼神，陆增华收敛心神，违心地说："宁宁，这该问的你还是得问，否则你什么都不知情，怎么知道自己要怎么做呢？"陆增华其实想说，当男人真正决定一件事的时候，女人再说什么都没有用的，还不如好好支持男人呢！不过老婆在侧，这种话他怎么也不敢跟陆宁说，心里却暗暗赞叹女儿的做法。难怪丁浩对她这么情有独钟，虽然她年轻，但是不失为一个识大体的女孩。

陆宁猜测道："我觉得可能新换的公司他适应不了吧！毕竟私人公司都讲人情，很多工作不好开展，何况做得再好也是给人家打工，有什么作为啊？他想自己干，也是好事啊！"

罗淑芬见女儿一副轻描淡写的模样，心里着急，这丫头从小就被自己捧在手心里疼着，根本没有受过苦，更没有多少社会阅历。开公司？有那么容易吗？否则怎么老板寥寥无几，打工仔满大街都是？万一失败，背了一身债，以后他们的日子怎么过？

罗淑芬知道女儿的性格，越反对她越不肯听，只好按捺着说："那他想开什么公司？"

陆宁一愣，筷子停在嘴边，不好意思地说："这个……我

二十五　创业

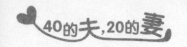

忘记问他了。"

罗淑芬气不打一处来，噼里啪啦地说："连他要开什么公司你都不知道，就盲目支持他开公司了？要是他现在才二十几岁，他要开公司我不反对，年轻人嘛，闯闯总是好的，万一干出点名堂来呢！就算失败了也没关系，反正还年轻，爬得起来。可是丁浩马上就要三十八岁了，这个时候开公司，他不是讲笑话吗？先不说他的冲劲和身体不能和年轻人比，就算上了轨道，他都四十多快五十了，到时候落下一身病，难道你下半辈子就伺候病人吗？"

陆宁不高兴了，非常不高兴，老妈嘴里就没一句好话，干失败了，就永不翻身了。成功也不行，成功后就得一身病。横竖都是坏结果。

陆增华见母女两个针锋相对的模样，赶紧打圆场："老婆，你先别急，丁浩不是个小孩子了，他一定有他的打算，何况他性格稳重，不是个想一出是一出的人。改天叫丁浩过来吃饭，问问他的打算再看。"

罗淑芬一想，确实如此，刚才被女儿气昏了头，陆宁一听老爸要叫丁浩上门就急了："不行，尤其是我妈那个脾气，等下他还没做，就被我妈打击得七零八落了。我跟你们说，刚决定做事业的时候，心气是最重要的，要是你们打击多了，劲头就没了，我决定了，在丁浩公司没干起来之前，我们暂时不回家了。"

罗淑芬气结，自己还没说两句呢！这死丫头就以不回家要挟，要是再多说几句，估计这没良心的死丫头就会威胁自己断绝母女关系了。这么一想，她突然觉得悲哀，养孩子干吗？就是给他们气的吗？好吃好穿的养大了，完全不跟你一条心，养只猫啊狗啊的，可能还更贴心呢！

陆增华了解女儿的脾气，知道她肯定不会特地跑回家来告诉他们这个消息，一定是遇到了什么困难。

"宁宁，你们是不是有什么困难？"

陆宁佩服地看着老爸，可是看了看老妈阴沉的脸色，又心虚了，小声说："开公司需要本钱，去年我们结婚花了不少钱，所以……所以……"

陆增华明白了，女儿女婿是缺钱了，罗淑芬一听女儿竟是开口来要钱的，气得胃痛，阴阳怪气地说："我当陆大小姐回来看我这个老太婆呢！原来是要我们出钱啊！丁浩不是想开公司吗？本事那么大怎么还会缺钱呢？叫他自己想办法啊！"

陆宁最见不得老妈质疑丁浩，气鼓鼓地说："难怪丁浩死都不要我告诉你们，早知道你会这样，我打死都不跟你说，但是丁浩是我老公，他做什么事我都会支持他的，我不相信我们两个大活人还会被钱难倒，办法永远比困难多。爸，我下午还要上班，先走了。"

陆宁刚走，陆增华看着气愤伤心的老婆，柔声劝道："你也别跟宁宁计较了，站在她妈的角度上，你一点错都没有，你都是为了她好。"

罗淑芬瓮声瓮气地说："你女儿就是一只典型的白眼狼，女生外向这个古训真是一点都不差，只是你女儿也外向得太彻底了，眼里就只有丁浩，好意歹意她都不会分。"罗淑芬越想越生气，恨不得把女儿塞回肚子里重造一番，当初生她的

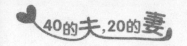

时候肯定把良心忘记给她了。

陆增华安慰地拍拍她，尽量以平和的语气跟她说："可是站在宁宁的角度上来看，她也没错啊，如果当年我想自己干一番事业，你会不会全力支持我？夫妻相互扶持不就是这个理吗？你应该为宁宁骄傲，现在外面现实的女孩子有多少？咱宁宁可不这样。"

罗淑芬叹了口气，老公的话说到她心坎里了，的确，如果是老公想干事业，她作为老婆也会全力支持他。可现在立场不一样，她就是无法认同女儿的做法，简直不给自己留点后路。想到后路，罗淑芬突然想起什么似的，瞪大眼睛看着陆增华："你说我们给她的五十万，她会不会给丁浩了？"

陆增华摊摊手，摆了个"这还用问"的表情，罗淑芬懊恼地一屁股坐在沙发上，都怪自己一时冲动，早知道女儿这样的个性，当初就该什么都不给她，自己一门心思地为她，她却一门心思地为丁浩。

陆增华劝她："好了，钱财乃身外之物，何况她又不是给了别人，我们给她的时候，这钱就是她的了，她想怎么支配都是她的自由。"

罗淑芬恨恨地想，难怪女儿都叫赔钱货，真是太精辟了，光赔钱也就算了，连人和心都一起赔了。她就不明白了，自己很多生了儿子的小姐妹都感叹有了儿媳妇后，儿子的身心都向着岳母家，都羡慕自己养了女儿，都说女儿再怎么嫁出去，心永远都向着妈妈，不会向着婆婆。陆宁倒也没有心都向着婆婆，可她心都向着老公了，不还是向着夫家吗？真是都看见别人繁花似锦，没看见别人枝头萧索啊！

二十六　老人的担忧

　　周末，是个难得的好天气，丁浩决定就这天回家和老妈商量，天气晴朗人的心情也会比较开朗，容易商量事情，这是丁浩的认为。

　　陆宁团着被子睡得口水直流，睫毛垂下，在眼帘处形成一片阴影，丁浩宠溺地看着她的睡颜，忍不住低头亲亲她的额头。陆宁被人打扰，很不高兴地拍过来，丁浩吃痛，心想这丫头睡觉劲都这么大。见她继续睡着，又去亲她的脸，然后是唇。陆宁再次受到干扰，干脆整个人都钻到被窝里，嘴里还发出哼哼唧唧的声音。

　　丁浩凝视了她一会儿，起身把落地窗的窗帘全部拉开，顿时，窗外的阳光全部透了进来，照得一室亮堂。陆宁在被窝里闷了一会儿，觉得不舒服，又把头伸出来，光线刺得她难受，只好再缩了回去。

　　丁浩掀开被子把她抱了起来："今天我们有重要的事情要办，起来了。"

　　陆宁柔若无骨地被丁浩抱在怀里，就是不肯睁眼，丁浩对着她一通乱亲，陆宁左闪右躲，连连求饶："好了好了，我起来。"

路过一家商场，陆宁提议道："今天我们是有事相求，你说要不要买些礼物过去啊？"

丁浩笑着刮了刮她的鼻子，这个小东西，居然也学会请客送礼那套了。可那都是对外人的，对自己的父母还这样，不是显得自己居心不良吗？所以他否定了这个提议。

陆宁想了想，觉得丁浩的想法有理，也就随他了。相互过于客气就不像亲人，像客人了。可婆婆在自己眼里，确实是客人。

余秀珍见儿子媳妇一起过来，心里高兴，虽然上次和陆宁吵了一架还没完全恢复，毕竟时间久了，也就慢慢淡忘了。

陆宁见婆婆有些尴尬，想到丁浩今天有求于婆婆，可不能让她心情不爽了，亲亲热热地喊了一声："妈，我们来了。"

余秀珍见媳妇主动示好，也就顺着台阶下了，忙招呼他们进来。

趁余秀珍不注意，丁浩在陆宁耳边亲了一下："我的宝贝最识大体了。"

陆宁娇媚地看了他一眼，眨巴着眼睛说："要是不把妈哄高兴了，我怕她不借你钱。"

丁浩搂着她的肩膀，摸了摸她的头。

吃过饭后，陆宁陪公公在阳台晒太阳话家常，把客厅留给了婆婆和丁浩。

余秀珍见儿子一直在自己身边打转，忍不住说："他们都在阳台说话，你怎么不去加入他们？"

丁浩想了想，推着余秀珍到房间里，严肃地看着她，余秀珍被儿子凝重的神色吓了一跳，本能地担心起来："怎么了？

是不是出什么事了？"

丁浩摇摇头，示意老妈别杞人忧天："妈，我决定辞职自己干。"

余秀珍惊讶地站了起来，干得好好的怎么突然要辞职？自己干风险得多大啊？万一失败了还能翻身吗？余秀珍把担心一股脑地说了出来，然后朝阳台方向指了指："你跟你老婆说过了没有，她不反对？"

丁浩点点头，欣慰地说："宁宁不但没反对，还全力支持我。"

余秀珍以为媳妇会反对，至少会考虑一下风险，想不到她这么干脆地表明了立场。年轻人想事情过于简单，如果丁浩娶的是个成熟稳重的老婆，肯定会三思而后行。

余秀珍想指责陆宁，又压抑住了，低声说："辞职自己干，不是小事，陆宁年轻不懂事，盲目乱支持，你有想过后果吗？"

老妈的反应在丁浩的预料之内，父母勤勤恳恳了一辈子，从来没有什么大的愿望和抱负，过的也一直是平淡普通的日子，对于这么大的动作，首先想到的就是风险，他今天来就是说服老妈支持他。

"妈，我已经都想好了，我希望我们统一意见，然后我就回公司把工作辞了。"

余秀珍松了口气，好在儿子没先斩后奏，要是他真的把工作辞了，还真棘手了。

丁浩见老妈一直沉默不语，再一次表示自己的决心："妈，这次我已经下定决心了，希望您支持。"

然后丁浩把自己的打算跟余秀珍大概介绍了下，余秀珍

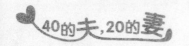

对资金这一块听得特别仔细，儿子工作后，她就没再去过问儿子的财政，可儿子孝顺，对于升职加薪都会据实以告，她大概也知道儿子的经济情况。去年结婚，应该花了不少钱，余秀珍猜测，儿子怕自己对陆宁有意见，在花费上只会隐瞒不会夸张，所以他手里的钱不会太多，她也明白丁浩所谓的支持，主要还是指资金上的支持。

余秀珍直奔主题地问："你手里还剩多少钱？"

丁浩老实回答只有四十多万，余秀珍忍不住说："你刚才也说了，开家公司起码得一两百万，我跟你爸也不是什么生意人，哪有那么多钱来支持你？何况你也不能把所有钱都投进去吧？难道你们不生活了？"

这些丁浩都考虑过了，当下把陆宁拿出所有钱支持自己的事告诉了老妈。余秀珍沉默了一会儿，这点她倒没想到，本来她以为陆宁就是脑子缺根筋，考虑事情过于简单，丁浩说什么她就是什么的人。没想到她会拿出所有钱来支持自己的老公，这样看来，媳妇对儿子确实真心真意，不带一丝私心。或者她觉得自己年轻，万一丁浩要是失败背了一身的债，她还有离婚这条路可走。余秀珍越想越觉得有这种可能。

尤其看到儿子那种感动感激的神色她就更不是滋味了，老婆为他付出点什么，他点滴记在心里，自己天天为他们操碎了心，还嫌自己管得多，难怪有句话说娶了媳妇忘了娘。何况，万一丁浩发达了，夫贵妻荣，还能亏待了她陆宁？

丁浩见余秀珍一直不说话，不知道她在转这些念头，继续说服她："妈，我觉得人活着一辈子确实应该有点自己的事业，我现在最需要的就是你和宁宁的支持了。"

余秀珍不是滋味地说:"你有老婆支持就够了,还要我这个老太婆支持什么?"

丁浩一愣,脑子转了转才知道老妈又在吃老婆的醋了,谁说女人为自己争风吃醋,男人都会得意洋洋,自己就不是,这头得哄着,那头得劝着,累着呢!

"妈,那你是希望宁宁跟我见外,钱都捂着,我干什么她都反对吗?您媳妇心疼您儿子,您应该高兴才是嘛!至少,她不会给我委屈受是不是?"

余秀珍一想,确实是这么个理,要是媳妇对儿子真的无情无义,自己还不知道气成什么样了,可她嘴上不得不提醒:"我是怕你心里都是你老婆,没有我这个妈。"

丁浩搂了搂她的肩膀,给她戴高帽:"妈,你这说的什么话,说不好听点,老婆娶谁都不一定,可是老妈是生下来就注定的,你说到底谁占便宜啊?"

余秀珍扑哧一声笑了,儿子是越来越会哄自己了,以前儿子虽然不木讷,却没这么能说会道,看来是陆宁影响了他。她想了想说:"那你还需要多少钱?"

丁浩见老妈有松动的意思,喜上眉梢,伸出两个手指:"现在就缺二十到四十万,一旦公司赚钱,我立刻还您。"

余秀珍问儿子需要多少钱,只是想了解一下资金缺口,并不是心里已经赞成儿子辞职下海,她心里还没想明白。这么大的事,怎么可能就凭儿子这么一说,她就答应了呢!媳妇年轻,很难指望她去劝着丁浩,不跟着瞎闹她就知足了。

见余秀珍沉默,丁浩的心情又沉了下来,试探着问:"妈,你会支持我的吧?"

　　按余秀珍以往的做法，她会一口拒绝儿子，并且跟他说很多担忧的话。但是她看得出来儿子是真的动了这个念头，不是一时头脑发热，何况他的年纪已经过了发热的时期了。自己要是一口拒绝了，他心里肯定不高兴，何况陆宁已经把所有的钱都拿出来支持他，在儿子心里已经占了上风，自己立刻阻拦的话，他的心一定偏向老婆，觉得老婆才是完全向着自己，支持自己的人。到时候失去了儿子的心，多少钱都买不回来，这才是她最不愿意看到的事。

　　二十万不是很多，自己和老伴节俭了一生，好歹也有百来万的养老钱，以后迟早都是给儿子的，她是担心儿子万一失败的话，那这个家就不毁了吗？陆宁这么年轻，她会跟着儿子过苦日子吗？一想到这些，她就觉得心里堵得慌。

　　这样想着，她打算先不给明确答复，回头跟老头子商量一下。要是真的可行，别说二十万了，就算叫她把所有家底掏出来，她也心甘情愿，要是确实不可行，再一起反对，儿子也怪不到自己头上来。

　　"好了，这个事情我知道了，但是这么大的事，你也要让我好好想一想，过几天我再答复你吧！我跟你爸也商量一下，虽然这个家是我做主，毕竟他是你爸。"

　　丁浩见老妈把话说到这分上了，也不好再说什么，他有信心老爸是不会拖他后腿的，何况自己办辞职交接也需要时间，就让老妈老爸慢慢去商量吧！

　　其实陆宁在阳台上已经把大概的事情告诉公公了，丁起松听了后没发表什么意见，老伴还没拍板，他不敢随便支持，更不会提反对意见了。当着儿子的面可以反对，在儿媳妇面前还是不能太抹了她的面子。

陆宁和丁浩一走，余秀珍立刻把老伴叫了过来，商量该如何应对，余秀珍心事重重地说出自己的担心。

丁起松叹了口气，他又何尝不担心呢！可陆宁话里话外透露出丁浩在新公司里不适应不开心，也许人老了才会想得比较开，什么钱财什么虚名都会看淡，人活着不就图个舒心吗？既然不开心，实在没必要为了那份薪水憋屈地待着。

可余秀珍不这么想，她头头是道地分析着："人活在这个世上，要完全随着自己的心意来根本不可能，这个公司不开心，换个公司也未必就开心了。就算哪个公司都不去，自己干，什么琐事都要干，办这办那的时候不还得看人家脸色吗？就算公司做得很大了，也要看更高级别的人脸色，这是现实，谁也逃不掉。"余秀珍说着说着，又想到一种可能，"老头子，咱丁浩一直都在公司里干得好好的，也没提起过要自己创业，你说是不是陆宁撺掇他的？"

丁起松见老伴什么不好的事都往儿媳妇身上推，忍不住为她打抱不平："这明明就是你儿子的主意，陆宁就是在乎他，不想他失望，所以才全力支持他，你这么猜度人家，可有点小人之心啊！"

余秀珍白了他一眼，不就随便问问嘛！这就急上了？现在她最关心的是，到底是应该支持还是反对儿子辞职下海。说难听点，丁浩要是失败了，陆宁了不起跟他离婚就是了，自己身为他妈，难道以后可以袖手旁观吗？就算可以，她都狠不下这个心，毕竟是自己亲生的儿子，所以她要考虑的比陆宁多得多。

丁起松看着老伴一会儿皱眉一会儿叹气，知道她此刻纠结着呢！唉，女人就是喜欢多操心，儿孙自有儿孙福。

余秀珍在房间里坐了一会儿，唬地起身了，丁起松看着她，问："你有主意了？"

余秀珍又坐回椅子上："这么大的事，我不能凭空瞎想，明天我出去打听打听，跟我几个好姐妹商量商量，看看她们怎么说。"

丁起松不置可否地看着她，几个老太太在一起能商量出个什么结果来？他为儿子重重地捏了把汗。

晚上，陆宁安静地躺在丁浩怀里，两人谁都没有说话，过了一会儿，陆宁蹭蹭他的脖子："你说你妈会答应吗？要是她不答应，你还干吗？"

丁浩捏了捏她的脸，想了想说："我希望她能支持我，万一她不支持，我也得干，我现在都快奔四了，哪能老妈说什么就是什么呢？"

陆宁开心地坐了起来，吧唧在丁浩脸上亲了一下，又抱了抱他，满眼喜悦地说："老公，我看见你这么坚持自己的意见真的太高兴了，不过你不要误会哦，我不是因为你不听你妈的意见才高兴，我高兴是因为你终于可以按照自己的意志去做事了。我们活着无法让每个人都开心，我们首先要让自己开心，然后再考虑其他人。"

丁浩拍拍她的脸，示意自己都明白。陆宁又躺回床上，开始幻想他们的事业，过了一会儿，丁浩见她没有动静了，转头一看，发现她已经睡着了，嘴边还含着笑意。丁浩笑着摇摇头，给她盖上被子。

二十七 百般阻挠

余秀珍一晚上都没睡好，儿子的事搁在心里，让她辗转反复了一夜。早上去公园晨练的时候，那些姐妹们看见她憔悴的神色，吓了一跳，忙问她发生了什么事。

余秀珍满腔心事正无处诉说呢！见姐妹们问起，当下就把儿子想辞职下海的事和盘托出，然后一脸担忧地说："唉，要是失败了，我看他们的日子怎么过哦！"

姐妹们见她如此，话题就打开了："秀珍，你的担心一点也没错，我有个亲戚，算起来还是我的侄子呢！好不容易考上了公务员，却嫌工资低，不知道哪根筋搭错了，非要自己开公司，然后四处借债开了个不知道什么名字的公司。可半年都没生意上门，勉强维持了一年后，还是关门大吉了，想回去上班，可哪还有他的位置啊！结果钱没赚到，工作丢了，还欠了一屁股的债，现在老两口又出来摆了个摊，帮儿子一起还债，真是作孽哦！"

余秀珍一听，立刻上了心，这不就是自己最担心害怕的事吗？万一丁浩也闹了这么个结果，可怎么是好？

另一个姐妹也不含糊，立刻说起自己身边的事："可不是，我们家楼下也有一个。大学毕业后本来可以有份前途不错的工作，可他嫌打工没出息，拿着老爸老妈的棺材本跟人合伙做生意，结果被人骗了，血本无归，现在自暴自弃，天天在家打网游呢！唉，不是我们这些人老顽固，不赞成儿女有大出息，是现在年代不同了。90年代那会儿，只要胆子够大，肯吃苦，哪个不是赚得盆满钵满的。现在大环境不好啊，很多大企业纷纷裁员，中小企业一家跟着一家倒闭，这个时候有份工作就不错了，怎么还想着下海呢？"

余秀珍本来就不太赞成丁浩辞职下海，被两个姐妹一说，更加担心儿子也落这么一下场，急得没了主意："可我儿子现在很坚决，我要怎么办呢？"

几个姐妹纷纷给她出主意："你是她妈，你的话他多少会听，你把这些利害关系分析给他听，他知道你是为了他好。"

余秀珍皱了皱眉，这些事情她自己都能想到，只是让她更加烦躁。不过其中一个平时就比较有头脑的姐妹提醒了她："秀珍，你要是这么去跟丁浩说，他肯定认为你阻挠了他的事业发展，这样会影响母子感情。"

余秀珍重重地点了点头，这位姐妹说到了自己的心坎里了，简直就是自己的知音，她苦着脸问那应该如何处置。

对方想了想给她支招："男人一般都嫌老妈啰唆，你是为他好，可他未必领你的情啊！我觉得要是你真的反对儿子自己开公司，那就去找你儿媳妇，只要她跟你同一战线，还怕左右不了你儿子吗？"

余秀珍眼前一亮，随即又黯然了，要是陆宁本来就反对的话，那一切好说，两人绝对一拍即合。可先不说之前和媳妇闹得很不愉快，就算没有这档子事，陆宁可是完全支持丁浩的，她会听自己的才怪呢！最多也就能换来个阳奉阴违，她可不去碰这鼻子灰。

余秀珍为难地把这情况一说，人家拍拍她的肩膀，语重心长地说："女人都没什么大主意，估计之前也是被乐观的前景给冲昏了头脑，你把现实的状况跟她分析分析，她还能无动于衷？有哪个女人愿意自己的老公一无所有，自己跟着受苦呢？"

余秀珍低着头想了一会儿，渐渐想通了，人家说得没错，陆宁是以为丁浩一定成功，所以才这么一门心思地支持他，要是她知道丁浩这么做失败的可能性非常大，到时候不但她的五十万血本无归，现在的生活也会一去不回，她还会这样义无反顾地支持他吗？虽然主动去找媳妇让她觉得有点拉不下脸来，可是为了儿子，别说是面子了，她什么都豁得出去。

余秀珍觉得不能耽搁，回到家里把自己收拾了一番。丁起松不解地看着她，随口问道："今天怎么想起打扮了？有什么事吗？"

余秀珍钻进柜子里，翻出陆宁过年时送给她的一个拎包，以前她嫌过于时尚，一直没拎过，今天去见她，正好派上用场："我得去陆宁公司一趟。"

丁起松一惊，忙问发生什么事了，余秀珍见老伴误解，赶紧说了句没事，又跟老伴核对了一下陆宁公司的名字，这才放心地走出家门。

余秀珍看了看手表，十点多了，过去正好赶上吃午饭。

陆宁正在埋头刷选应聘人选，坐在对面的赵颖叫她："亲爱的，你妈来了。"

287

陆宁惊讶地抬起头来，老妈来了？这倒真惊奇了，老妈可从来没有来过公司看自己啊！

待看清楚来人后，陆宁更惊讶了，原来是婆婆，这可真是太阳打西边出来了，婆婆怎么会来公司找自己呢？来不及细想，陆宁赶紧招呼婆婆："妈，您怎么了？找我有事吗？"

陆宁仔细地看了看婆婆，见婆婆特意打扮过，显然是专程来找自己的。

余秀珍看了看四周的人，有些局促，虽然在家里她都是老大，可突然到了个陌生的地方，尤其都是年轻人，她连话都不知道怎么说了。陆宁见婆婆拘束，体贴地说："妈，我们出去说吧！"

余秀珍连连点头，跟着陆宁走到外面，边走边问："宁宁，我来是不是影响你工作了？你什么时候下班啊？"

婆婆这么突兀地过来，确实影响了自己的正常工作，可婆婆难得来一次，她忙说："没事没事，是不是家里有什么事啊？"

余秀珍连忙说："家里没事，你快下班了吧？中午我们一起吃个饭？妈有点事想跟你商量一下。"

陆宁看了看手机里的时间，离下班还有半小时，可她不能让婆婆等她半小时，她想了想说："好的，妈，我回办公室跟他们交代一声，您稍等我一下。"

余秀珍点点头，看着陆宁回办公室，心里盘算着该怎么说服她。

陆宁一边收拾办公室，一边凝神细想，赵颖好奇地看着她："原来那是你婆婆啊，看着挺厉害的哦，她找你什么事啊？"

陆宁摇了摇头，估计婆婆找自己应该和丁浩辞职有关，想到婆婆不去找丁浩，反而这么摸过来找自己，她有了不好的预感，婆婆要商量的事，肯定会让自己很为难。何况今天婆婆态度特别好，以陆宁一惯的经验，婆婆态度特别好的时候，她就没来由地担心。

她郁闷地拍拍额头，拿起包包出去了，带着余秀珍来到一家韩式料理店。陆宁拿过服务员的菜单，叫婆婆点。

余秀珍连忙摆摆手，示意自己吃什么都无所谓。陆宁给两人要了份套餐，再给婆婆点了个热饮。

热饮上来得很快，陆宁把热饮推到婆婆跟前，说："妈，我中午时间不多，您有事就说吧！"

余秀珍知道儿媳妇还要回去上班，也不墨迹，开门见山地说："上次你们回来丁浩把他的想法跟我说了，其实开公司是件好事，谁都希望可以自己做老板，不受别人管束。可是毕竟还是打工的人数远远超过当老板的，理由是什么，是因为创业失败的人比成功的多得多。"

陆宁听到这里，已经明白婆婆的用意了，看来婆婆是反对丁浩辞职开公司的，她想到婆婆身为丁浩的亲妈都不支持他，替丁浩委屈："妈，您说的我们都考虑过了，但是凡事总要做了才知道结果啊！"

余秀珍心想，要是到了那时候，还来得及吗？真是天真！不过她没有忘记自己这次过来的目的，依然和善地笑着："宁宁，妈知道你是一心一意希望丁浩好，他说你把你爸妈给你的钱全部拿了出来，妈就知道你是个实诚的孩子。本来，丁浩是我唯一的儿子，哪有做妈的不希望自己的儿子好的？"

陆宁当然明白婆婆对丁浩的疼爱，可她想不明白，婆婆

289

就这么一个儿子,干吗还不把钱拿出来支持丁浩呢?难道婆婆是说一套做一套?

"妈,既然您也这么想,那我们就更应该一起支持丁浩啊。在他刚打算做的时候,鼓励和支持最重要了,丁浩很在乎您的,如果您支持他,他肯定会非常高兴的。"

余秀珍知道陆宁是替丁浩哄自己开心,可她不是三岁小孩,不会因为几句话就动摇,早上那几个活生生的例子到现在还刺激着她呢。要是丁浩到了那一步,她这个当妈的还怎么活啊?

"宁宁,妈当然希望你们好了,别以为妈就是个在家无聊的老太婆,妈也看新闻,现在形势多严峻?人家干了几年的企业都倒闭了,何况丁浩完全没有经验。现在不比90年代了,那时候干一行赚一行,丁浩是没赶上那个好时机啊!"

陆宁忍不住说:"妈,您说的我们都知道,可是90年代也有失败的人,现在也有成功的人啊!我们为什么不乐观一点呢?"

余秀珍见自己好说歹说,媳妇愣是一句没听进去,不免动气,想了想觉得不能就这么搞砸了,忍耐地说:"宁宁,妈说这些不是为了打击你们,而是为了你们好。你想过没有,万一丁浩事业失败了,你们以后的日子怎么过?"余秀珍心想,现在的孩子都娇气,要是陆宁想到以后背一身债的日子,没准她会听自己的。

果然,陆宁听后沉思了一会儿,余秀珍暗喜,姜果然是老的辣,姐妹分析得一点都没错,要是陆宁想到以后一无所有的日子,还能不动摇吗?

陆宁确实沉思了，可是她想的和余秀珍以为的完全不同。自从结婚后，每次她违背婆婆的意思时，都会闹得很不愉快，然后丁浩夹在中间左右为难。这是她长久以来的认识，现在好不容易她和丁浩又恢复了以前的甜蜜，她实在舍不得这种日子再遭到破坏，所以她沉思着怎么才能既不得罪婆婆，又不违背自己的心意。

　　余秀珍见她沉思，终于说出这次找她的目的："宁宁，妈一个人反对丁浩未必肯听，可能还会觉得妈太小心太保守，可是如果你也反对，那就不一样了。"

　　陆宁惊呼："那怎么可以，我岂不是出尔反尔？"

　　余秀珍笑着开解她："你这都是为了他好，何况夫妻之间又不是互相做生意，出尔反尔有什么关系？"

　　陆宁见婆婆铁了心要把自己拉到她的阵营里去，只好用缓兵之计："妈，您的意思我都明白了，可是这事我真不知道怎么跟丁浩说，您让我好好想想可以吗？"

　　余秀珍以为媳妇已经被自己说动，也不想逼得太急了，理解地点点头，陆宁见婆婆没有逼自己立刻表态，情不自禁地松了口气，送婆婆出了门。余秀珍在路上又叮嘱她，一定要多想想后果，可不能一时冲动了。

　　陆宁胡乱地点点头，把婆婆送上出租车，待车子开远，她才长长地舒了一口气。

　　这边刚安抚完婆婆，陆宁还没缓过神来，那边老妈的电话又接踵而至。

　　罗淑芬想了几天，觉得不能跟女儿这么别扭着，再怎么样都是自己的女儿，还能跟她一般见识？她想过了，女儿生性主意大，认定的事很难改变，可是她可以换个方式提醒她。跟女儿闹的别扭多了，她也慢慢摸出门道来了。女儿是吃软不吃硬的人。

"宁宁，妈想了几天，觉得这事还是不妥，我倒不是看不起丁浩，我相信你的眼光，丁浩是个有能力的男人。"

陆宁惊讶地听着，老妈转性了？居然开始夸奖起丁浩来了，以往老妈都是个直来直往的人，想不到现在也开始迂回起来。陆宁暗暗觉得好笑，她等着老妈的下文。

罗淑芬见女儿没有反感，继续说道："其实丁浩怎么样妈倒不是很在意，我都是为了你。我们不谈他会不会失败，就算他一定成功好了，你要知道人只能共患难，不能共富贵，等他真的功成名就了，你估计也不小了，那时候丁浩腰缠万贯的，万一喜欢上了更年轻漂亮的小姑娘，你这不是为他人做嫁衣吗？妈最近看了一本书，里面罗列了女人千万不要干的十件事，其中一件就是不要陪男人奋斗，那是最傻的投资行为。"

老妈其他话都大同小异，陆宁早就听腻了，不过最后几句还是落到了心里，这种论调她不是第一次听老妈提起，天佩也一直这么告诫她，所以天佩才一门心思要找现成的有钱男人。想起天佩，陆宁发现两人已经很久没有联系了，不知道她怎么样了。

见对面的赵颖一直探头探脑地往自己这边看，陆宁随便敷衍了几句，打发了老妈。

电话一挂掉，赵颖就凑了过来："你家怎么了？怎么婆婆和妈妈一起找你啊！"

陆宁装模作样地叹了口气说："其实什么事都没有，你说中国的父母是不是很奇怪啊？孩子都那么大了还不放手，孩子想干点什么就跟天塌下来似的，能不能自己找点事做，别老来掺和下一辈的事啊，真是不嫌累，你看国外多自由啊！"

陆宁开始想象如果自己生活在国外，那是一种多么自由自在的状态。

赵颖看了看她的样子，心有戚戚焉地说："本来我还很羡慕你那么早就把自己给售出去了，现在我可一点都不羡慕你了，要是结婚后这么烦，还不如就这么着开心自由些呢！"

陆宁本来就郁闷，被赵颖一打击，就更加郁闷。她盯着电脑屏幕发呆，难道自己这边所有的麻烦都是从自己结婚开始的？好像确实是这么回事呢！恋爱的时候她记得除了甜蜜就想不起来其他不愉快的事了。可要说自己后悔结婚吗？估计再选一次，她还是选择嫁给丁浩。这么一想，她就释然了。

赵颖敲敲桌子，示意她看电脑。陆宁低头一看，原来赵颖发了篇文章给她，题目叫《80、90后离婚率高，缘于父母掺和过多》。陆宁一看这个题目，立刻看了起来。

过了一会儿，赵颖又敲敲桌子："怎么样，这篇文章写得好吧？是不是很有共鸣？"

陆宁苦恼地点点头，80、90后从小就在父母的宠爱和无微不至的照顾下长大，就算结了婚，父母都没有把他们当成独立的成年人。轻则天天上门做家务，送吃送穿，重则事事替儿女作决定，都把自己的孩子当心肝宝贝，总担心自己的孩子吃了亏，受了委屈。在这种心理驱使下，亲家矛盾，婆媳矛盾等等层出不穷。陆宁心里一动，把这篇文章打印了下来。可她想不通，自己是80、90后，可丁浩都快奔四了，为什么婆

二十七 百般阻挠

婆还老是要来插手呢？

陆宁苦着脸把这个疑惑说了出来，赵颖俨然成了一副婚姻家庭专家，摇头晃脑地说："这个你就不懂了吧？不管孩子多大，在每个妈妈心里永远都是自己的孩子，这种念头伴随到死的。"

陆宁颓然地跌回椅子里，那自己岂不是要忍受一辈子了？赵颖安慰她说："你就知足吧！你婆婆不和你们一起住，见面的机会有限，管也管不了多少，人家天天住在一起的，那才叫惨呢，整一个长时间的精神折磨。"

陆宁想到天天一个房子里住着的情形，突然不寒而栗了。

下班后，陆宁刚一出大楼，发现丁浩在不远处等她，陆宁一愣，按说丁浩下班比她迟，现在就能过来接她，是不是意味着他已经辞职了？想到这里，她觉得一阵轻松，婆婆不是叫自己劝丁浩不要辞职吗？那现在丁浩自己已经辞了职，不就不关她的事了？真是天助我也！她开心地朝丁浩奔去。

果然，丁浩确实已经辞职了，只是按流程要等一个月交代完工作再走。辞职的时候顾老板百般挽留，看得出来顾老板还是很痛惜人才的，本来丁浩想跟他说如果真的想把企业做大，就要靠健全的制度，如果放任自己的女人在公司里一手遮天，会使其他核心人员离心离德。可是想了想，丁浩还是没有把这番话说出来。自己都是即将要走的人了，说这些还有什么意思？明白的知道自己只是出于职业道德提醒雇主，心眼小的说不定以为自己临走还要报复一下，自己又何必操这份心呢？所以丁浩什么都没说，只是简单地说自己因为家庭原因而选择离职。

以前丁浩看见下属辞职的时候无非有两个原因：1. 因为家庭原因需要辞职；2. 因为个人职业发展需要辞职。前者的原因占了80%，可见这真是个最好的借口，虽然大部分人都知道这只是个借口而已。想不到今天丁浩也用了这个借口。

陆宁见丁浩一直没说话，也不打扰他，只是娇媚地偎了过去，磨蹭着他。

丁浩伸出一只手，揽住了她。陆宁转过头，朝着丁浩明媚地一笑。

丁浩自嘲地说："宝贝，我不知道以后可以给你优越的生活，还是会一败涂地。"

陆宁嗔怪地轻轻拍了拍他的手，半分娇嗔半分认真地说："不管怎么样，我都支持你。"

晚上，两人躺在床上，陆宁犹豫着是否应该把婆婆找自己的事告诉丁浩。丁浩则想着接下来的打算。

过了一会儿，陆宁轻轻偎了过去："我睡不着。"

丁浩搂住她："我也睡不着。"

陆宁想了想，决定据实以告："妈今天来我公司找过我，希望我阻止你辞职开公司。"

丁浩想也不想地问："你妈？"

陆宁故意打了他一下，不乐意地说："怎么一听不好的事，你就往我妈身上推？是你妈找我啦，跟我说了很多现实状况，反正就是觉得现在大环境不好，希望你继续在公司上班。"虽然罗淑芬也反对丁浩这么做，可陆宁不打算告诉她。婆婆怎么反对都是老公的亲妈，要是自己的老妈反对，丁浩心里会不舒服，说不定认为岳母怀疑自己的能力。

丁浩没料到老妈会特意跑到陆宁的公司去找她,猜测可能老妈给了陆宁压力,这丫头不知道怎么解决。想到自己的决定带给陆宁麻烦,他有些内疚,更怕老妈对她有意见,这好不容易才缓和的婆媳关系,可再也经不起折腾了。

陆宁见丁浩犯难,主动说:"你继续当不知道这事,我明天就给她打电话说,告诉她我刚想跟你说你就把工作给辞了,我想她也怪不到我头上吧!"陆宁嘴里这样说着,心里却没有太大把握,到时候看婆婆的心情吧!

丁浩点点头,叮嘱她一句:"反正不管我妈说什么,你都尽量往我身上推。"

陆宁撅着嘴嘟囔道:"知道了,你是她亲生儿子,她不会怪你的嘛!唉,做人儿媳妇真是难啊!"

丁浩被她假模假样的叹气给逗乐了,揪了揪她的鼻子道:"后悔了?"

陆宁笑嘻嘻地说:"你知道我这个人最乐观了,说不定换个婆婆对我更坏呢!"

丁浩笑笑,心里却不是滋味,他多希望他生命里最重要的两个女人能够真心地相亲相爱啊!而不是像现在一样如履薄冰,无论哪个受了委屈,他都难受。

第二天,陆宁主动打了电话给婆婆,把丁浩已经辞职的事情告诉她。余秀珍一听,差点背过气去,她不明白一向深思熟虑的儿子这次怎么会做得这么急,她本想责怪儿媳妇之前为什么不拦着,搞到现在这个地步。可事已至此,埋怨责怪都没有用,她深呼吸几次,把心里那股气压了下去,尽量不把情绪表现出来:"工作辞了就辞了吧!"

陆宁大感意外，她本来以为婆婆会很不高兴，想不到竟这么好说话。转念一想，估计婆婆知道事情已成定局，所以就接受了吧！她觉得应该趁热打铁，要帮着丁浩说服婆婆："妈，既然丁浩已经把工作辞了，他那么想自己做事业，我们就支持他吧，总不能让他一个大男人在家待着，这样他肯定受不了的。"

余秀珍心里冷哼一声，儿媳妇果然靠不住，一见丁浩辞职就又调转枪头了，看来昨天跟她说的那些话，她没听进去几句。可这节骨眼上，要是对儿媳妇发了火，搞不好她就一门心思跟自己做对了。

"宁宁啊，既然丁浩不适应那家公司，也就随他了，可是杭州这么大，公司多着呢，他辞了再找一个更好的就是了。这样又保险又不用太累。"

陆宁傻眼了，她没想到婆婆会有这个提议，看来还是自己想得太简单了，以为辞职就是意味着自己干，这不是还可以继续找工作的嘛！所以，她一时没想出什么反对的话来。

余秀珍见她不说话，以为她已经听进去了，继续游说她："一边是现成的安逸生活，一边是前途未知的生活，女人这辈子图什么？不就是个安安稳稳、顺顺当当的生活吗？"

陆宁心说，换言之也可以说是一潭死水的生活，就算我愿意，也得你儿子喜欢才行啊！陆宁不知道其他女人是不是和自己不一样，她总觉得生活是应该多姿多彩的，一成不变的生活多叫人窒息啊！人生苦短，与其老的时候感慨很多事情没有去做，为什么不趁着年轻的时候尝试一下呢？不管怎么说，这都是人生的一种经历。可是这样的想法她不知道怎

二十七 百般阻挠

么跟婆婆沟通，要是说了，婆婆估计又会以为自己幼稚吧！

所以，她也学乖了，没有立刻拒绝婆婆的提议，言不由衷地说："妈，您的意思我明白了，我找机会和丁浩说说吧！"

余秀珍这才满意地嗯了一声，又提醒了儿媳妇几句，才挂了电话。

坐在对面的赵颖看见陆宁一脸苦相，爱莫能助地摇摇头，以示自己的同情。

不过陆宁天性乐观，一投入到工作中，很快就忘了婆婆这档子事。桌上的内线又响了起来，门卫提醒她有人找她。

赵颖乐了，冲她挤眉弄眼了一会儿。陆宁欲哭无泪，怎么自己工作一年也没人拜访自己，想不到现在天天都有人找。肯定是婆婆觉得电话里叮嘱不安心，又赶过来给自己做思想工作呢！

陆宁心里不情愿，动作可没迟缓，毕竟那是自己婆婆。等到了楼下，赫然发现竟是苏天佩，这一下又惊又喜，热情地扑上去，抱着天佩狠狠地拍了两拍，拍得人家差点背过气去。

过了一会儿，陆宁才放开她，惊讶地问："你怎么过来找我了啊？我还以为是我婆婆呢，吓得我都不想下来。"

苏天佩听出了门道，忙问她和婆婆怎么了，陆宁郁闷地把这段时间的事情简单地说了一下。

苏天佩满不在乎地说："不是我说你们，都多大的人了？自己的事还不能做主？父母的意见只能拿来参考，什么都听父母的，什么时候才能独立啊？"

要换做以前，陆宁肯定也是特干脆利落。可结婚后她才知道，所谓婚姻就是要平衡各种关系，哪里还能像以前念大学时想干吗就干吗呢！天佩自己就是婚姻中的人，还站着说话不腰疼！

"我们的钱不够，需要他妈妈支持嘛！"

苏天佩一听是这事，更加不当一回事了："如果是因为钱，你就更不用担心了，身为你的好姐妹，我一定会助你一臂之力的，丁浩还差多少，你说个数吧！"

陆宁惊讶地看着她，之前田佳问她借十万她都拿不出来，怎么一转眼就变得这么豪气呢？难道天佩在家里的地位发生了翻天覆地的变化？

苏天佩看出陆宁眼中的疑惑，也不隐瞒，大大方方地说："我离婚了，夏宁清给了我一笔补偿费，所以我现在有钱借给你！"

陆宁的嘴巴张得老大，苏天佩闹离婚的事她一直都知道，可后来苏天佩突然不提了，她以为两人已经言归于好了呢！何况离婚是一件特别麻烦的事，想不到她这么干净利落地就离了。

陆宁不再跟她说自己的事，忙问她是怎么回事。苏天佩四处看看，陆宁想也不想地拉着她去了附近一个茶室。

听苏天佩说完，陆宁长长叹了口气，想到自己之前的知情不报，心里很是内疚："那你接下来有什么打算呢？"

这么一问，苏天佩自己也茫然了，一毕业她就结了婚，根本没在这个社会上工作过。她离婚已经有段时间了，一直不知道怎么过，就这么混着。这样过了一段日子，她觉得心里空落落的，难受得很，这才过来找陆宁。只有和以前的姐妹在一起，她才觉得生活没有那么糟。

陆宁看着苏天佩故作轻松，却明显憔悴的神色，心里很不是滋味。

二十八　人生如戏

　　知道余秀珍极力反对后，也为了不让陆宁夹在中间为难，丁浩单独去找了父母一次。陆宁不知道丁浩去说了什么，回来之后，丁浩一直抱着她不说话，过了一会儿才说："宝贝，开公司的资金我自己想办法吧！其实我很不愿意啃老，也许二十几岁的男人可以，可是到了我这个年纪的男人就做不到，在我眼里，这是一种失败的表现。事实上这个房子当初买的时候，我父母确实出了些钱，但是之后我还给了他们。包括我跟你结婚，我就打定主意不花父母一分钱，因为结婚是我的事，如果我结婚都要他们倾囊而出，我于心不忍。"

　　陆宁乖巧地点点头，笑着在他脸上啄了一口："我喜欢你这样，不过我自己就是个啃老的，我跟你想法不一样啊，反正我爸妈就我一个孩子，他们的钱以后不迟早都是我的吗？早给晚给有什么关系啊，而且给了我的就是我的，所以你可以不用你爸妈的钱，但是我是你老婆，我的钱你必须得用。"

　　陆宁说得无比认真，一副完全不容商量的表情，丁浩心里感动，抱着她的手紧了紧："虽然那钱也是岳父岳母给你的，我先当成是你的吧！"

陆宁一嘟嘴，送上自己的唇："什么当啊，本来就是我的好不好？"

丁浩这次和老妈谈话，其实并没有去说服余秀珍，只是坚定地告诉她自己一定要开公司，资金方面自己会想办法解决。余秀珍听到儿子的话，惊愕无比，愣得说不出话来，也知道在这件事上，儿子心意已决，虽然如果她实在要阻止也可以闹。可是天下反对儿子娶不喜欢的女人而闹的母亲很多，为儿子要开公司而闹，说出去都站不住理，更会彻底失去儿子的尊重和心，所以她只能让自己失落、伤心，却无计可施。

丁浩决定注册资金为一百万，可手里能用的资金只有八十万，到了他这个年纪，身边的同学朋友都已经小有成就，要借个二十万，真是小菜一碟，可是丁浩踌躇了几天，始终张不开口。他过不了心里这个砍，总觉得问人借钱是件丢脸的事，即使是为了开公司。

最后一天，丁浩像上一次离职一样，抱着一个纸箱准备塞到后备箱里，旁边却有一辆车子朝着他鸣喇叭，丁浩以为自己挡了人家的路，连忙回头，赫然发现是许久不见的艾伦。

艾伦眼带幽怨地看着丁浩，满脸委屈。丁浩有些讪讪的，之前虽然极力避着艾伦，此时几个月过去，也不好意思不理，别扭地说："你怎么会在这里啊？"

艾伦又恢复了以前傲视一切的姿态，撇撇嘴说："我知道你故意不让我知道你新工作的地方，我打听了好久，一直想知道你现在干吗。"

丁浩指指自己的后备箱，自嘲地说："刚辞职呢！"

艾伦的眼睛睁得老大，然后一脸惊喜地说："真的啊？太

301

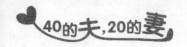

好了！"

幸亏丁浩已经习惯艾伦无厘头的思维，要是自己是个引咎辞职或者被迫辞职的人，还真得被她的话气到不可。

艾伦兴奋地绕到丁浩身边，满脸热切地说："这才几个月啊，你就经历了辞职、工作、再辞职，说明最适合你的还是我爸的公司。我已经跟我爸商量过了，他很希望你再次回去帮他，我本来找到你就是想来挖你的，现在看来不用挖了。"

丁浩看着她欣喜认真的样子，笑着摇了摇头："不用了，我现在不打算继续打工了。"

艾伦更高兴了，脱口而出道："那最好了，我养你吧！"

丁浩差点被她的话呛到，难道自己长得很像吃软饭的人吗？他只好告诉艾伦自己不工作是因为决定开公司。

艾伦一听，更加高兴，想也不想地说："男人就该有自己的事业，我全力支持你，不如你让我参股吧？"

丁浩心里感动，这个女孩做事完全不顾别人的感受，全凭着一己喜好来，可也不失为一个单纯热情的女孩，虽然她对自己一再纠缠，毕竟也是小女孩的迷茫，也许从小的生长环境过于优越，才使她养成了想要的东西一定要得到的偏执心理。丁浩从心里就没有怪过她，这也便是他到现在还愿意跟她说话的缘故。

艾伦见他不说话，热切地盯着他："你不说话我就当你默认了哦？"

丁浩笑着摇了摇头，虽然他现在确实很需要资金，但是绝对不会让艾伦参与进来，本来辞职就是不想欠她任何情，要是现在接受了她的资金，不欠得更厉害吗？万一自己公司运作失败，怎么还？难道真的是钱债爱偿吗？

"谢谢你的好意，资金的问题我早就解决了，只等其他事宜筹备完就开张了，不早了，我要回家了。"

丁浩说着钻进自己的车里，艾伦不甘心地对着他喊："你别这么快就拒绝我，再想想嘛！"

丁浩在后视镜里看着艾伦挫败的样子，一狠心，车子疾驰而去。资金的事情他会想其他办法，绝对不会接受艾伦的好意。

陆宁看丁浩愁眉不展了几天，知道他在为钱发愁，她想去找自己的父母，可是想起老妈刀子一样的嘴，她就退缩了。做了她女儿二十几年，她怎么说自己都受得了，可是她不愿意老妈看不起丁浩，这是她绝对无法容忍的。

想来想去，她突然想起天佩跟她说的话，决定找她帮忙。苏天佩很爽快，听陆宁一说，二话不说就给她卡里汇了二十万，把陆宁激动得恨不得打车去她面前，抱着她狠狠亲上两口。

丁浩诧异地看着陆宁突然给她的二十万，下意识地问："你去找岳母了？宝贝，我知道你都是为了我，可是我真的不希望麻烦他们，我不想用我父母的养老钱，同样也不想用你父母的养老钱啊！"

陆宁就知道他会这么说，神秘地摇了摇头，丁浩哑然，心想这丫头能找的人也就父母了，还有谁会肯借她二十万呢？丁浩脑海中突然窜出一个人——严守业，如果要这钱是他的话，丁浩打死都不决定用。

陆宁见丁浩脸色突然变得不太好看，以为他是因为自己没跟他商量就自作主张了，所以不高兴，赶紧解释道："我知道我不跟你商量就找天佩借钱是先斩后奏，可是我知道你要是知道了，一定会说你自己会解决的。你放心，这钱我们也不是白借，到时候我们还的时候算上利息，反正天佩离婚后，她有一大笔钱没处花呢！"

听到这钱不是严守业而是苏天佩的时候，丁浩明显松了口气，听到苏天佩离婚的消息，忍不住一怔："她结婚好像才一年多吧？"

陆宁叹了口气："是啊！就当做了场噩梦吧！"

丁浩点点头，末了，叮嘱陆宁一句："我想她离婚了心情肯定不好，你有空多陪陪她散散心。"

陆宁嘻嘻一笑，趴到丁浩腿上，开他玩笑："看不出我老公还挺多情的！"

丁浩重重地举起手，轻轻地拍在她屁股上："胡说八道！"

虽然丁浩只是一句随意的叮嘱，陆宁却正儿八经地打算实行，不光为了陪天佩散心，她更希望解开田佳的心结，如今天佩已经离婚，应该告诉田佳了。自从那次借钱后，田佳一直回避，只要陆宁提起三人聚聚，田佳都会找借口推辞。

这次也不例外，陆宁刚把话说出口，田佳就说快月底了，公司事情比较多，周末也要加班，就匆匆挂了电话。

康辉见田佳接了电话后脸色不好，忙关心地问她怎么了，最近这段时间田佳的脾气越来越大，康辉一直小心翼翼、如履薄冰，生怕一个不小心就惹恼了她。

田佳看着他，心里堵得慌，没好气地说："还不是因为你没钱买房子？搞得我连朋友都没有了。"

康辉忍不住叫屈："田佳，人家借不借都是人家的权利，你何必这么耿耿于怀呢？"

田佳一听，立刻爆发了："我耿耿于怀？你今天要是有房有车，我保证不耿耿于怀，人穷志短！你当我不愿意参加朋友的聚会纯粹是因为记仇吗？人家嫁的是亿万富翁，我过去矮人一截，浑身都不自在，那我不去总行了吧？"

康辉见她一副刺猬似的表情，叹了口气，拿着杯子去客厅倒水。田佳深深呼吸了几次，觉得自己的火有点大，可是她压抑不了，如果一直压抑，她觉得自己迟早有一天会变成神经病。

虽然她接受了没房子的现实，可房子一直是他们之间的导火线，一碰就着，总也绕不过去。田佳有种预感，要是再这样下去，两人迟早非分手不可，可她实在无法心平气和。她突然想起网上一段话：女人的优雅和心平气和基本来自物质，如果出门有车，进门有仆，生活安逸富足，谁见了老公会是一副穷凶极恶的样子呢？她保证自己时刻都能笑成一朵花，热情迎接，伺候周到。以前念书的时候觉得有情饮水饱，可是进入社会之后，她才相信无数爱情都会磨灭在现实生活里，何况现在只是两个人的生活，要是以后再加个孩子，人家的孩子都念好学校，自己的孩子却交不起择校费……

这样想着，田佳就不寒而栗了。

第二天起床，田佳发现手机里静静躺着一条消息，是陆宁发来的：天佩离婚了！

田佳揉揉眼睛，以为自己看错了，可是仔细看了几遍，消息都没有消失，她一下子全醒了，忙拨了回去，这实在太

二十八 人生如戏

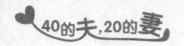

突然了。

陆宁接到田佳的电话很开心，这说明田佳还是关心天佩的，她捡着重点说了几句："佳佳，我们周六一起聚聚好吗？"

这次田佳没有拒绝，立刻应了下来。挂了电话，田佳坐在床上发呆。

康辉在旁边小心翼翼地看着她，很怕她像昨天晚上一样发作。过了一会儿，田佳突然对着他说了一句："天佩离婚了！"

康辉一愣，忙问怎么回事，田佳却没有回答，思想游离得很远，喃喃地说："没钱的婚姻难，有钱的也这么难吗？难道是我错了？"

周六,三个曾经最好的姐妹又一次相聚苏大妈私房菜，距离上一次聚会已经一年有余。虽然彼此都在杭州这个城市，可能距离近了觉得随时都可以见面，彼此反而不会刻意去安排是否聚会。

上一次聚会，苏天佩在这里宣布自己即将嫁入豪门，陆宁也和丁浩将结婚提上日程，短短一年多时间里，发生的改变竟是那么大，有点人生如戏的感觉。

田佳和苏天佩两人相见，彼此都有些不好意思，陆宁感受到了这种气氛，但是她没做任何调节，她知道过了今天，她们两个一定会恢复以前的亲密。

还是苏天佩主动开了口："佳佳，上次的事真不好意思，没有帮上你的忙。别看我嫁得风光，其实根本没有话语权，夏宁清和他妈妈说不行，我真的一点办法都没有，为这事我一直都很内疚，也实在不好意思再找你。"

田佳心里很难受，她根本不知道死党身上竟然发生了这

306

么多事。在她的理解里，天佩嫁了这么有钱的男人，一定是锦衣玉食，彼此年纪又差了这么多，夏宁清一定会对她疼爱有加，这也就是她怎么都无法理解天佩居然连区区十万都拒绝帮她。没想到在她不知道的另一面，发生了那么多事，虽然天佩的老公极其有钱，可是天佩连支配十万块的权利都没有。她简直难以想象这是一种什么样的生活。虽然她和康辉没什么钱，可是康辉所有的钱，她都可以任意支配，康辉绝对不会说一个不字。更令她难受的是，天佩发生了这些事，最需要朋友安慰支持的时候，她竟然一直都在埋怨责怪她，这让她心里特别内疚。

苏天佩见田佳一直不说话，以为她还有心结，求助地看着陆宁，陆宁小声唤了一句："佳佳，天佩跟你说话呢！"

田佳抬起头来，握住苏天佩的手："天佩，对不起，是我小心眼了，都没问你到底是怎么回事。"

苏天佩释然地一笑："过去了，都过去了。不过呢，现在我有钱了，你们谁需要钱都别跟我客气。佳佳，你还想买房吗？现在别说十万了，一百万我都有。"

田佳却突然没有了买房的欲望，天佩的事情让她有太多的震撼，她觉得自己思维很乱，很多想法都在脑海里冲撞。曾经她以为感情最重要，可是毕业后她又觉得钱最重要，可如今她又觉得有钱也不是一定是好事。这几种想法在她脑子里打转。以致苏天佩在说什么，她都没有听清楚。

她只听到苏天佩感慨道："我就像给自己画了个圈，我绕了一圈又回到了原点。"

田佳迷茫地问："我现在很糊涂，到底婚姻中，感情和物

二十八 人生如戏

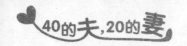

质，哪个重要呢？"

　　田佳这么一问，陆宁和苏天佩都陷入了沉思，还是苏天佩先反应过来："我想啊，这个问题不只是我们迷茫，很多婚姻里的人都很迷茫，有钱的要感情，有感情的要钱，哪个重要还真说不好呢！"

　　陆宁突然蹦出一句话："我觉得婚姻中最需要的是知足和欣赏，满足于现状，积极生活进取，欣赏自己的爱人，去发现他的优点，这样的婚姻，一定会幸福。"

　　田佳和苏天佩一愣，细细咂摸，突然一起哈哈大笑，陆宁被她们笑得一头雾水，忍不住伸手去拍打她们。

　　几人嬉闹了一阵，苏天佩以一副过来人的沧桑感慨道："宁宁只说对了一半，婚姻不是一个人能决定的，你再知足再欣赏对方，要是对方是个不可靠的人，那也是白搭。"

　　陆宁一想，确实是这么回事，那么找个可靠的人就是第一位的，可她刚把这个体会说出来，田佳就幽幽地叹了口气："要说可靠，康辉就挺可靠的，可是这段时间我们就闹得很不愉快。女人的安全感来自两个方面，一个是感情，还有一个是物质，少了哪个，都会觉得没有安全感。"

　　陆宁拍着桌子要求发言："我觉得我们越说就会让自己越糊涂，我发现了，婚姻要想幸福，就要让自己发昏，像我们这种非得给婚姻下个总结，怎么还可能幸福嘛！"

　　田佳和苏天佩愣愣地看了她一会儿，突然崇拜地对着她竖了竖大拇指："宁宁说得对，婚姻原来就是要我们难得糊涂啊！"

　　回去的路上，陆宁一直偏着脑袋思考着，丁浩见她如此纠结认真的样子，伸手揉了揉她的长发，陆宁突然回过头来："你说感情重要还是物质重要？"

丁浩想也不想地说："都重要。"

陆宁不满地撅了撅嘴："我以为你会说感情重要呢。"

丁浩失笑道："这说明我是个成熟的男人，要是我现在才二十岁，我会告诉你感情重要。"

陆宁放过了丁浩，继续在一旁发呆。丁浩也不去打扰她，等她到了四十岁的年纪，也许她就不惑了。

虽然经历了很多波折，除了陆宁，身边的亲人几乎都反对丁浩开公司。经过一段时间的筹备，丁浩的新公司还是热热闹闹地开张了，定在九月九日，陆宁生日的那一天。

陆宁含笑站在丁浩身边，喜笑颜开地看着前来祝贺的人，她不管公司是赚是赔，重要的是丁浩想干。丁浩看着她兴奋的小脸，在心里暗暗发誓：一定要把公司搞得有声有色，不辜负老婆的支持。

不多久，两个特大的花篮送了过来，陆宁兴奋地跑去签收，发现送的人赫然写着自己爸妈的名字。她心中得意，老妈虽说反对丁浩开公司，可还是送来了祝福，以她对老妈的了解，不出一小时，她准得过来不可。

不过她没等来亲妈，婆婆和公公却先过来了，婆婆的脸色不太好，显然竭力忍着。陆宁赶紧跑过去招呼，她不想在这个日子引起不快。

余秀珍打量着儿子新开的公司，员工不多，满打满算也就十几个，她看见儿子忙前忙后、神采飞扬的样子，有一丝疑惑，难道自己开公司会让儿子这么开心？看见儿子这么忙，

二十八 人生如戏

她没去打扰，悄悄把陆宁拉到一边，陆宁知道婆婆反对丁浩开公司，忙随着她走到旁边。

余秀珍什么都没说，递给陆宁一张银行卡，陆宁愣愣地看着那张卡，不知道是接好还是不接好。

余秀珍看着她犹豫的样子，把银行卡塞到她手里，叹了口气："我如今老了，说话不管用了，儿子也不再听我的话了。但是不管怎么样，做老人的总是希望小辈好，既然丁浩一定要开这个公司，以后用钱的地方多着呢，这五十万，我给他他肯定不接受，你交给他吧！"

陆宁想为丁浩说几句话，却不知道说什么好，拿着那张卡左右为难，余秀珍继续说："你是他老婆，他很在乎你，有些事上你帮着劝着点。"

陆宁不傻，听得出婆婆有责怪她的意思，觉得丁浩开这个公司是自己劝阻不力。她想辩解，可她知道婆婆的脾气，解释再多也没用，还不如等丁浩的公司上了轨道之后，再扭转婆婆的观念比较容易一点。

所以她握了握婆婆的手，说："妈，我替丁浩谢谢您，您放心吧！他是个有能力的人，一定不会让您失望的。"

余秀珍又往儿子的公司看了看，但愿如此吧！这几天老伴一直劝着她，儿子大了总要自己做主，如果毫无主见，等自己死了他们怎么办？

过了一会儿，罗淑芬和陆增华一起过来，她心里也是有气的，女儿处处跟自己做对，从来不听自己的话。罗淑芬第一件事也是打量丁浩的新公司，但是她的注意力显然和余秀珍不同。她看着来来往往十几个员工，她想看看有没有特别年轻，长得又比较好，心思还活络的女孩子，这么一看，还真给她发现了一个，她二话不说就把陆宁拉到一边。

陆宁见老妈和婆婆的动作完全一样，开玩笑地看着老妈："刚刚我婆婆把我拉到一边，给了我们五十万，妈你是不是也想这么做？"

罗淑芬一听，气不打一处来，狠狠地白了女儿一眼，这个傻丫头，全心全意地为着丁浩的公司付出，她到底有没有危机意识啊？当初生她的时候什么都生齐了，就是忘了给她心眼了。

"钱是没有，但是你妈我有几句话要说给你听。"

陆宁立刻捂住耳朵，嘴里叫道："我不听，我不听！你肯定没什么好话，今天是丁浩公司开张的大好日子，你要说什么晦气话就改天再说。"

罗淑芬又郁闷又粗鲁地扯下女儿的手："我没空诅咒他的公司，他公司要是经营不好，我女儿就要跟着受苦，我傻了才说晦气的话。"

听老妈这么一保证，陆宁才放下心来，小心翼翼地看着她，不知道老妈又要出什么幺蛾子。

罗淑芬见女儿一副防备的样子，气得心痛胃痛，该防备的人她不去防备，居然防备对她最真心实意的亲妈。如果说女儿就是妈妈的贴身小棉袄，那么这件棉袄一定是带刺的，最让人郁闷的是这件棉袄还不能脱下来。

陆宁见老妈真的伤心了，不敢再胡说八道，亲亲热热地揽住她，冲她撒娇。

见女儿这么一副讨好自己的样子，罗淑芬又心软了，上

311

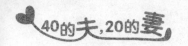

辈子肯定欠了她。要是老公惹了自己，她能憋气几天，可女儿惹了自己，她连气一小时都做不到。

罗淑芬指着那个漂亮的女孩子说："宁宁，那个女孩子长得很漂亮，心思也活络，你有没有发现？"

陆宁顺着老妈的手势看了看，惊喜地回头："妈，你也觉得？丁浩招人的眼光不错吧？"

罗淑芬见女儿一副没心没肺的样子，急得要命，这孩子不是缺心眼，她根本就没长心眼："丁浩招这么漂亮机灵的女孩，你就没什么意见？"

陆宁不解地看着老妈，表情非常无辜："我为什么要有意见啊？"

罗淑芬一边摇头一边叹气："丁浩现在不比以前了，现在他自己是老板，身边放着这么漂亮机灵的女孩，你不觉得这对你是一种威胁吗？你听妈的话，找个由头把这个女孩子辞了，招个长相普通，看起来土气一点的女孩，这样比较保险。"

陆宁这才明白了老妈的意思，原来老妈竟然在想这些，她为老妈的草木皆兵感到好笑，这世界上漂亮的女孩子多了去了，要是自己个个都去防着，还不累死啊？

"妈，这个女孩子负责接待以后过来的客户，要是又老又丑，很影响公司的形象，你放心吧，丁浩不是这种人，我信得过他。"

罗淑芬见女儿一副不信邪的样子，拿她没办法："话我可提前跟你说了，你要听不进去我也没办法，到时候可别找我哭。"

陆宁自信地说："放心吧，我肯定不会因为这个原因找你哭的。妈，是不是到了你们这个年纪，就特别害怕老公出轨啊？你看我爸虽然已经快五十了，但是还是很有魅力的，我建议你把心思用到老爸身上吧！"

罗淑芬被女儿一吓，转身去看老公，越看越觉得老公风度翩翩，又在公司做了多年高层，浑身都散发着成熟稳重的魅力。再看看自己，眼袋已经不可避免，眼角的鱼尾纹一天深似一天，要是再不看紧点，被那些小姑娘钻了空子，自己还要不要活了？这样一想，她立刻甩下女儿，跑去看管老公了。陆宁见自己成功转移了老妈的注意力，暗自得意，心里说：老爸，原谅女儿把你当挡箭牌哦！

开业这天非常忙碌，可是丁浩和陆宁的心情无比兴奋，回到家已经十一点多，两人还是了无睡意。丁浩想着这段时间的奔波，及至公司真的开了业，有种很不真实的感觉，自己真的开公司当老板了吗？陆宁支起胳膊，笑看着他，丁浩拉拉她，想亲亲她。

陆宁突然推开他，丁浩不解地看着她，陆宁奔下床，在房间里翻了一会儿，回来时手里已经多了一张卡，往丁浩手里一塞："这是今天你妈硬塞给我的，里面有五十万，她怕你不要，所以就给了我，你不会怪我拿了吧？"

丁浩揉揉她的头，轻轻地摇了摇头，老妈的性格他清楚，陆宁除了收下，别无选择。

陆宁见他不说话，小声问道："那要不要还给她？"

老妈没直接给自己，而是给了陆宁，就是怕自己拒绝收，如果再去还给她，肯定会让她不高兴，他想了想说："把你同学的二十万先还掉吧！剩下的我先拿着，等公司盈利了，我

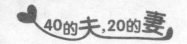

一起给她。"

陆宁高兴地跳起来，抱着丁浩的脸狠狠亲了一口，软软地说："老公，虽然你老是说我啃老吧！可是你不知道，作为父母，尤其是中国的父母，他们喜欢被孩子啃，要是孩子不啃，他们会觉得自己的价值没有得到体现，你要是啃了吧，他们才会高兴，觉得为孩子付出了，才是个合格的父母。在他们眼里，没有自我这个意识，只有孩子，所以我以后一定不做这样的父母。"

丁浩忍着笑在她脸上捏了一把："这都什么胡说八道的理论啊？"

陆宁一听丁浩居然说她的理论是胡说八道，立刻抗议，丁浩看着她娇媚的样子，一股气血从下腹直冲脑门，一个翻滚就将她压到了身下。陆宁一愣，反应过来后，嬉笑着去挑逗丁浩。丁浩的呼吸立刻变得沉重急促，房间里充满了旖旎的味道……

二十九　诈骗

　　新公司开张以后，丁浩变得无比忙碌，要操心的事总也操不完，可是他完全投入在这一种忙碌里，甚至享受这种忙碌。陆宁见他天天晚归，偶尔也会抱怨陪她的时间少了，可是看见丁浩疲惫的脸色，她的埋怨立刻会被心疼取代。

　　丁浩看在眼里，疼在心里，暗暗发誓等忙过这段时间，一定要好好陪陪她。

　　新公司开张最最关键的便是能否接到业务，这事关系公司生死存亡。以前丁浩做市场总监的时候积累了一些人脉，接过来的业务维持公司日常运作不成问题，可这离丁浩的预期相距很远，如果公司就这么半死不活地生存，怎么对得起陆宁，怎么给她更好的生活？丁浩觉得目前最最重要的便是开拓业务。

　　以前作为市场总监，开新闻发布会、做产品宣传，是花钱的部门，很多广告公司都是带着资料来找自己。自己只要评估一下，开个部门会议商量一下，就决定用哪家公司，属于被人求的部门。

　　现在要他一家家去拜访别人，他内心有些别扭，可是想到这是每一家新公司发展的必经阶段,他努力说服自己:我是带着诚意和决心去拜访人家,推介我们公司的特长,并不是去求人。可是一圈拜访下来,大多数人一听是个新公司,想也不想地就拒绝了,要见到负责人,根本不容易。丁浩明白,很多公司都有其固有的合作伙伴,要促成合作谈何容易啊!还有一些没有直接拒绝,却也只是留下名片,说需要的时候一定会联系。丁浩知道这句话代表什么意思,基本自己一转身,名片也不知道扔到哪里去了,等真的需要了,自然会有一堆公司找上门去。

一段时间后,除了接到几单小得不能再小的生意,新业务的开展毫无起色,这让丁浩非常挫败,深觉没有关系真的是举步维艰。

回到家中,丁浩心情沉重,总觉得自己不是做生意的那块料。陆宁见他不像以前那么神采飞扬,猜测是新公司开展得不顺利,她没有过问具体的情况,只是把丁浩的头抱在怀里,亲了又亲,以往丁浩心情不好的时候,她总是这么做。丁浩闭上眼睛,似沉睡了一般。过了一会儿,他才低声说:"宝贝,公司的运营不像我原先估计的那么理想,只有微薄的盈利。"

陆宁揉搓着他的头发,心情完全不受这个消息影响,她天真地说:"很多公司新开张的时候,都是亏本的,你还有微薄的盈利已经很厉害了,哪个公司新开张不摔几个跟头的啊?只要努力,局面很快就会打开了。"

丁浩被陆宁的乐观感染了,唬地坐起身来,抱着陆宁一通狂吻,直到陆宁求饶,两个人才气喘吁吁地分开,陆宁嗔怪地拍了他一下:"干吗啊,差点让你弄得断气。"

丁浩一改刚才的颓态，感动地握着她的肩膀："宝贝，你实在太可爱了，你说得对，哪有一帆风顺的人？重要的是充满信心，我一把年纪了，还没你这个小丫头通透，果然是无知者无畏！"

本来陆宁觉得很中听，可到了最后一句，她不乐意了，没好气地拍到丁浩身上："什么无知者无畏啊？"

丁浩哈哈大笑，连日来的郁闷都在这一刻烟消云散了。

陆宁的态度鼓舞了丁浩，他收拾心情，重新梳理了自己公司的特色和擅长，有针对性地去拜访。

也许是该他时来运转了，有一家公司的老总听了他的介绍，虽然没有合作，却把他介绍给了一个朋友。那家公司正好需要找广告公司合作，见是朋友介绍的，二话不说决定和丁浩合作，合作金额高达两百万，丁浩简直不敢相信这种好事会落到自己头上。直到一个星期后，对方将一百万预付款打入他公司账号，他才相信自己真的接到了一笔大生意。

公司里的同事纷纷嚷着要丁浩请客，丁浩也不含糊，在五星级酒店请大家吃了顿大餐。回到家里，陆宁正窝在床上看PPS，丁浩神秘地要她闭上眼睛。陆宁知道每当丁浩要她这么做的时候，总是会给她惊喜，所以乖乖照做。

再睁开眼睛之时，她手里已经多了一个首饰盒，在丁浩的示意下，陆宁听话地打开首饰盒，里面静静地躺着一条光华璀璨的钻石手链，陆宁一看就喜欢上了，还来不及表示欣喜之情，她又忍不住埋怨道："你公司刚刚起步，别送我这么贵重的礼物，以后再送也不迟。"

丁浩只笑不语，要她猜猜为何要送她礼物。陆宁猜了几

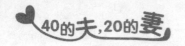

次都没猜中，开始排查各个纪念日。

突然，她脑中灵光一闪，激动地抱住丁浩："我知道了，你肯定接到大生意了！"

丁浩含笑点点头，取过那条手链，替她戴在手腕上："我家宝贝真是聪明，这次的生意额有两百万，都是你给了我信心。这只是起步，以后我会越做越好，生意也越接越大，以后给你买好多克拉钻。"

陆宁开始憧憬未来的日子，想了想她觉得就两个人分享这个消息实在太浪费了，抓过床头的手机就给老妈打电话。

罗淑芬已经睡下了，见女儿这么晚打电话过来，一个激灵，赶紧接起电话。

"妈，你猜猜我为什么要打电话给你？"

罗淑芬见女儿语气轻快，放下心来，忍不住呛她："大半夜的你骨头轻死了？"

陆宁不计较老妈的态度，大声说："你就当我骨头轻好了，我告诉你哦，丁浩接了个大生意，两百万哦！"

这下罗淑芬的睡意全消了，推推身边的老公："你掐我一把，我是不是在做梦。"

陆增华迷迷糊糊地拧了她一把，痛得罗淑芬大叫了一声："你做死啊，真掐我？"

陆宁听到老妈那里的动静，笑得无比灿烂："你没在做梦，你女婿马上就要飞黄腾达了。"

丁浩含笑看着这一切，没有阻止她，老婆这么以他为荣，这比让他接到两百万生意还要开心。

罗淑芬见女儿这么得意忘形，忍不住提醒她："我说丫头，你别顾着高兴，男人有钱就变坏还是有一定道理的，你要看紧丁浩，别让他有机会。"

陆宁不高兴地撅撅嘴："知道了，天天唠叨这些，你烦不烦啊？好了，不给你说了，我们要睡觉了。"

丁浩见她不像刚才那么神采飞扬，探究地看着她。陆宁也不隐瞒："我妈怕你太成功，叫我看紧你。"

丁浩乐了，举起他的手发誓道："要是我背叛了你，不得好死。"

这是公司开张以来最大的一单生意，丁浩带领全公司的人全力以赴，将工作做得非常出色，合作方非常满意，提早把剩下的一百万打了过来。

余秀珍见儿子把公司搞得有声有色，也不再反对，开始提醒儿子多多注意身体。丁浩想把她的五十万提早还掉，余秀珍执意不要，她知道儿子的公司还没站稳脚跟，到处都需要用钱，何况这个钱给出去后她就没打算要回来。

这段时间，丁浩可谓事业家庭两得意，陆宁开他玩笑："老公，要是你毕业就下海，说不定现在已经是亿万富翁了呢！"

丁浩顺着她的思路说："不一定，说不定我都已经挤进中国500强了呢！"

陆宁叹了一口气："那也许我们两个就不会遇到了。"

"那可说不定，万一那时候你来我公司应聘，我们还是认识了呢？"

陆宁见两人越说越玄乎，自己先笑开了："我这个年纪做做梦也就算了，你怎么也给点阳光就灿烂啊？"

丁浩一本正经地说："谁叫我娶了个这么年轻的老婆呢？

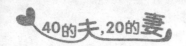

心态也跟着年轻了嘛！"

这个生意做完不到两个月，丁浩接到对方公司老总的邀约，请他一起聊聊，丁浩意识到对方可能又有业务给自己，连忙商定了时间。

包厢里，对方老总对丁浩的为人和能力给与高度评价，丁浩谦虚地连连摆手，表示这都是自己应该做的。

对方看着丁浩，弹了弹烟灰道："丁总，以你的能力完全可以把公司做大，不知道你有没有这个想法呢？"

这是丁浩做梦都希望的事情，见对方问得直接，也不掩饰："我想每个开公司的人都希望把公司做大，可是也得有合适的机遇。"

"是这样的，丁总，这次和你合作我感到非常愉快，也觉得你为人可靠。我这里现在有个大项目，我专业不太对口，所以就想找信得过的合作伙伴一起做，这也是为什么我之前把两百万的业务交给你，也算是我的考察吧！"

丁浩这才恍然大悟，难怪对方那么爽快就给了自己这么大一个业务，原来有这个意图。

"王总，不知道是什么样的项目？"

"全国首屈一指的新锐集团要把总部搬到杭州来，他们想在杭州找一家广告策划公司，把全年的广告策划打包出来。"

新锐集团丁浩并不陌生，那是家相当有实力的企业，可是那么大的集团，会愿意跟自己这么一家小小的公司合作？就算自己的服务再周到，能力再强，能做点边缘性的业务已经万幸了，要吃下全年的业务，那简直是天方夜谭。

对方看出丁浩的疑惑，解释道："就目前的规模来看，别说是你了，就是我这家公司也不够资格，杭州规模实力不错的广告公司不在少数，可新锐集团的市场负责人是我同学。他会暗中帮助我。"

丁浩也不含糊，直接问道："那王总的打算呢？"

"就目前我那个公司实力还不够，最近我打听到有一家家族公司因为老板意外死亡想转手套现，我评估过那个公司，各方面条件都不错，所以我想问问丁总有没有兴趣，我们合伙把它买下来。你对这一行比我精通，我出一千五百万，你出五百万，到时候的盈利我们三七开，你看如何？"

丁浩迅速在心中盘算了一下，这确实是一个不可多得的机会，但是自己根本就没有五百万，何况实际情况如何，他也不了解，所以不敢贸然答应。

对方并不游说，理解地说："丁总，要你就这么马上答复我，显得我们都太草率了，毕竟这也算是个不大不小的事。这样吧，你回去好好了解一番，再仔细考虑一下，三天后再答复我也不迟。"

丁浩见他如此通情达理，诚意十足，也受到感染："王总，谢谢您的抬举，我回去一定好好考虑，不管怎么样，三天后一定给您答复，不能耽误您的正事。"

一回到公司，丁浩立刻上网查新锐集团的资料，果然和王总所说的情况一致。他生性谨慎，又打了个电话过去询问，对方所说的情况也基本吻合，心里就信了大半。可是即使这一切都是事实，自己上哪去弄五百万来？就算真的有五百万，真的把这身家性命都压上去吗？

在这个重大机遇面前，丁浩跃跃欲试，又害怕失败，开

二十九 诈骗

始患得患失。他把公司里的人都召集起来开会，让大家讨论。

员工一听有这个机遇，个个情绪激动，如果这个业务做好了，那公司不是站稳了脚跟，而是一跃成为业内具有一定知名度的公司，简直就是连环三级跳。

丁浩见大家都赞成去抓住这次机遇，欣慰地点点头，也许他心里早就有了决定，只是需要别人的支持。

丁浩在办公室里坐了一下午，抽了半包烟，终于决定合作。放眼那些大集团做大的过程，无一不是在重要关头抓住了机遇，如果自己这么婆婆妈妈，裹足不前的话，什么时候才能做出成绩来？丁浩掐灭烟头，抓起椅子上的外套，直奔回家。

陆宁听到这个消息，比丁浩还兴奋，可想到五百万的合作资金，她又犯难了："可是老公，我们没有五百万。怎么办？"

丁浩想了想说："公司现在的账面资金有两百多万，还差一半。"

"要不我去找天佩借一下吧！"

丁浩立刻否决："不好，虽然天佩有钱，但是我怎么好让你为了我的事业老找人家借钱，我的面子是面子，你的也一样。"

陆宁给他分析："现在还差两百多万呢，你要是不想我去找天佩，那就只能找父母了。可是我们两家的父母估计拿不出这么多现金来，而且你也知道他们生性保守，肯定不支持你这么大的动作。"

这些丁浩完全明白，所以他根本没打算找父母和岳父母帮忙，他看了看房子，试探性地说："宁宁，目前我们所有的只有这个房子了，如果我想把房子抵押去贷款，你会不会同意？"

陆宁一拍脑袋，如梦初醒地说："对呀，我怎么忘记我们还有个房子可以贷款呢？这个房子现在应该也值个三四百万吧？这样资金不就解决了吗？"

丁浩不敢相信地看着她，这可是两人赖以生存的房子啊，他虽然有这个念头，可是没想到她会这么爽快地支持。他压下满腔感动，严肃地说："宁宁，天下没有稳赚的生意，万一我失败了，我们连住的地方都没有了，你真的愿意我拿房子去抵押？"

陆宁见他问得奇怪，这房子本来就是他婚前买的，他想去抵押有什么不对吗？何况他又不是拿来去挥霍，不也是为了两人的将来在奋斗嘛！所以，她认真地说："去吧，我相信你一定会成功的。"

如果说之前丁浩还有最后一丝犹豫，陆宁的话把他最后一丝犹豫也打消了，有这么支持自己的老婆，他还会不成功吗？这一刻，他很想抱着她亲上两个小时。

丁浩找了个在银行工作的大学同学，顺利地办理了贷款，一百八十平的房子价值四百多万，银行给他贷了三百五十万，除了合作的资金外，公司还有近百万资金运作。

三天后，丁浩主动约了王总，洽谈合作事宜，王总见他如此迅速，非常高兴。双方约定一个星期后签署合同。

正式签署那天，为谨慎起见，丁浩特地自己去找了律师，以免吃了合同上的亏。介绍律师的身份时，丁浩有些不好意思。

对方理解地笑着："丁总不必不好意思，小心驶得万年船。我看中丁总这个合作伙伴，也是因为你谨慎细心，和你合作不会出乱子。"

见对方这么坦荡，丁浩彻底放下心来，业务合作伙伴最

二十九　诈骗

好性格互补，一个豪爽，一个谨慎，这样才能取得最大的成功。丁浩对这次合作充满信心，相信经过这次合作，他的事业会翻开新的篇章。

趁着对方上卫生间，丁浩问律师意见，律师再次扫了一次合同："这个合同很公正严谨，既保证了双方的权利义务，也对相应责任作出了规定，没什么漏洞。"

丁浩又仔细看了一遍，终于在上面签了字，对方一回来见丁浩已经签了字，豪爽地拿过签字笔，刷刷签上自己的名字。

出来的时候，外面阳光普照，丁浩很想呐喊一声来表达自己心中的喜悦。

一个星期后，丁浩遵照合同把约定的五百万打到对方公司的账户，干完这一系列事情后，他想带陆宁去附近过个周末，这段时间太忙，很少陪她。因为这个合作，自己的精神一直处在高度紧张中，需要放松一下，才能更好地继续接下来的工作。

两人去了上海购物，丁浩给她买了很多衣服首饰，陆宁见他这么开心，一一收下，她有句名言：老婆会花钱，老公才有赚钱的动力嘛！

星期一丁浩刚到公司，财务张玉就急急忙忙地冲进他办公室，因公司开张不久，大家混得像兄弟姐妹，对于这些不敲门的行为丁浩早就习以为常了。

"老大，我预感出事了。"

丁浩愣愣地看了她一会儿，预感？这么说不是真的出事？他松了口气，可看见她带着苍白的脸色，心里一紧。这些人都是他亲自面试挑选的，不说个个能力超强，也绝不是混日夸大之人。

"怎么回事？"丁浩稳了稳心神，下属可以心乱，自己不可以。

张玉小心地看了看他的神色，困难地吞了吞口水，她不知道这个消息说了后，会引起什么样的地动山摇。

"上周五我按照你的指示把五百万打了过去，今天一上班我就想问问对方钱是否到账了，可是电话一直没有人接，我有种不好的预感。"

这个消息就像一个惊雷在丁浩耳边炸开，他强迫自己镇定下来，也许星期一事情多，像自己公司，一般都会在星期一开个晨会，所以电话才会没有人接听："你先别慌，过段时间再打。"

丁浩强自镇定地吩咐完，待张玉一出去，他立刻拎起自己的座机拨了过去，电话果然无人接听，他不死心，又拨了一遍，依然如此。丁浩颤抖地把话筒放了回去，心中祈祷这一切只是个巧合。他掏出一根烟点上，来平复自己的心情。可无论怎么做，他都无法平静下来，不好的预感一波接着一波涌过来。突然，他眼睛一亮，先给王总打个电话，自己一定是乱了手脚了，连这点都没有想起来。

丁浩掏手机的手微微发抖着，心里期盼只是自己多疑而已。

"您好，您拨打的号码是空号，请查询后再拨！"

丁浩眼前一黑，差点栽倒在椅子里，他怀疑自己的手机有问题或者信号不好，可是一遍又一遍，手机里传来的女声永远都是：您拨打的号码是空号，请查询后再拨。

他狠狠掐了自己一把，很痛，证明他不是在做梦。

二十九　诈骗

325

正在此时，张玉又冲进他办公室："老大，我都打了无数次了，还是没人接听，我觉得很不正常。"

丁浩无力地挥挥手，示意她先出去，张玉看了看他惨白的脸，意识到什么，默默地退了出去，临出门时，担忧地回望了一眼。

手中的烟已经燃尽，丁浩机械地续上一根，脑子乱得像一团麻，怎么理也理不出一个头绪来，他浑身发冷，不知道该如何收拾这一局面。

直到夜幕降临，公司里所有人都已走光，他还呆呆地坐在椅子里，烟灰缸里已经躺满了烟蒂，办公室里弥漫着一股令人窒息的烟味。桌上的手机不断闪烁着，"宝贝"两个字刺痛了他的眼睛，今天所发生的一切无一不显示着他已经上当受骗，五百万啊，房子都抵押出去了，叫他如何面对陆宁。

手机响了几次后终于安静了，过了一会儿，一条短信跳了进来：老公，你怎么不接电话也不回家，这样我会担心的，看见消息赶紧回我。

丁浩痛苦地闭上眼睛，伸手摸向烟盒，发现里面已经空了。不知过了多久，丁浩终于站起身，用尽全身力气抓住车钥匙，失魂落魄地出了办公室，连门都忘记锁了。

丁浩机械地开着车，虽然天气不冷，可是他觉得浑身发寒，那在一种从头顶寒到心里的感觉。他甚至想闭上眼睛就这么撞上去，可是想到父母，想到陆宁，他终究没有这个勇气。

到了家门口，丁浩掏出钥匙，怎么也插不到锁孔里，他颓然地倚着门滑到地上。

门却突然开了，陆宁看见坐在地上的丁浩吓了一跳，连忙俯身拉他:"老公,你怎么了?是不是喝了很多酒?"

可她却没闻到任何酒味,陆宁费力地拉起他,却发现他的手冰冷无比。陆宁一惊,顺手开了客厅的灯,灯光下,是丁浩惨白得没有一丝血色的脸。陆宁心中一痛,眼里泛起了泪光:"老公,发生什么事了?"

丁浩无力地摇摇头,浑浑噩噩地走到卧室,重重地瘫到床上,陆宁不敢再问,赶紧给他盖好被子,去倒热水。

陆宁把热水递到他唇边,丁浩闭着眼睛摇了摇头,陆宁把杯子放到床头,俯身抱住他,用脸贴着他冰冷的脸颊,喃喃地说:"老公,不要这样,不管发生了什么事,我都会陪着你和你一起面对的。"

丁浩心里重重一抽,眼眶刺痛,即使闭紧双眼,也能感觉有液体不受控制地流出来。陆宁不停地揉搓着他的脸,想把他焐热,过了一会儿,丁浩终于沉沉睡去,梦里,是陆宁惊慌的眼神和带泪的眸子,他的心好痛好痛。

半夜,丁浩突然醒了过来,看见陆宁趴在他旁边睡着了,双眉紧锁,嘴唇紧紧地抿着, 一副无助忧愁的模样。他突然想起结婚前曾对她说过的一句话:愿每声叹息消失于你的梦,愿每点笑声响于你的梦。可是结婚后自己到底给了她什么?他忍不住伸手去抚摸她的脸庞,梦中的陆宁似有感应一般,伸手抓住了他的手,紧紧地攥住。丁浩看着她的模样,眼泪终于再也止不住地落了下来。该怎么对她开口?该怎么给她未来的生活?

丁浩的手轻轻地落在她头顶上,陆宁突然惊醒了,呆呆地看着他,眼里还有迷茫与恐惧。丁浩心痛地看着她,目光

二十九　诈骗

痴痴的，带着无限怜爱。陆宁突然跳了起来，她还特地熬了一锅粥呢！这是她第二次下厨，她以最快的速度盛出来回到房间，递到丁浩手里："我用小火温着，你喝喝看！"

丁浩听话地接过碗，慢慢地喝着，一碗粥见底，陆宁又要去盛，丁浩拦住了她。

陆宁很小声很小声地说："你从来没有这样过，我知道一定发生了很严重的事。我跟你说，只要不是你在感情上背叛我，没有什么事是过不去的，我们一起面对。"

丁浩终于忍不住，一把把她搂到怀里，紧紧地抱住，恨不得嵌到自己的身体里。如果此时陆宁跟他大吵大闹，对他大发脾气，骂他为什么不接电话不回信息，他心里会好过一点，但是她太懂事了，他心里反而更难过。

过了好长时间，丁浩哑着声音说："我被人骗了，五百万没了。"

陆宁已经预料到他一定是发生了什么大事才会如此，她也猜测过这种可能，可如今真的被验证了，她还是觉得心惊肉跳，这是五百万啊！如果两个人只是打工的，一辈子也没有五百万，虽然老妈一直都教训她太没金钱概念，但是最基本的她还是有的。可是看见丁浩沉痛的表情，她什么话都不敢说，什么疑问都不敢问出口，她只是紧紧地回抱着他，喃喃地说："会过去的，一切都会过去的。"

两个人一直都静静地躺在床上，紧紧地拥在一起，什么话都没说，直到窗边露出一丝光亮。陆宁轻轻地说："老公，我们去报警吧？"

丁浩点点头，虽然希望渺茫，但是这是最后的一根救命稻草。早晨，陆宁把剩下的粥盛出来，两人喝了点就出门了。

路上，陆宁一直用力地攥着丁浩的手，她很怕，她不知道该怎么面对这个变故。昨晚的丁浩让她害怕，她担心他以后一蹶不振，她可以失去金钱，失去房子，可是她不能失去他。

接待他们的是一个中年警察，听陆宁大概说完后，就叹了口气："这已经是我们接到的第三起报案了，我们已经查过，案犯之前已经偷偷作好移民国外的准备了，抓回来的希望渺茫啊！"

这个消息犹如一盆冷水兜头浇下，丁浩刚刚恢复的脸色又再度失去了血色。两人心情沉重地走到大街上，丁浩一直都没有说话。

丁浩的手机突然响了起来，是余秀珍，昨晚陆宁找不到丁浩曾打电话给婆婆，想必是婆婆打来询问情况的，丁浩用最后的力气接起。

"丁浩，你在哪里？昨天你老婆找不到你打到我这里来了。"

"妈，我们现在就在一起。"

"那就好，你的声音怎么回事？你心情不好？"儿子掩饰得再好，总也逃不过当妈的眼睛。

"没有，刚刚起床而已！"

余秀珍不信，示意儿媳妇听电话，陆宁默默地接过电话，佯装开心地说："妈，昨天丁浩喝多了，我又忙着照顾他，就忘了跟您说一声了，对不起啊！"

余秀珍这才相信，又嘱咐了几句少喝酒之类的话，才挂了电话。

陆宁坐在一旁的花坛边沿上，觉得浑身的力气都被抽空了，她茫然地说:"我们把房子抵押了，过段时间银行就会来收房子，瞒不了多久的。"

丁浩默默地拉起她:"我会面对的。"

陆宁伸手环紧他的腰:"老公，只要我们好好的，一切都会过去的。"

陆宁努力地安慰着丁浩，可是毕竟治标不治本，被骗了五百万，有一堆烂摊子要收拾。丁浩看着这个娇弱的小女人突然之间变得懂事坚强，可是这种懂事深深地刺痛了他的心。

一天晚上，丁浩听见她在跟苏天佩打电话，两人聊着近况，他走过去抽出她的手机，按掉了电话:"宝贝，现在是五百万，不是小数目，不要麻烦你的同学。"

"可是如果不马上解决，银行很快就要来收房子了。"

丁浩被骗的事没瞒多久，余秀珍火烧眉毛地找上门来了。

"丁浩，你是不是发生什么事了? 今天我路过你公司，想去看看你，可是你的员工说你好几天没去上班了，我看他们都很不对劲，到底怎么回事? "

丁浩清楚已经瞒不下去了，平静地把事情经过说了一遍。余秀珍目瞪口呆地看着他，不敢相信自己听到的，五百万? 这还怎么活啊? 她觉得一阵天旋地转，险些栽倒在地上，陆宁连忙扶住了她:"妈，你别激动，身体要紧。"

余秀珍冷冷地甩开她的手，咬牙切齿地说:"我说做生意风险大，你一门心思想着大富大贵，不但不劝着，还拼命怂恿他去干。刚刚有点眉目，不脚踏实地，却支持他拿房子去赌，你说你这是什么老婆，你简直就是败夫! 自从他跟你结婚后，有没有一件好事过? "

此时此刻，陆宁根本没有心情和婆婆吵架，被婆婆逼到墙角，无奈地说："妈，发生这样的事，谁都不想的。"

余秀珍继续指着她的鼻子骂："就算要干，我们老的死了吗？你们跟我们商量一下会影响你们的大事？也许在你们心里，我们早就死了，现在搞成这样，你们怎么收拾？"

丁浩上来去拉余秀珍，被她一把推开："我还没骂你呢？你几岁了？做事还跟她一样，拿事业前途开玩笑吗？你是想把我们气死吗？"

余秀珍坐在沙发上边哭边骂，丁浩头痛欲裂，他的承受力已经到了边缘，整个头像要炸开来一样。

终于，他再也受不了地大吼一声，冲出房间。陆宁一愣，回过神来赶紧追了出去，可哪里还有丁浩的影子？她一遍遍地拨打他的手机，传来的一直都是关机的声音，陆宁边走边哭，不知走了多久，她发现自己走到了父母家楼下。也许这是人的本能吧，在外面受了伤受了委屈，潜意识里的反应就是回家，回到自己父母身边。这一次，陆宁再也掩饰不了，她无力掩饰了。

罗淑芬看见女儿站在门口，和往常一样唠叨她："突然来看我们，准没好事。"

她等待着女儿和她顶嘴，可是过了好久，女儿都没有反应。这丫头转性了？罗淑芬仔细地看了看女儿，发现她脸上还有泪痕，这一惊非同小可，连忙拉着她问长问短："丁浩欺负你了？"

陆宁摇摇头，依然一声不吭，罗淑芬急了："那到底怎么了？你要急死我呀？"

陆宁哇地一声哭开了，这一哭把罗淑芬的心都哭碎了，

331

有多久女儿没有这样哭过了？这丫头生性倔强，如果不是出了大事，一定不会跑回娘家来哭。她一时乱了分寸，只好打电话给老公，叫他赶紧回家。

陆宁只是哭，什么话都不说，急得罗淑芬也抹起了眼泪，女儿哭得这么伤心，怎么不叫她这个做妈的心疼。不多时，陆增华赶回了家，看见母女两个哭得眼睛红红的。罗淑芬一见老公回来，像看见救星一样。陆宁断断续续地哭了一个多小时才渐渐平静下来。

陆增华坐到她身边，像小时候一样握着她的手："宁宁，告诉爸爸到底发生什么事了，只要有爸爸在，你什么都别担心。"

陆宁哇地一声又哭开了，罗淑芬见老公又把女儿弄哭，没好气地把他挤到一边埋怨道："你干什么啊？好好地又把她弄哭了。"

陆宁边抽噎边断断续续地讲诉，陆增华想了一会儿，大概明白发生什么事了。

罗淑芬一听被骗了五百万，眼前一黑，差点没背过气去，缓过神来就骂："丁家老太婆不骂自己的儿子没本事，还敢怪你？她当老娘死了吗？走，妈给你讨回公道去！"

陆增华赶紧拦下老婆，不让她再火上加油，罗淑芬犹自不服气："我把宁宁养这么大，从来没舍得说她一句，我把她当宝，人家把她当草，气死我了，这口气我咽不下去。"

陆增华看着哭哭啼啼的女儿说："你别再闹了，女儿已经够难受了，先找到丁浩再说，其他的事，你都缓一缓。"

罗淑芬不情不愿地住了口，陆增华想了想，起身去给亲家打电话。

三十　离婚

　　丁浩哪也没去，直奔酒吧，他想买醉，喝醉了就什么都不记得了。他随便找了家酒吧，要了一打啤酒，一瓶接一瓶地灌，很快，他就开始意识朦胧。如果这样可以忘记现实，他情愿一醉不醒，不知喝了多久，渐渐地，连他自己也不知道在干吗了。

　　丁浩醒来的时候，发现自己躺在一张床上，四周却不是家里熟悉的风格，他一下子惊醒了，一阵晕眩却迫使他又躺回床上，他慢慢地回忆着，好像他从家里冲出来后就去了酒吧，然后要了很多酒。

　　"你醒了啊？"一个女声传进耳朵，还有些熟悉，丁浩顺着声音望去，竟然是艾伦。丁浩再也躺不住了，其他事已经乱成一团糟了，如果自己再来个酒后乱性，他真的不知道该怎么面对陆宁了。他下意识地就检查自己的衣服，发现衣服好好地在身上，这才松了口气。

　　艾伦看见他的表情，扑哧一声笑了："你刚才的行为特女人，你放心吧，男人只要心里不想，是做不出什么事来的。"

　　"我怎么会在这里？"丁浩问出心中的疑惑。

　　艾伦把如何在酒吧看见他醉得不省人事，如何找人把他弄了回来说了一遍，然后，大眼一眨不眨地盯着他："你怎么会喝成这样？跟你老婆吵架了？难道她要跟你离婚？"

　　丁浩没有理会她的猜测，只是重重地叹了口气。

　　艾伦却是个打破沙锅问到底的主，不断地猜测着。丁浩见她越猜越离谱，居然都猜到自己被戴了绿帽上去了，只好把实情告诉了她。

　　"我现在不知道该怎么办，她那么支持我，我却连房子都没了，要她未来跟着我受苦，我一想就难受。"

　　艾伦轻描淡写地说："如果你怕拖累她，可以跟她离婚啊！"

　　离婚？这个想法从来没在丁浩脑海中出现过，可是此时这个念头竟然鲜活起来，他被自己的想法吓了一跳，赶紧遏制："我这样突然跑出来，她肯定担心死了，我得马上回去。"

　　丁浩说着找自己的袜子鞋子，利索地套上，艾伦不甘心地跟在他身边："现在是凌晨三点，你不等天亮再回去？"

　　丁浩一看手表，真的是凌晨，他更加坐不住了，不知道家里怎么样了，他实在担心。

　　陆家和丁家已经乱成一团，本来陆宁以为他只是出去透透气，过一会儿就会回来，可是直到晚上八点，还没看见丁浩的踪影。她开始有了不好的预感，电话打了一次又一次，始终关机着。这是以前从来没有过的情况，他到底去了哪里，会不会受打击太深出了什么意外？她想起上次那场车祸，不寒而栗了。陆增华看在眼里，急在心里，可又不知道去哪里找人，只能眼巴巴地等待着。

那边余秀珍回到家跟老伴一说，丁起松差点急出心脏病来。此时接到亲家的电话，也在为找不到丁浩着急，急忙带着老伴就往陆家奔。

余秀珍哭哭啼啼地说："丁浩到底能去哪啊？陆宁，你赶紧想想他平时爱去什么地方。"

陆宁茫然地摇摇头，眼睛红红的。

余秀珍心急，一时口不择言："你是他老婆，怎么什么都不知道？"

罗淑芬见她又有责怪自己女儿的意思，加上之前就憋了一肚子气，此时再也忍不住爆发了："他还是你儿子呢，你做了三十多年妈都不知道，她这才几年啊？"

余秀珍一腔怨气也无处发泄，更不甘示弱："我是他妈没错，但是现在跟他过的是你女儿，不是我。"

"我女儿一没偷人，二没犯错，什么都向着丁浩，连我给她的陪嫁都一分不剩地给你儿子，你还敢指责她？"

"你还好意思提这个？要不是她拿着这钱怂恿丁浩，丁浩会有这么大的胆子下海经商吗？"

"你怎么不说你儿子没本事？人家发大财的多着呢，怎么你儿子发不了，还连累我女儿？"

"难怪她天天都想着要丁浩赚大钱，敢情都随你的啊？"

两人你一言，我一语，越说越上火，陆宁看着老妈和婆婆吵成一团，眼前一黑，跌坐在沙发上，她看着依然热战的婆婆和母亲，心里无比苍凉。

陆增华见宝贝女儿脸色苍白，大喝一声："女儿快撑不住了，你还有心思吵架？"

三十　离婚

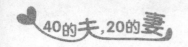

　　罗淑芬这才看见窝在沙发上的女儿眼睛红肿，神情呆滞，她顾不得再跟余秀珍理论，赶紧奔到女儿身边，紧紧地抓着她的手："宁宁你别着急，丁浩没事的，再等等一定会有消息的，天亮我们就去报警。"

　　丁起松后悔带老伴过来了，本想两家合计一下，人多主意大，想不到会闹成这样，他歉疚地看着陆增华，赶紧带着老伴撤离战场。

　　丁浩回到家中，没发现陆宁的踪迹，想到早上不顾一切地跑了出来，心里很懊悔，想打个电话给她，又担心深夜吵醒了她，好不容易熬到天亮，他赶紧拨了过去。

　　接电话的不是陆宁，而是岳母，对着他一顿劈头盖脸地骂，丁浩默默地听着，没有辩解，这个时候有人骂骂，对他而言心里反而舒服一点。

　　罗淑芬骂到最后，带着哭腔控诉："丁浩，我把女儿交给你，你答应过我什么？你说会好好照顾她，让她幸福，可你现在给了她什么？担惊受怕不说，还要受你妈的责骂，我要是知道她过的是这种日子，我早就带她回家了，我先把话撂在这里，如果你不能好好对她，那就跟她离婚，别折磨她。"

　　丁浩想说什么，电话突然断了。离婚二字充斥着他的头脑，这是今天第二个人跟他提离婚了。过不了多久，这个房子就会被银行收走，自己将会一无所有，陆宁说过她愿意和他一起面对，可是他要拖累她吗？他忍心拖累她吗？可是这么久以来的感情，他已经习惯一进门就看见她的笑靥，习惯她爬在自己身上撒娇，习惯一早醒来看见她静静地睡在自己的臂弯里。放开她这个念头只是闪了闪，他就已经心痛至极，他舍得放手吗？他舍不得！

罗淑芬看着被女儿掐断的电话，忿忿地说："你这丫头就在我面前张牙舞爪的，我说他几句你就心疼，你怎么不想想他妈怎么对你的？"

陆宁瓮声瓮气地说："他妈是他妈，他是他，他对我很好。"

罗淑芬恨铁不成钢地看着女儿："他让你担惊受怕一晚上，这叫对你很好？他妈逼你生孩子他没个态度，这叫对你很好？要不是昨天他妈指责你的不是，我还不知道你受了这么多委屈呢！我告诉你，你得强硬点，别让他妈觉得你好欺负，了不起就离婚，反正你还年轻。"

陆增华进来听见老婆这么教唆女儿，气不打一处来："我说你是怎么当妈的？有这么怂恿女儿离婚的吗？你当离婚好玩啊？"

罗淑芬不服气地闭了嘴，陆增华平时脾气很好，什么都听她的，但是在重大事情上，家里还是他说了算。

陆增华定定地看着女儿："现在丁浩遇到了困难，可以说倾家荡产了，宁宁，爸爸问你一句，你愿意离开他吗？"

陆宁想也不想地说："不，不管怎么样，我都会和他一起面对的。"

陆增华欣慰地看着女儿，罗淑芬嘀嘀咕咕地说："他们家能娶到我们宁宁那是三生有幸，居然还敢说她的不是，我先把话说在这里，要是他们还敢欺负宁宁，我就把她领回家，我养她一辈子。"

"既然你还想跟他过，我们就想想怎么解决这次的事，看看两家能凑出多少钱来，总不能连房子都没有了。"

337

罗淑芬想也不想地说:"这可是五百万,我们能有多少钱?总不能把我们的房子卖了吧?"罗淑芬心里老大不情愿,给女儿钱她心甘情愿,但是给别人的儿子收拾烂摊子,她打心里不愿意。何况人家的妈昨天才和自己吵过一架,还要她拿钱出来,想想就窝火。

陆宁见父母为自己和丁浩的事这么操心,心里难受:"爸,妈,我们自己会解决的,了不起就把房子卖了,我们租房住。"

罗淑芬一听女儿要卖房子,长叹一声:"作孽呐!"

当天下午,丁浩把陆宁接了回来,岳母虽然克制了情绪,但是话里话外都是对自己的数落,这让他无地自容。自己的老妈虽然没有数落他,可是那时不时的唉声叹气更令他难受。

陆宁凝视着自己住了近两年的房子,充满感情地打量着它,说:"我爸想两家凑一凑,看看能拿出多少钱来,他不希望我们没房子住。"

丁浩想也不想地说:"别,我自己闯的祸自己埋单,不能让他们这样。"

"我也这么想,我们把房子卖了还银行贷款吧?"

丁浩沉默着不说话。

祸不单行,丁浩之前合作的公司知道他被骗的事,生怕受了影响,纷纷撤了业务,这无疑雪上加霜,公司基本靠这些业务维持,没有了这些业务,等于断了公司的活路。丁浩一个头有两个大,有几个员工见公司陷入了绝境,不知是不好意思提出辞职还是另有原因,干脆不来上班了。丁浩看着空了的几个位置,心想:也好,没有业务,他们坐着也难受。

余秀珍担心儿子,时常过来看他,见到公司一片萧条,儿子勉强撑着，忍不住劝道："不如把公司结束了吧！"

丁浩没有说话，他不是不清楚公司的现状，可是在他心里一直怀着一份希翼，希望公司突然能够接到一个大业务，起死回生，如果结束，那就意味着彻底失败。

几天后，丁浩看着一个个员工或直接或内疚地提出辞职，终于明白很多事情已经不可逆转，他正式决定解散公司。看着自己创办了半年的公司，这么快就结束了，他心里有说不出的难受，陆宁过来找他，默默地陪着他收拾东西，看着曾经飞扬活泼的女孩，现在变得如此沉重，丁浩心里的难受超过失去公司。爱一个人最好的方式便是让她永远保持一颗青春的心。

一个念头突然闯进他的脑海，丁浩下意识地说："宁宁，我们离婚吧！"

陆宁愣住了，不敢相信自己听到的，她下意识地看了看手机里的日期，看看是不是愚人节。

"你说什么？"

丁浩也愣住了，也许这个念头从自己被骗那刻就已经存在，可是他深爱她，舍不得她离开，所以迟迟下不了这个决心。他把希望寄托在公司出现新的转机上，可是如今什么希望都没有了，房子也即将失去，要她跟着自己受苦，看不到未来，他更不忍心。可能心底还有另一个原因，从两人相爱开始，他便以照顾者、给予者的身份存在，如今却要她陪着他慢慢熬，这样的改变他受不了，如果在以后贫困的日子里，两人多了争吵和埋怨，他宁愿现在忍痛割爱，也好过将曾经的美好撕碎。

三十 离婚

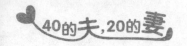

话已说出口，丁浩忍住万箭穿心的剧痛，这种痛只有真心爱过一个人才能体会："宁宁，我现在已经一无所有，而且年纪也一大把了，这辈子不可能再有什么出息了。你还年轻，不应该把下半生浪费在我身上，我们离婚吧，我还你自由，你去追求属于你的幸福。"

陆宁拼命地摇头，眼泪滴滴答答地滚落，她上前一步，紧紧地抓住丁浩，生怕一松手他就不见了："不，我不会跟你离婚的，我的幸福只有你能给，不管是什么样的生活，只要和你在一起，我就幸福。"

看见她哭得稀里哗啦的小脸，丁浩心如刀绞，他舍不得放开她，万分不舍，可是就因为深爱，所以不忍心她跟着自己吃苦："你还年轻，等你知道贫贱夫妻百事哀的时候，你再想转身已经来不及了。"

陆宁抓着他不放，如孩子般地放声大哭，丁浩终究心中不忍，说："你再好好想想吧！"

陆宁只是摇头，哭得上气不接下气，丁浩抱着她，听她哭了好一会儿，才说："房子很快就要卖了，我送你去岳母家吧！"

陆宁像一只无尾熊一样紧紧地攀住他："我不去，你在哪我就在哪。"

丁浩拗不过他，两人一起回了家。当夜，彼此无限伤感，陆宁哭了很长时间，反反复复地说她不要离婚，最后呜呜咽咽地进入梦想，眼角还带着泪。丁浩凝视着她的睡颜，心痛、不舍、难受的感觉淹没了他。梦里，两人回到了最初的时光，热情飞扬、无忧无虑，曾经的时光是那么美好，当初只道是寻常，如今看来却弥足珍贵。

可是经过这一夜，丁浩离婚的决心更加坚定，他想到自己即将一无所有，以后她喜欢什么，他没有能力给她，就再也没有信心面对将来的生活。而她呢？她可以坚持多久？想到以后她要跟其他人一样去菜场买菜做饭的场景，他就不寒而栗了。为了她的将来着想，也为保持两人最美好的回忆，也许分开是最好的结局。

可是无论丁浩怎样要求离婚，陆宁死活不肯同意，只要丁浩一提这事，她就眼泪汪汪地看着他，反复诉说自己不在乎他是有钱还是没钱，只要在一起，一切都会好转的。可是陆宁越这样，他越觉得不能拖累她，二十几岁的女孩总认为感情是超越一切的，可是他已经将近四十，一切都已经输得一败涂地，如果现在他才二十岁，他有信心一切可以重来。可是现在他没有把握，等她三十出头的时候，他已经将近五十了，那时候她再后悔也来不及了，而他更明白生活的琐碎和贫穷会磨灭一切浪漫的感情。

丁浩把离婚协议打好给她签，她看也不看就撕了。到后来，陆宁主动搬回了娘家住，她怕丁浩继续和她提离婚。她知道他只是一时受不了事业的打击，不想连累她过穷苦的日子，可是她不在乎啊！房子没有了可以再买，公司没有了可以再开，只要努力，一切都会有希望的。她搬回娘家，希望他冷静下来打消离婚的念头。也许短时间的分开他才会发现自己有多舍不得她。陆宁相信他们彼此还那么深爱，怎么可能离得了婚呢？

罗淑芬见女儿突然回家住，又气又心疼，如果当初自己

三十 离婚

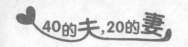

执意反对他们两个结婚，怎么会搞成这样？都怪自己一时心软害了女儿，她一想到被骗去的五百万，好几夜都失眠，这以后的日子怎么过啊？她不像陆宁，觉得两人感情好就什么事都没有，这以后的吃喝住行哪一样不要花钱？这欠了一身债什么时候才能还清？难道女儿这辈子就要陪着丁浩吃苦受罪吗？她一想到这里，觉得整个心都被人挖去了，又疼又空，可如果她真的有五百万，她愿意拿去给女婿还债吗？她只要想到余秀珍那副嘴脸，她就恨不得去找她拼命，自己把女儿当成眼珠子那样在呵护，她竟然视自己的女儿为祸水。

可怎么样才能解决眼前的困境呢？女儿才二十三岁，这辈子就这样了吗？不行，她一定要阻止女儿去选择这种人生。

这天，罗淑芬做了女儿最爱吃的菜，可是女儿只是尝了尝就放下了筷子，罗淑芬看见女儿迅速消瘦的脸，心疼得不行，心里不知道骂了丁浩多少次。

"宁宁，妈有话跟你说。"

陆宁有气无力地说："我没心情，你以后再说吧！"已经整整一个星期了，丁浩都没有联系她，她怎么还有心情听老妈唠叨？

罗淑芬却没理会女儿的拒绝，跟着她进了房间。陆宁看见老妈亦步亦趋的样子，求饶地说："妈，我最近心情不好，你能不能不要烦我？"

罗淑芬心里心疼，话却依然直接："真正让你心烦的人是我吗？这个世界上最爱你的人就是你的父母，跟妈说说，你未来的打算。"

"我未来能有什么打算？"陆宁心不在焉地说。

342

罗淑芬气女儿的懵懵懂懂，搬了把椅子在她对面坐下，认真地说："你现在到了很关键的年纪，要是一个决定作不好，就会影响你终身，你明白吗？"

"妈，你到底想说什么？"陆宁瞪大眼睛看着自己的老妈，她隐隐有了一种不好的预感。

罗淑芬直视着女儿的眼神："丁浩已经搞成这样了，你有没有想过跟他离婚？"

离婚这两个字刺痛了陆宁的心，一个星期前丁浩执意要和她离婚，所以她才回娘家暂避，想不到老妈想的也是这件事，为什么都要逼她？难道离婚是件快乐的事吗？

"不，我不会跟他离婚的。"

"丫头，我知道作为一个妈，不应该劝自己的女儿去离婚。可是每个当妈的都希望自己的女儿过得好，不想看见她受苦。丁浩现在已经一无所有，而且年纪也不小了，以后你要跟着一个又老又穷的男人过一辈子吗？"罗淑芬一字一句分析给她听。

陆宁坚定地看着罗淑芬："妈，我这辈子跟定他了，不管他怎么样，我都不会跟他离婚，除非他不爱我了，背叛了我们的感情。"

罗淑芬见女儿一脸坚决的样子，叹息着摇摇头走了。

罗淑芬一出去，陆宁突然像被人抽空了，瘫坐在床上，如果丁浩执意要离，她真的要死缠烂打吗？为什么他不明白她的心，钱没了可以再赚，感情放弃了还能追得回来吗？

罗淑芬见女儿越来越憔悴，看在眼里，疼在心里，思量了几天，她决定去找丁浩谈谈，两人这么下去不是个办法。

三十 离婚

343

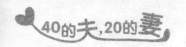

丁浩结束公司后，面对着一大堆债务，心急如焚，却又无可奈何。他舍不得把房子卖掉，这里有他和陆宁太多的回忆，可是现实逼得他不得不卖。感情和事业的双重压力下，他很快就病倒了，可他不愿意告诉陆宁，他已经打定主意，无论有什么事，他都选择一个人扛，绝不拖累她。

罗淑芬找到他的时候，他正在床上发高烧，嘴里起了一圈燎泡，眼窝深陷。罗淑芬本来想责怪他几句，为何要把她女儿搞得这么憔悴，可看见丁浩这副模样，什么话都说不出来，给他倒了杯水，让他吃下退烧药，又去熬了点粥让他喝下。

丁浩吃药喝粥后，沉沉睡去，罗淑芬看见家里到处都是女儿的痕迹，梳妆台上是她的护肤品，沙发上有她扔着的衣服，她叹了口气，默默地收拾起来。

傍晚时分，丁浩醒了过来，精神恢复了些，看见罗淑芬里里外外地收拾着，他哑着嗓子叫了一声："妈！"

罗淑芬停下手里的动作，看着女婿歉疚的眼神，心里一阵难受。她清楚，女婿为人不错，可为什么命就那么背呢？

"我听宁宁说，你要跟她离婚？"

丁浩默默地点了点头。

罗淑芬突然就动了气，她内心是有那么一点希望女儿离婚，再找个年纪轻没负担的，可那也得自己女儿提出来不是，这甩人和被甩完全是两种心情。她提高了声音："宁宁做错了什么，你要这么逼着她离婚？让她在家茶不思饭不想的？"

丁浩痛苦地摇摇头："不是她的错，是我的错，我给不了她幸福，继续下去也是痛苦，不如就这样算了。"

罗淑芬来之前抱了两种打算，她想了解一下女婿的具体情况，到底损失有多严重。虽然她决定打死都不为别人的儿子还债，可自己的女儿铁了心要跟人家，那她有什么办法？只好把自己这身家性命搭进去，毕竟二婚可不好听。可如果女婿的情况要是实在太糟，她就劝女儿离婚，自己也没能力去填这个洞，不能眼睁睁地看着女儿下半辈子过苦日子。

第二件事就是她要搞清楚女婿为什么突然要跟女儿离婚，如果完全是为了女儿的幸福着想，即使他们离了婚，她也会拿他当半个儿子看待。但如果是因为其他原因，她一定要给女儿讨个说法，当初也是你信誓旦旦的要娶，如今你说离就离了？天下没这么便宜的事。

"今天妈就要你一句话，你跟宁宁离婚的原因是什么？"

丁浩下意识地想说我是为了不拖累她，可是他忍住了。这几天他想得特别清楚，以他对陆宁的了解，这么说她只会坚定不离婚的念头。他希望她幸福，那怎么说又有什么关系呢？"妈，对不起，我跟别的女人好上了。"

罗淑芬不敢相信地看着他，怀疑自己耳朵出了毛病："你说什么？病糊涂了吧？"

"我没糊涂，我不想骗您，我对不起宁宁，所以我要跟她离婚。"

罗淑芬终于反应过来了，一股气直冲脑门，她指着丁浩，气得手指直哆嗦："你……你说真的？"

丁浩艰难地点了点头。这个艰难和挣扎看在罗淑芬眼里，是他羞愧、做贼心虚的表现。

罗淑芬像一头发怒的狮子扑了上去，对着丁浩拳打脚踢："你这个混蛋，我女儿掏心掏肺地对你，你怎么可以这样对

三十 离婚

345

她？你还有没有良心？"

丁浩任由她发泄，不躲避更不吭声，直到罗淑芬打累了，跌坐在沙发上直喘气。眼泪开始扑簌地落下来，她想到在家坚决要和丁浩同进共退的女儿，哭得更加伤心。

丁浩心里很不好受，罗淑芬虽然不是他的亲妈，可却是他最爱之人的母亲，如今在他面前哭得如此伤心，而他就是制造悲剧的始作俑者，他心里的难过已经无以复加。

过了一会儿，罗淑芬的哭声渐渐小了下去，她抹了一把眼泪，斩钉截铁地说："我女儿瞎了眼才嫁给你，你就带着你的小三好好过，明天我就让她跟你离婚。"

罗淑芬离开了女儿家，她越想越为女儿不值，一路上几乎是哭着回去的。

回到家里，陆宁在翻看以前的照片，照片里的她和丁浩相依相偎在一起，好不亲热，看着看着，眼里突然泛起雾气。罗淑芬看着女儿失落的样子，难受得不行，她再也忍不住，把自己去找丁浩的事原原本本说了出来。

陆宁听完后一言不发，良久才说了一句："妈，我了解丁浩，他不是这种人，他肯定是希望我和他离婚，才故意这么说的。"

这种可能罗淑芬不是没有想过，但是她不相信一个男人会这么伟大，那是电视剧里才有的，现实中的男人大多都是吃着碗里的，盯着锅里的，想着地里的。

"宁宁，你还小，别把人想得太好，你要学会为自己打算，这个世界上，只有爸爸妈妈不会害你，不会骗你。"

陆宁还是坚决地摇摇头："妈，我不信，除非我亲眼看见，否则打死我也不信。"

陆宁确实无法相信，那个爱她如生命，待她如珍宝的男人会爱上别的女人吗？她想都没想过，至今她还记得有一次和他出游，路上遇到了车祸，丁浩想都不想地用身子护住她。虽然最后有惊无险，可是这样一个肯用生命保护她的男人会背叛她吗？她不信！

罗淑芬走后，丁浩挣扎着坐了起来，事已至此，不管有多心痛都要做下去。以他对陆宁的了解，她不会轻易相信。那么，只能去找个临时演员让她彻底死心。想到这么做，陆宁会心碎神伤，丁浩心里涌起一阵悲伤。

艾伦见丁浩主动来找自己，喜出望外："这是你第一次主动来找我，值得庆祝。"

见丁浩很勉强地应了一声，艾伦才发觉他的异样："你怎么了？是不是有什么事才找我的？"

丁浩艰难地把自己的来意告诉她，艾伦一听丁浩要离婚，来不及表达自己的惊讶和一般人会有的同情叹息，笑容就漾在脸上，甚至来不及去问丁浩为什么离婚。

"其他忙我可能还会想一下，就这个忙我想都不用想，我帮，一定帮。"

丁浩见她眉飞色舞的样子，心里不是滋味，可是有求于人，也不好说什么。

艾伦期待地说："你一有事，第一个想到的就是我，说明我在你心里还是有点位置的，我很看好我们的未来哦。"

丁浩见她想得那么远，严肃认真地说："你不要误会，我想和我老婆离婚不是因为我不爱她了，而是因为我太爱她了，

三十　离婚

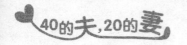

不想拖累她，我没有想过要开始新的感情。"

艾伦满不在乎地说："随便你，以前你还说打死都不会和你老婆离婚的呢，计划赶不上变化。"

丁浩哑口无言。

丁浩还未和艾伦分别，就接到了陆宁的电话，坚持要和他谈一谈。丁浩知道，该面对的终于要面对了。

陆宁特意换上他们第一次见面时穿的裙子，她不相信老妈说的话，她必须亲自求证。可是不知道为什么，她心里突然有一丝恐慌，好像即将失去某些东西的感觉。

陆宁在丁浩第一次带她去的日本餐厅等他，两人已经有好几天没见了，陆宁突然有些紧张，就像以前恋爱时又期待又焦虑的感觉。她不知道第一句该说什么，她告诫自己，一定要好好和他做一次心与心的沟通，把自己的想法全部告诉他，把自己的感情全部呈现给他，彻底打消他离婚的念头。

不一会儿，丁浩来了，可他不是一个人来的，陆宁惊讶得忘记了说话，那个女孩子就是上次来找她要公平竞争的人。

丁浩不去看她，他无法直视她满脸的疑问和受伤的表情，他在心里默默说：宝贝，这是我这辈子最后一次伤害你，以后，你会永远幸福的。

"你和她？"陆宁盯着丁浩的脸，艰难地问出这几个字。

丁浩用力握紧双手，不让自己的情绪泄露出来。

不等丁浩回答，艾伦知道自己此行的任务，立刻超常发挥起来，伸手挽住丁浩的胳膊，笑意盈盈地自我介绍道："我嘛就是他女朋友啊！"

陆宁愤怒了，握着杯子的手剧烈地颤抖着，杯中的饮料溅到手上也毫无感觉："女朋友？我不相信，就算是真的，你要知道一个男人没有离婚，那不叫女朋友，叫小三。"

艾伦丝毫没有表现出不快来，首先她的概念里根本没有小三和原配的区别，只有爱与不爱。虽然丁浩一再跟她强调他离婚不是因为不爱，而是因为太爱，但是她不这么认为，太爱就应该在一起，分开就是不够爱。所以她不计较陆宁的态度，一个感情中的失败者，有些情绪是可以理解的，她有足够的宽容面对对方的失态，等丁浩离了婚，自己的机会也就来了。

"什么小三不小三的，不被爱的那个才叫小三。"艾伦轻描淡写地说。

陆宁没有理会她，直直地盯着丁浩，哑着声音问："以前你最心疼的就是我，舍不得让我受一丝委屈，现在你任由她挑衅我吗？"

丁浩没料到艾伦会这么刺激陆宁，对她出格的表演有些不满，可他也知道只有这样陆宁才会死心，所以，他没有阻止艾伦。

艾伦见丁浩不吭声，胆子更大了："你别怪他，我喜欢他很久了，我知道这事让你受了伤害，放心吧！我会补偿你的，你说个数，只要不是太离谱，我肯定答应你。"

陆宁见丁浩任由艾伦对自己一再侮辱，伤心欲绝，这还是自己认识的丁浩吗？那个温柔深情的男人到哪去了？那个信誓旦旦保证一辈子只爱自己的男人到哪去了？这种心痛让她觉得透不过气来。

丁浩看到她的哀伤，心如刀割，他多希望还能像以前一

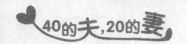

样搂她入怀，安慰她，陪伴她。

艾伦见两人都无视自己，不免着急，催促道："你说呀，其实男人铁了心要离婚，挽回也没有意思了，还不如多为自己争取利益呢，我这也是为了你好！"

陆宁怒喝一声："你闭嘴！"

艾伦一惊，她没料到看起来娇娇弱弱的陆宁，发起火来的样子这么凶。

陆宁根本不去看艾伦，一眨不眨地看着丁浩，一字一顿地说："我要你说，你真的要为了她跟我离婚吗？只要你说，我绝对不会再挽留你，你便会永远失去我。"

丁浩在她眼里看出了坚决，知道这句话一说，两人便彻底分道扬镳。他突然觉得这句话有千斤重，重得卡在喉咙里，让他发不出一点声音。

陆宁见他迟迟不开口，心灰意冷的心又升起新的希望。

艾伦坐在旁边开始着急了，这两人你看我，我看你的，这婚还能离吗？她拿手碰碰丁浩的胳膊，催促道："你快说啊！"

丁浩看了看陆宁，嘴巴张了张，欲言又止，他心中有万分不舍，这份不舍让他说一个字都变得无比艰难。

艾伦见他副神情，在他耳边小声说："别忘了你之前跟我说你离婚的目的。"

丁浩霎时从不舍中惊醒过来："宁宁，对不起，是我背叛了我们的感情，我们离婚吧！"

陆宁看着丁浩不舍的样子，心里本来已经充满希望，可是没想到，他说出来的话依然是要离婚，而且是在另一个女人一句话的催促下，这样的婚姻挽留还有意思吗？一个男人的心已经不在你身上了，何必还纠缠不放呢？

陆宁的心仿佛被人生生撕碎了那般疼，她不断地提醒自己：不能倒下，至少不能在这两个人面前倒下。以前的丁浩是舍不得她难过，舍不得她痛苦的，可是眼前这个人已经不是。不管自己痛哭、哀求，他都不会回心转意，他是铁了心要跟自己离婚。男人一旦铁了心去干一件事，说什么都是多余的。

丁浩看着她强忍痛苦的模样，终究放不下心里的关心："你怎么了？"

陆宁冷冷地看了他一眼，说："与你无关，我答应离婚。"

说完这句话，陆宁扶着桌沿站了起来，她身上没有力气，如果不是桌子支撑着她，她随时都可能倒下，可她告诉自己：一定要优雅地转身，输掉婚姻，不能再输掉尊严。

丁浩看着她蹒跚离去的背影，眼里的泪终于汩汩而下，他在心里说：宝贝，对不起，我知道你现在很痛，可是暂时的痛会换来你下半辈子的幸福，时间久了，你就会忘记我。

陆宁极其速度地办妥了离婚，去民政局的那天，罗淑分不放心女儿，硬要陪同女儿前去，陆宁没力气和老妈犯拧，便由着她了。

丁浩把房子变卖了，还了贷款后基本所剩无几，他把余下的钱存在一张卡里，虽然不多，可这是他最后能给她的东西了。

陆宁冷冷看着这张银行卡："这是什么意思？"

丁浩轻声说："这是我所有的钱，你留着，也许以后用得上。"

三十　离婚

351

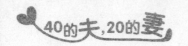

陆宁轻蔑地看了看那张卡，清晰而坚定地说："我的感情无法用钱买到，这个我不需要，你收回吧！"

丁浩急了："我不是这个意思，我只是希望你以后能够生活得好一些。"

罗淑芬忍不住了，这几天她积压了一肚子的气，如果不是怕女儿听了难受，她早就想摔东西骂人了，可是此时她再也忍不住了："你少猫哭耗子了，我们宁宁搞成这样还不是你害的？现在你又装出一副有情有义的样子给谁看呢？想让自己良心好受一点？告诉你，我们不需要你的钱，至于之前的五十万，我们也不要了，就当花钱买教训了……"

罗淑芬骂得酣畅淋漓，一辆红色的小跑车无声无息地停在他们身边，艾伦摇下车窗兴奋地问："丁浩，你办完手续了吗？"

艾伦的出现，彻底刺激了罗淑芬，她冲上前去一脚踢在车门上："你个小妖精就那么等不急吗，还追到民政局了？我告诉你，我女儿今天的下场就是你的明天，你好好思量着点吧！"

艾伦不甘示弱，正主她都不怕，何况只是个老太婆："我的下场不劳你费心，你怎么不怪你女儿没本事？另外，没事别踢人家的车，我这车两百多万呢，你赔得起吗？"

罗淑芬被艾伦气得鼻子冒烟，重重地踢向车门，力道比之前有过之而无不及："你仗着有钱就可以欺负别人吗？一个小三居然这么蹬鼻子上脸，简直不要脸。"

艾伦和罗淑芬的唇枪舌战引得其他人悄悄地往这边注视，可民政局不是结婚就是离婚，比这更过火的戏码都时不时地在上演，大家幸灾乐祸地看两眼，纷纷避开。

陆宁受不了了，她拼命拉住罗淑芬，语带哀求："妈，我们回去吧！别在这里丢人现眼了。"

罗淑芬还在气头上："宁宁，妈不能让任何人欺负你，丢人现眼的是他们，咱们行得正，坐得端，有什么好怕的，妈要为你出了这口气。"

陆宁的眼泪刷刷地下来了，这个时候她才明白，这世界上最无条件爱自己的是就是父母，不管自己遇到什么事，做错了什么，父母永远都会始终如一地爱自己。

她搂了搂激动的罗淑芬，哽咽地说："妈，我都知道，你别气坏了自己，我们走吧！我不想再待在这个地方了。"

罗淑芬看见女儿凄楚的神情，心如刀割，恨恨地剜了艾伦一眼："臭不要脸的小三，老天会给你报应的。"

艾伦立刻反击，丁浩怒喝一声："够了。"

艾伦一愣，陆宁趁机拉过罗淑芬头也不回地走了，秋风吹起她的裙角，撩起她的长发，萧索而凝重，她一步一步往前走着。

丁浩痴痴地看着那个孤寂消瘦的背影，渐行渐远，这幅画面在他心里定格成了永远的心痛，他默默地说：再见了，宁宁，希望你一生幸福！

三十 离婚

三十一　怀孕

离婚后，陆宁搬回娘家居住，苏天佩得知陆宁离婚，大为惊讶，在她眼里，自己离婚那是感情基础不稳，可陆宁和丁浩不说爱得死去活来，至少也是"我的眼里只有你"，这两人也会离婚，让她十分不解，她想起自己离婚那段时间的茫然，很心疼陆宁的遭遇。

如今的苏天佩凭着夏宁清的分手费，在市里盘下三间店面，搞美容养生馆。凭着她对美容独到的心得和热爱，居然将生意搞得有声有色，这让她重新审视了自我，第一次不靠男人自食其力的成就感居然会让人这么满足，这是她以前没料到的。

罗淑芬见苏天佩上门，热情地把她迎进门，压低声音说："天佩呀，宁宁这段时间心情不好，你好好陪她聊聊，开解开解她。"

苏天佩点点头。

陆宁坐在窗前，呆呆地凝视着远方，神情专注而落寞，苏天佩的进去并没有打扰她发呆。

苏天佩看见曾经无忧无虑，不知人间忧愁的好友变成失

354

去生气的木偶，心里无比难过。她跟夏宁清没什么感情，离婚都脱了层皮，何况陆宁是那么爱丁浩。

"宁宁，我美容院生意特别好，都邀请你几次了，你都不来看看我啊？"

陆宁回头，笑意淡淡的："你那么忙，我不想让你还得招呼我。"

苏天佩故作轻松道："你说什么呀，我叫你去是给我帮忙的，你真当自己是客人啊？"

陆宁又笑笑，带点勉强。

苏天佩不由分说拉起她："好了，别老关着自己，外面的世界多精彩啊，我带你出去走走。"

陆宁刚想拒绝，一阵晕眩包围了她，紧接着，一股恶心的感觉袭来，她扔下苏天佩，冲向浴室。

苏天佩亦步亦趋地跟在她身边，紧张地问："宁宁，你怎么了？"

陆宁趴在水池前吐了好一会儿，才费力地直起身来："最近老觉得胃不舒服，可能这段时间发生的事情太多，心情受了影响吧！"

苏天佩定定地看着她，心里一动："你这样多久了？有去医院看过吗？"苏天佩离婚之前一直希望怀孕，详细地了解过这一方面的知识，陆宁这个症状让她联想到一种可能。

"就这几天吧，过几天就会好的，不想去医院了。"

苏天佩坚持："宁宁，我马上带你去医院看看，你这个样子，我怀疑是有了。"

陆宁迷茫地问："有什么？"

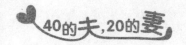

苏天佩没好气地说:"还能有什么,孩子啊!"

陆宁彻底愣住了。

苏天佩迅速拿过她的包包,打算带她去医院。罗淑芬见苏天佩进去没多久,两人就要外出,追在后面喊:"你们要去哪啊?"

苏天佩头也不回地说:"阿姨,我带宁宁出去走走,您放心吧!"

检查结果很快就出来了,陆宁已经怀孕八周,她呆呆地坐在医院走廊的椅子上。上苍居然这样开了她一个玩笑,为什么这个孩子不早一点来,如果是两个月前,一切都不同了,为何,为何?

苏天佩默默地陪着她,良久,才小声问了句:"怎么怀孕两个月了你都不知道?那个没来你都没注意吗?你们不是一直都在避孕吗?"

陆宁不知道怎么回答天佩的问题,她从来没往这方面去想,在孩子风波不久后,她亲身感受到丁浩对孩子的期盼,愿意为他生一个孩子,主动取消了避孕,可一直都没有消息,想到自己还年轻,她也没放在心上。可没想到,离婚不到一个月,自己竟然怀孕了。

苏天佩见她不说话,小心翼翼地问:"现在你打算怎么处理这个孩子?如果要打掉,那就趁早,否则对你的伤害会更大。"

陆宁痛苦地捂住了脸:"你……让我想想吧!"

理智告诉她,这个孩子要不得!可她心里竟是那么不舍,甚至在得知自己怀孕那一刻,她有的不是惊慌,而是欣喜。

苏天佩见她这样,不再说什么,陪她拦了辆的士。

陆宁抚摸着依然平坦的小腹，这里面已经孕育了一个小生命，这是她和丁浩的孩子。丁浩做了对不起她的事，可孩子是无辜的啊！曾经，她死活不愿意那么早要孩子，甚至为此一度和余秀珍闹得很僵，可是现在没人逼她，她却那么想留下这个孩子。

罗淑芬得知女儿怀孕的消息，惊得半天说不出话来，这太戏剧性了吧？离婚后却有了孩子？这是演电视剧呢？

等她反应过来，她立刻以最快的速度换好衣服，拿过衣架上的拎包："走，妈陪你去医院拿掉。"

陆宁惊恐地看着她："妈，你说什么？"

罗淑芬激动地说："我说带你去医院把孩子打掉，你现在离婚了，这个孩子不能要。"她边说边去拉女儿。

陆宁本能地后退着："妈，你让我想想。"

罗淑芬急了："这有什么好想的，趁现在孩子还小，再拖下去会伤了你的身体。"

苏天佩见状，不着痕迹地把陆宁护到身后："阿姨，这事也不急在一天两天，宁宁也得有个接受过程，我来劝劝她吧！"

罗淑芬无奈，只好答应。

苏天佩把陆宁推进房间，开门见山地说："你是不是还爱着丁浩，舍不得这个孩子？"

被一语道破心事，陆宁只是抿了抿嘴唇，没有说话。

苏天佩看着她的模样，心中了然："宁宁，这孩子不是你一个人的，就算你和丁浩已经离了婚，你也得让他知道，你给他打个电话吧！"

陆宁坐着没动，心里开始天人交战。

357

苏天佩见状，无奈地叹了口气："你要是不想打，那我来帮你打。"

苏天佩翻出手机，开始查找，丁浩的电话基本没打过，她记得似乎存过。陆宁看着她一系列的动作，没有阻止，她心里也想知道他会是什么样的反应。

苏天佩拨打了两次，对面传来一个机械的女声：对不起，您拨打的号码是空号，请查询后再拨。她狐疑地挂了电话："宁宁，我是不是存错了，怎么是空号呢？"

陆宁不再犹豫，拿出自己的手机试着拨打了一遍，一样是空号。他为了切断以前的联系，连号码都取消了吗？想到这里，陆宁突然痛苦地捂住自己的胸口。

苏天佩大惊，忙扶住她："你怎么了？来，我扶你躺下。"

陆宁虚弱地说："天佩，谢谢你，我现在心很乱，想一个人静一静。"

苏天佩担忧地看了她一眼，替她掖好被子："好吧，那你好好休息，有事就打我电话。"

陆宁出神地望着天花板，刚离婚那几天，她特别想念丁浩，连做梦都是丁浩回来找她，两人和好如初。即使她知道是丁浩背叛了这份感情，她也阻止不了这种思念，一本离婚证宣告两人的婚姻关系结束，可是在心里，她并没有这么快走出来。随着时间推移，她慢慢逼自己接受现实。突然降临的孩子让她已经接受现实的心又活了过来，这是他和她的孩子，他一直都盼望的孩子，她努力告诉自己一切已经过去了，不应该再回头看，可心里还是忍不住地去想。可她怎么也没有想到，丁浩会把联系方式断了，这个打击让她心如死灰。

那么，丁浩到底怎么样了呢？

离婚后，丁浩过了一段浑浑噩噩的日子，失去陆宁让他痛不欲生，所有的斗志和生活激情都没有了，他甚至产生了厌世的念头，可是想到年迈的父母，他立刻惊醒了，知道自己不能有这种想法。

余秀珍知道儿子离婚后心情不好，怕他没心思吃饭，经常做好给送过来，自然免不了碰到艾伦。起初，余秀珍见儿子刚离婚就有女孩子追，非常高兴，希望儿子尽快从离婚的阴影里走出来，没过几天，她就对艾伦有了意见，这个女孩子太自我了，房间乱成一团，她也不收拾，就算不收拾，做做样子也行吧！最让她不满的是艾伦对她的态度，她好歹是丁浩的妈，如果想做她儿媳妇，是不是应该跟她搞好关系？可这女孩子几次见了她，都没有应有的热情，有时候甚至连阿姨都不叫一声。

她不只一次跟老伴抱怨现在的女孩子太自我了，丁起松叹了口起说："想想还是陆宁这个孩子懂事啊，就是你老不满意人家。"

余秀珍开始拿两人在心里比较。

艾伦也有她的不满，我喜欢的是你儿子，又不是你，你干吗摆出一副婆婆的架势来，我认识你吗？两人在这样的心理趋势下，越看对方越不顺眼。为了避免看见余秀珍，也为了让丁浩振作起来，艾伦邀请他再回自己爸爸的公司，丁浩想也不想地拒绝了。艾伦不死心，又提出两人合开公司，丁浩依然提不起兴趣。渐渐地，艾伦对自己的坚持产生了怀疑，她看到丁浩自暴自弃的样子，开始问自己：这真是自己一心要

三十一 怀孕

追求的男人吗？如果他以后都无法振作起来，自己还能坚持下去吗？

半个月后，艾伦给他发了一条很长的消息，消息说：一直以来，我都以为我很爱你，你是我一辈子要选择的男人，所以不管你已婚或是未婚，我都要定了你。现在我才发现，从小到大，我想要什么从来没有失望过，可是在你身上我却碰了壁，这激起了我的斗志，所以我一定要得到你。可这段时间我开始意识到这不是爱情，因为我发现在你自暴自弃的时候，我的感情迅速消退了。有人告诉我，如果真爱一个人，不管那个人变成什么样，都会始终如一地爱他，可我对你不是，我只是喜欢你其中的一面。其实我到现在为止都不知道爱情到底应该是怎么样的，可我会继续寻找。不管怎么样我还是希望你能够振作起来，其实说句不好听的：你痛苦给谁看呢？你要有我对待感情的勇气，勇于追求，勇于放弃，事业失败了，还可以再来，不就是被骗了一次吗？不就是奔四吗？有什么了不起的，难道你自暴自弃就会成功吗？别怪我说话难听，你知道我不是那种会耐心地慢慢鼓励你的人。有空了想想我的话吧！

丁浩握着手机，默默地坐了一下午，然后，他把房间里的酒全部扔进垃圾桶里。

第二天，他打电话给北京的同学。

"张伟，上次你说你那缺人，不知道现在找到合适的人了没？"

"合适的管理人才哪那么好找啊？怎么？现在舍得你老婆了？"对方笑着打哈哈。

"我离婚了，现在一无所有，如果你还认可我的能力，那我过来和你干，如果有异议，也不要勉强。"

"说什么呢，人谁不跌两跤？什么都别说了，尽快买好机票来投奔我。"

丁浩以最快的速度办好了一切，余秀珍得知儿子要去北京，万分不舍，这段时间她想了很多，自己在儿子的婚姻里到底扮演了什么角色？她一直以入侵者的眼光看待儿媳妇，认为只有儿媳妇生了孩子才是自己家的人，处处对儿子不肯放了，始终认为儿媳妇抢走了自己的儿子，如果她以另一个角度看待儿子的婚姻，也许结局就会不同。如果自己不以敌对的情绪去对待陆宁，而是当成多了一个女儿，那么无论他们有什么决定都不会瞒着父母。如果在他们出了问题的时候，她能静下来好好地解决问题，而不是一味地迁怒，可能儿子的婚姻不会走到这一步。

人的感觉就是那么奇怪，在陆宁还做她儿媳妇的时候，她经常有不满的情绪，经常想挑剔她，让她臣服自己这个婆婆，甚至觉得换个儿媳妇肯定更好，尤其知道她不肯生孩子的时候，她几乎想让他们离婚算了。可是真当陆宁离开这个家的时候，她心里竟有一份不舍，也许在两年磕磕碰碰中的相处，已经不知不觉产生了一种叫亲情的东西。尤其是和艾伦接触的那几天里，她想到的不是儿媳妇有什么不好，而是她为了儿子努力讨好自己，取悦自己。如果她是自己的女儿，恐怕自己也不会答应吧！

她试探着问儿子是否有复婚的可能，丁浩愣愣地看了她老半天，最后无奈地摇摇头。

三十一 怀孕

丁浩去了北京，换了北京的卡，开始了新的生活，张伟知道他离婚，拼命给他介绍女朋友，丁浩始终意兴阑珊，把所有的精力都花在工作上，张伟见他如此，也不好勉强，只好随了他。

罗淑芬虽然着急，也不敢过分逼女儿，女儿刚刚离婚，感情受了那么大的伤害，她只想用亲情去温暖她，照顾她。陆宁看见她迅速老了几岁，心里无比难受。

这天吃完饭，罗淑芬忍不住，侧面问女儿："宁宁，你考虑得怎么样了？你可要当机立断啊，不然你会害了自己。"

陆宁推开饭碗，突然跪在父母面前。

罗淑芬大惊，伸手去拉女儿："宁宁，你这是干吗啊？你出生到现在就没跪过爸妈。"

陆宁伤感却坚定地说："妈，对不起，我是个不省心的女儿，让您一直操心，我对不起您和爸爸。"

罗淑芬落泪了："傻孩子，养儿一百岁，常忧九十九，为你操心一辈子，妈妈也心甘情愿，只要你过得开心，再苦再累我都乐意。"

陆宁的眼泪终于控制不住了："妈，我想了好几天了，我舍不得这个孩子，他是无辜的，我真的狠不下心。"

罗淑芬见女儿迟迟不作决定，早就料到了，她擦了擦眼泪说："宁宁，你还不到二十五，如果你留下这个孩子，会影响你未来的人生啊！"

陆宁的神情中透出悲壮和执著："妈，我知道，我都想过了，以前我一直都不想要孩子，可是我一直都告诉自己，如果有了，我是不会扼杀自己的孩子的。如果当年我在您肚子里，您舍得不要我吗？"

罗淑芬抱住女儿，放声大哭："这都是造了什么孽啊！我可怜的女儿，可怜的外孙。"

陆增华擦擦湿润的眼角，扶起老婆和女儿："宁宁，如果你已经决定了，爸爸尊重你，不管你以后的路怎么样，爸爸都会陪你走下去，只要有爸爸妈妈在，你一定不会孤单的。"

陆宁含着眼泪点点头，而这一切，远在北京的丁浩毫无所知。

冬去春来，孩子在陆宁肚子里已经五个月了。这天，苏天佩陪她去产检，对于这个孩子，苏天佩觉得应该打掉，虽说陆宁不是未婚妈妈，可是离婚后还带个孩子，以后怎么寻找幸福，男人会接受一个和自己没有血缘关系的孩子吗？这不是拿自己的未来开玩笑吗？可是看见陆宁执著坚定的样子，她也不好说什么，只能佩服她的勇气了。

出来的时候，苏天佩问她："你真的不后悔？"

陆宁摸了摸已经明显隆起的肚子，说："以前也许有点害怕，可是越到现在我就越坚定了，尤其是他踢我的时候，我舍不得不要他。"

正说着，一个女人抱着孩子匆匆过来，不小心撞到陆宁身上，苏天佩下意识地护住陆宁，再转身的时候，女人已经抱着孩子走远了。

苏天佩不高兴地说："这什么人呢，撞到人也不知道道歉，赶着去投胎啊？"

陆宁费力地弯腰想捡地上的报告，苏天佩拦住她："行了行了，你别乱动，我帮你。"

三十一 怀孕

363

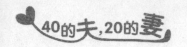

陆宁见她蹲在地上迟迟不起来，不解地问："你干吗，这些报告刚才不是听医生说过了吗？"

苏天佩朝刚才的女人消失的方向看了看，喃喃地说："刚才那女人是夏宁清的新欢，你看这些东西。"

陆宁接过看了看，有一份写着夏宁清名字的证明，还有一份是孩子的检查报告，便说："这些都过去了，别想了。"

苏天佩突然抓紧她的手，说："宁宁，你不知道，我跟夏宁清好歹也做了一年夫妻，我清楚他的血型，这孩子很可能不是他亲生的，夏宁清这王八蛋被女人玩了。"

陆宁定定地看着她："可是这都和我们没有关系了，你想报复他？"

苏天佩眼里闪烁着激动的光芒："我很想看看他知道真相的时候，是什么样的表情。"

陆宁劝道："算了，你现在生活得很好，何必再多生事端呢？"

苏天佩犹豫了一下："是啊，我很满意现在的生活，可……"

正在这时，那个女人又回来了，低头找着什么东西，她显然不认识陆宁和苏天佩，问道："刚才我从这里走过，掉了几张纸，你们有看见吗？"

苏天佩扬了扬手中的报告："你在找这个吗？"

女人脸上闪过惊喜的表情："是啊！就是这个，麻烦你还给我吧！"

苏天佩又看了眼报告，突然说："你这孩子不是他爸爸亲生的吧？"

女人脸色大变，惊恐地看着苏天佩："你是谁，胡说什么？"

苏天佩玩味地看着她："难道我猜中了？"

女人脸色惨白："你有病吧，我不认识你。"

"可我认识你老公夏宁清。"

"把东西还给我，我不理你这个神经病。"

苏天佩叹了口气，把东西还给了她："算了，这就当是他的报应吧！但愿他一辈子不知道，给人当一辈子便宜爸爸才好呢！"

女人松了口气，拿回报告就走，却在转身时愣住了，转角那头，赫然站着夏宁清，刚才的对话，一字不落地进了他的耳朵。他的脸色出奇地难看，额头青筋暴跳，像一头随时准备爆发的狮子。

女人被他的样子吓住了："老公，这是一个神经病，你可别听她乱说啊，我根本就不认识她，我可以发誓。"

苏天佩想反驳，陆宁拉住了她。

夏宁清一步一步走近她，身后跟着不知所措的保姆，怀里抱着他视如命根的儿子。

"可我认识她，她是我的前妻。"

女人惊醒过来："那就对了，她是嫉妒，心有不甘，所以才会故意离间我们。"

苏天佩恼了，自己已经打算放她一马了，这女人居然这么不识好歹，把什么脏水都往她身上泼，她忍无可忍地往前一站："夏宁清，你自己看看这孩子的血型和你一不一样，你要是觉得血型说明不了什么，可以去做亲子鉴定，买个心安。"

女人脸上闪过一丝慌乱，故作镇定地说："你不用在这里煽风点火，不就是被男人抛弃了吗？有点度量好不好？"

女人的慌乱没有逃过夏宁清的眼睛，他镇定地抱过孩子："你不是一直要我过户财产给孩子吗？那我们就做个亲子鉴定，如果没有问题，下个星期我们就上律师楼去。"

苏天佩幸灾乐祸地说："是啊，最好查清楚，免得一辈子的辛苦都给了别人做嫁衣。"

苏天佩说完拉着陆宁悠然离去，陆宁问："你觉得那孩子不是夏宁清的？"

苏天佩肯定地说："不敢说百分之百，十有八九吧！你瞧她那心虚的样子，夏宁清是个商人，既然他产生了怀疑，肯定会去查的，我们就等着看吧！"

陆宁心里说不上来什么感觉，夏宁清这么对自己的好友，她不同情他，可是人到五十发现儿子不是自己亲生的，也够惨的。

严守业经过一年时间的熟悉，开始逐渐接管公司。这段时间公司里无数女孩子朝他暗送秋波，有的甚至装做无意中偶遇他，这样的次数多了，他就不再以为是巧合。到了他这个年纪，也希望谈一场以结婚为目的的恋爱，他努力试着去接受父母的安排，可是总也找不到感觉。每次他对着她们的时候，眼前总会出现一张清纯的脸，这张脸让他魂牵梦萦，在其他女孩子身上，他怎么也找不到这种感觉，他强迫自己不再去想，上次在食堂里看见陆宁，肚子微微凸起，显然已经怀孕了。严守业告诉自己：人家已经嫁人，而且有孩子了，别妄想了。

可理智是一回事，感情又是一回事，无论他见到哪个女孩，都会拿来和她比较，比来比去，总是缺乏一份感觉，所

366

以都不了了之。

这天中午，严守业忙完后去公司餐厅吃饭，他喜欢在这里吃饭，喜欢看那种普通人的生活，也许是什么都有，他才更向往平凡的生活。

餐厅负责人见他经常过来吃饭，想给他安排个单独的包间，严守业婉拒了，如果要去包间吃饭，他干脆在外面解决就行了。最后餐厅负责人想了个折衷的办法，在角落边特别设了个位置，用屏风挡着，他能看见其他人，其他人却看不到他。严守业答应了，他也不希望自己的出现使得其他人不自在。

这天他去得有点晚，餐厅里的人已经走得差不多了。严守业默默地吃着饭，突然隔壁的对话吸引了他。

"喂，你知道吗？我们部门的陆宁原来已经离婚了。"

"不是吧，她大着肚子呢！"

"是真的，有一次我在卫生间里听她接电话，她亲口说的，绝对不会错。"

"那她傻啊，离婚了还敢把孩子生下来，还不赶紧打掉，再找个好男人嫁了。看她挺机灵的样子，怎么大事上这么糊涂呢！"

"唉，她要真机灵还会离婚吗？她老公出轨才离的婚，居然还为这样的男人生孩子，你说这脑子里装的是什么呀！"

严守业无心吃饭了，他脑海里浮现出那个高高的、架着一副眼镜，看起来挺斯文的男人，他居然背叛了她？他突然觉得心很痛，难怪她看起来脸色那么差，他一直以为是怀孕的缘故。想不到她竟然遭受了这么多变故，而他竟没有给她一丝帮助，他懊恼，他心痛，他自责……

367

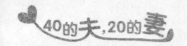

　　严守业扔下饭碗，他想看看她，他不在意她是否离过婚，他也不在乎她是否怀了别人的孩子，他只想照顾她，保护她，现在他终于有这个机会，他不想放弃。

　　陆宁不在位置上，赵颖告诉他陆宁请假去产检了，可能之后直接回家。严守业调出她的人事档案，查到她的家庭住址。赵颖看着他匆匆离去的样子，自言自语道："宁宁你这是什么命啊，挺个大肚子还有人追你，太没天理了。"

　　罗淑芬陪着女儿产检完回来，发现门口有个男人一直站着，她警惕护住女儿。陆宁惊讶地说："你怎么来我家了啊？"

　　罗淑芬见女儿认识，这才放下心来，好奇地打量对方。

　　"妈，这是我们公司的副总。"

　　罗淑芬一看对方的眼神，心里明白几分，她看了看女儿大腹便便的样子，有些不敢相信。要说以前的话，她绝对相信女儿的魅力，可是如今她离了婚，还怀了孩子，这男人不是一时头脑发热吧？她可不想女儿再受什么伤害了。

　　"阿姨，我可以进去吗？"

　　罗淑芬这才反应过来，连忙把他让进客厅。

　　严守业这次没有含糊，他错过她一次了，不想再错过第二次。

　　"发生这么大的事，你怎么都不告诉我呢！"

　　陆宁尴尬地笑笑："又不是什么好事，我怎么好意思到处说呢！"

　　"以后有什么打算呢？"

　　陆宁茫然地抬起头来："我也不知道，先把孩子生下来再说吧！"

严守业认真地看着她:"宁宁,我今天过来找你,可能你也猜到我的用意了。以前你结婚了,所以我把这份感情埋了起来,可是现在你又恢复单身了,那么以后让我来照顾你好不好?"

罗淑芬在厨房里听得真切,又喜又忧,如果女儿可以重获幸福,那是最好不过了。可是要男人接受一个和自己无关的孩子,他做得到吗?

"你别开玩笑了,我现在什么情况,你也看到了。"

严守业以无比认真的语气对她说:"我都知道,就因为我都知道,我还来找你,说明我是真心的。难道你打算一辈子单身下去吗? 你总要继续寻找幸福的,我希望你可以考虑我。"

"这个太突然了,我没有任何思想准备……"

严守业打断她:"我知道,我给你时间,希望你认真考虑一下,你的孩子我会当成自己的孩子,你不用担心。"

陆宁看着他认真的样子,又感动又为难,严守业也不逼她,婉拒了罗淑芬请他留下吃晚饭的好意,留给她单独思考的空间。

严守业一走,罗淑芬就跟着女儿进了房间,盘问对方的情况,当她听到严守业竟是一个家族企业的继承人,吃惊得忘了说话,好半天才反应过来:"宁宁,这人看来很喜欢你,你们年纪也相当,你应该考虑一下,错过这个村可就没这个店了。"

陆宁低着头不说话,罗淑芬又自言自语道:"他的家世这么好,他家里人会同意吗? 会接受你的孩子吗?"

陆宁叹了一口气,迷茫地说:"妈,我现在真的不想考虑这些,我还没从上一段婚姻里彻底走出来,我不想随便再开始,这样会害人害己。"

三十一 怀孕

　　罗淑芬看着女儿纠结的样子，叹着气走了，当初一时心软答应她把孩子留下，不知道是不是害了她。一想到女儿的未来，她觉得心里像压着一块巨石那么沉重。

　　陆宁考虑了几天，最终拒绝了严守业，她的理由很简单，也很直白，她对严守业说："你是个不可多得的好男人，哪个女人嫁给你都会很幸福，可是我现在的心情不适合立刻开始下一段恋爱，这是对你的不负责任，我不想你到时候痛苦。"

　　可是严守业并没有放弃，他经常出现在罗淑芬家里，陪陆宁去做产检，逗她开心。起初罗淑芬还怕他只是一时头脑发热，几个月后，这种担心没有了，取而代之的是欣慰，为女儿遇到这么好的男人欣慰。最让她感动的是女儿临产那个晚上，小家伙提早一周要来这个世界报到，当时已经凌晨，陆增华又出差去了。她拦不到车，女儿又开始阵痛，急得她不知如何是好，最后试着打电话给严守业，不到十分钟，严守业就出现在她们面前，一路疾驰送到医院，母子平安。事后差点被拘留，还是百般解释送产妇上医院才交了罚款了事。

　　在医院里住着的那段时间，严守业天天过来看望陆宁和孩子，连医生和护士都以为他就是孩子的父亲。

　　罗淑芬不止一次劝女儿："宁宁，守业这孩子真是没话说，以前我对富二代根本不看好，但是他彻底改变了我的观念，你别对他这么淡淡的。我敢说你这辈子再也找不到比他更疼爱你们母子的人了。"

　　老妈说的情况，陆宁不是不知道，她也不知道自己在坚持什么，每当她想努力尝试着去接受严守业的时候，心里总有一个声音阻止她。

严守业无怨无悔地坚持着，他相信精诚所至、金石为开。陆宁经历过一次失败的婚姻，再次选择会慎重一些，这些他都理解，所以他愿意等她，等她彻底接受他为止。

不是不感动，陆宁的心也是肉长的，好几次夜里，她看着酣然入睡的孩子，会默默问他："宝贝，妈妈该接受他吗？"

孩子满月的时候，罗淑芬为外孙举行了隆重的满月酒，当客人都散去时，严守业像往常一样送他们回家。到了楼下，陆宁把孩子交给罗淑芬："妈，我有些话想跟守业说，你先带孩子上去吧！"

罗淑芬点点头，抱着孩子下了车。

陆宁沉默了一会儿，严守业主动说："有什么话你就说吧！我已经作好最坏的打算了。"

陆宁笑了起来，这个笑容让严守业想起他们刚认识的时候，她也是这么笑的，好久了，她脸上的笑容很少见，即使有也是淡淡的，转瞬就消失了，他不禁看痴了。

陆宁的脸微微红了，她低着头说："你的心意我都明白，谢谢你为我做的一切，我很感激，真的，我不敢说我现在就接受了你，可是我愿意去努力试一下。如果一年后，你还这么坚持，而我也放下了过去，那么我们就在一起。"

严守业怀疑自己在做梦，他狠狠掐了自己一把，很疼，不是做梦！他激动地拼命点头："好，只要你肯努力就好，我会等你，不管多久，我都会等你。"

苏天佩特别喜欢陆宁的儿子，只要有空就过来逗弄孩子，对他的疼爱之情甚至超过了陆宁这个亲妈。陆宁见状，忍不住开她玩笑："天佩，我真没想到你这么喜欢孩子，干脆自己

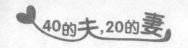

生一个得了。"

苏天佩故作无奈状:"我倒是想,可一个人怎么生啊?"

"连我都决定重新开始了,你还不打算再找一个?"

苏天佩戏谑地说:"以前吧,我老是盯着一个男人能不能给我奢华的生活,现在我又担心男人是冲着我钱来的,你说这是不是我的报应啊?"

"胡说,有时候给别人一个机会,就是给自己一个机会。"陆宁这话既是说给苏天佩的,也是说给自己的。

苏天佩突然想起什么似的:"对了,忘记跟你说一件事了,前段时间夏宁清找过我,原来那孩子真不是他的,那个女人为了让他离婚,居然跟别的男人有了孩子。他很后悔,说我这段时间好像变了很多,比以前更吸引人了,所以他希望跟我重新开始。他说其实他刚开始的时候挺喜欢我的,可是后来发现我跟他在一起就是为了钱,所以他对我也就没那么用心了。"

"那你怎么想的?"

"说实话,以前我挺恨他的,觉得这个男人无情无义,可是这次和他聊过后,就不恨他了,开始反思我自己的问题。我一直希望通过婚姻改变自己的生活,想着不劳而获,男人对我又怎么可能全心全意呢?现在我想明白了,婚姻的基石是感情和相互包容的心,和钱多钱少真的没什么关系,我和夏宁清已经过去了,现在我希望找一个真心爱我,我也喜欢的男人,虽然他还没出现,但是我会调整好自己的心态,等待他到来的。"

陆宁伸手握住她,欣慰地点点头,但愿大家都能获得自己的幸福。

三十二　拨云见日

转眼，丁浩在北京已经一年了，这一年来他没日没夜地工作，连张伟这个老板都自叹不如，经常劝他要注意休息，生意永远都做不完。可是丁浩不听，他并非天生的工作狂，他希望工作可以占用他的时间，以免陷入回忆不能自拔。可即使如此，心底那个身影怎么也无法抹去，经常在午夜梦回的时候，突然就梦到旧梦前尘，醒来后便是长长久久的失眠。他经常对着夜空凝视南方，心里默默地问：你还好吗？是否已经找到新的幸福了呢？

张伟多少知道一些他的事，只能在心里感慨，如此深爱，为何要放弃呢？要知道，人有没有来生根本不知道，即使有来生，真的还能再次相遇吗？人可以把握的只有今生，只有当下而已。

五月的时候，公司要派人南下杭州洽谈一项重要的合作，丁浩是当仁不让的人选。

合作谈得非常顺利，对方很爽快地签了合同。丁浩凝视着这个熟悉的城市，熟悉的马路，终于没有忍住自己的思念之情，他告诉自己：我只是想看看她过得好不好，只看一眼，

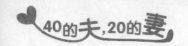

绝不打扰她的生活。

小区花园里，一个年轻的少妇带着一个蹒跚学步的孩子，正在努力教他："宝贝，叫妈妈，妈妈！"

孩子太小，只能发出模糊的音节，旁边的男人见状忍不住蹲下身子："宝宝乖，妈妈生你那么辛苦，你要第一个学会叫妈妈。"

孩子不懂，只是亲昵地朝男人扑去，小手在男人脸上抓着。男人丝毫不躲，无比亲昵地亲亲他的脸蛋："原来我们宝宝喜欢以行动表示啊！你妈要是像你就好了。"

少妇脸上微微一红，男人投入了下一轮叫妈妈的教育工程中。

丁浩的眼眶湿润了，一年多了，原来她已经有孩子了。这个男人他认识，叫严守业，看得出来，他很紧张陆宁。

丁浩看着一家三口其乐融融的画面，眼角湿润了，他悄悄拭去不小心涌出来的泪，转身离去。

陆宁感觉有一道熟悉的目光注视着自己，她回过头来四处寻找着，却什么都没有发现。严守业叫道："宝宝又赐给我一份礼物，快带我回去换裤子。"

陆宁回过神来，笑着亲亲孩子的脸："你好淘气啊，又尿到严叔叔身上了。"

转眼间，一年约定的时间即将到来，这一年来，严守业视孩子如己出，罗淑芬已经彻底把他当成自己的女婿了，待他比待亲生儿子还亲，她欣慰地跟老公说："我们宁宁真是个有福气的孩子，你看守业是个多好的男人啊！以前我还经常担心她的未来，现在看来都是瞎操心。"

陆增华接口道:"儿孙自有儿孙福,如果宁宁和守业走到一起,我们别再去掺和小夫妻的事了,他们有他们的生活,如果我们老是不肯放手,过分插手儿女的婚姻,不但给他们制造矛盾,还剥夺了他们在婚姻中成长的机会。"

罗淑芬深有同感地点点头:"这一年来我想通了很多事,在宁宁以前的婚姻里,我老是担心她受了委屈吃了亏,把女婿当成敌人看,让她夹在中间左右为难。这一年多来我把守业当成自己的亲生儿子,心态就完全不一样了,我不是失去了女儿,而是多了一个儿子。人心都是肉长的,你对人家好,人家心里都明白着呢!"

"你现在明白一点都不晚。反正你还会有女婿。"

这天周末,罗淑芬带着外孙出去遛弯,陆宁接到一个电话,竟是派出所打来的。

"你是陆宁吗?我们是派出所的,如果你有空请到派出所来一趟,有些东西需要你认领。"

陆宁狐疑地挂上电话,怀疑有人恶作剧,她八辈子都没想过会和派出所扯上关系,何况她根本没丢过什么东西,去认领什么呢?可对方的语气和地址都没错,想了想她回拨过去:"您好,请问您这是哪里?"

"杭州派出所。"

陆宁觉得还是去一趟,地方没错,应该不存在恶作剧的可能。

接待她的是个女同志,陆宁报上自己的名字和身份证,那位女同志交给她几样东西:"这是我们抓获一个小偷缴获的赃物,手机里存着'老婆陆宁',所以我们就联系了你,你看

三十二 拨云见日

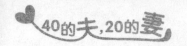

看这是不是你老公丢的东西。"

陆宁一看到那个笔记本，就知道这些东西的物主是谁，那个笔记本还是她陪丁浩一起去挑的呢！

"你们为什么不联系他本人呢？"

女同志奇怪地看了她一眼："物主的通讯工具已经被偷了，还怎么联系啊？这个手机已经没电了，你们是夫妻，给谁有什么区别呢？"

陆宁只好解释自己已经跟物主离婚了，女同志淡淡地看了她一眼："那你们总还有联系的吧！你要实在不想认领，就把这些东西放着吧！我们已经尽到责任了，联系不上我们也没办法。"

最终，陆宁把这些东西带回了家。笔记本静静地躺在桌子上，上面她贴着的一个印花还清晰可见，当时丁浩不让贴，嫌太过女性化了，最终没拗过陆宁，这个印花就在上面一直留着。

她伸手按了开机键，提示需要输入密码，她心里一动，把自己的生日输了进去，想不到电脑立刻进入了桌面。她的心怦怦跳得厉害，好像在窥探别人的隐私一般，可是她也不知道为什么，鬼使神差地就这么做了，也许，她想知道丁浩到底在想什么。

里面都是一些工作资料，陆宁叹了口气，打算关了电脑，不小心碰到鼠标，一个文件夹吸引了她的注意，这个文件夹被命名为"离婚日记"。

陆宁颤抖着点了进去。

"生意被骗，足足五百万，我不知道我这一生有几个五百万，可是这个五百万足以让我倾家荡产，连房子都要给银行。我真的无法面对宁宁，她那么支持我，我却搞得一团糟，连给她稍微好一点的生活的能力都没有。我知道宁宁不会介意，这个丫头太重情，一定会陪我同甘共苦，可是我要这么自私吗？她还这么年轻，下半辈子却要陪着我这个快四十的男人过苦日子，万一我这辈子都无法翻身，那怎么办？

……

我舍不得宁宁，万般舍不得，可是我不忍心她跟着我受苦。她是一个喜欢浪漫，喜欢悠闲生活的小女人，如果未来的生活要她精打细算地过日子，要为钱发愁，我不知道在这样的生活里，我们会变得怎么样。这段时间我一直在想，我到底还有没有能力让她幸福，如果没有，我是不是应该对她放手？

……

今天我妈知道了我生意被骗的事，她很激动，可是她没有怪我这个儿子，她把气发泄到宁宁身上，认为是宁宁怂恿我才开公司的，这对宁宁很不公平，可是一边是我妈，我能怎么说她呢？真的好难受！岳母为了宁宁和我妈大吵一架，宁宁伤心欲绝。这一刻，我突然觉得我应该对宁宁放手，不能让她这么委屈地跟着我，我想给她幸福，可是我现在真的没有能力了。

……

宁宁死活不肯离婚，她拼命表示无论未来如何，她都愿意跟我一起面对，我又感动又感伤，宝贝啊！我知道你的心意，可就因为你这么死心塌地地为着我，我不能不为你的将

377

来考虑啊！如果我现在还和以前一样，我死都不会放开你的手，可是现在我已经一无所有，还要你忍受我妈给你的委屈，我不忍心，真的不忍心。

……

宁宁说除非我背叛了这份感情，她才会离开我，看到她这么坚定，我的心都快碎了。这个物欲横流的社会，还有我这么纯粹的宝贝，可惜我没有福分永远拥有她，她值得更好的男人来一生守护她。

……

我找了艾伦来演这出戏，看着宁宁伤心欲绝的眼神，我恨不得立刻死去，宝贝，对不起！我知道你现在肯定很难受，但是时间会治愈你，离开了我这个老男人，你会有更好的生活等着你，也许过几年，你会忘记现在的一切。

……

终于决定要离开杭州了，我在心里默默为她祈祷：愿你一生幸福安康，嫁一个有能力的男人，一生守护你，而我也会为你祝福的。

……

我还是忍不住想见她一面，已经一年多了，不知道她怎么样了。宁宁终于找到自己的幸福了，那个男人很在意她，应该可以给她幸福，心里好痛，可是也很安慰，再见了，我的宝贝！"

眼泪爬满了脸庞，下面的日记已经看不清了，陆宁呆呆地坐在房间里，整整一夜……

丁浩收拾好行李，打算回北京，上次看了陆宁，回来的路上失魂落魄，什么时候被偷了都不知道，很多东西得回到北京才能补办。

电视里一个稚嫩的声音正在念一首诗："毕竟西湖六月中，风光不与四时同。接天莲叶无穷碧，映日荷花别样红。"

丁浩才惊觉竟然已经是初夏了，他突然想去西湖边看看。

苏堤上，一对对年轻的情侣相依相偎，有的你追我赶，好熟悉的画面，却又好遥远。

夕阳渐渐西沉，丁浩疲惫地坐在长椅上休息，一个阴影笼罩在他面前，他惊讶地抬起头来。

"我找你一天了。"女人淡淡地说。

"为什么？"

"因为我不可以放弃，相爱的人应该在一起，一转身就是一辈子错过，而且孩子不能没有亲生爸爸。"女人眼里渐渐有了雾气。

丁浩惊得目瞪口呆："孩了？你是说？"

"这一次，不知道你还会不会放开我的手。"

丁浩眼中含泪，哽咽地说："不会了，这一次我再也不放手了。"

女人含泪点点头，将手塞进他手掌中……